suhrkamp taschenbuch 4307

Culiacán, Nordwestmexiko: Seit der Präsident den Drogenkartellen den Krieg erklärt hat, eskaliert die Gewalt, werden in immer größeren Mengen Waffen über die US-mexikanische Grenze verschoben, ist die Polizei im Dauereinsatz. Da fällt der grausame Mord an Mayra Cabral de Melo, der Königin der Stripperinnen, kaum ins Gewicht. Doch Detective Edgar Mendieta, der in seinen besseren Tagen keine bloß platonische Beziehung zu der Edelprostituierten unterhielt, ermittelt gegen alle Widerstände. Zum Kundenkreis der brasilianischen Schönheit gehörten mächtige Politiker, Angehörige der Kartelle und ein übergeschnappter Boxer. Wo auch immer Mendieta ansetzt, explodiert ein Pulverfass. Und eine Frau hat fast überall ihre Finger im Spiel: Samantha Valdés, nun Chefin des mächtigen Pazifischen Kartells. Sie schuldet Mendieta noch einen Gefallen …

Elmer Mendoza wurde 1949 in Culiacán (Mexiko) geboren. Er ist Professor für Literatur an der Universität von Sinaloa und Autor von Erzählungen und Kriminalromanen, für die er zahlreiche Literaturpreise erhielt. *Das Pazifische Kartell* ist nach *Silber* (st 4187) der zweite Fall des Detective Edgar Mendieta.

Matthias Strobel, geboren 1967, lebt als Übersetzer in Berlin und Buenos Aires.

Elmer Mendoza

Das Pazifische Kartell

Kriminalroman

Aus dem Spanischen von
Matthias Strobel

Suhrkamp

Die Originalausgabe erschien 2010 unter dem Titel
La prueba del ácido
bei Tusquets Editores, S.A., Barcelona.

suhrkamp taschenbuch 4307
Erste Auflage 2012
Deutsche Erstausgabe

Druck: CPI – Ebner & Spiegel, Ulm
Printed in Germany
Umschlaggestaltung und Motiv:
HAUPTMANN & KOMPANIE Werbeagentur, Zürich,
unter Verwendung zweier Fotos von © Getty/Richard Ross
und © Shutterstock/Karin Hildebrand Lau
ISBN 978-3-518-46307-9

1 2 3 4 5 6 – 17 16 15 14 13 12

Das Pazifische Kartell

Für Leonor

An allem, was menschlichen Ursprungs ist, klebt Blut.
Guido Ceronetti, *Das Schweigen des Körpers*

Ist es womöglich die Aufgabe des Schriftstellers,
mehr Angst in dieser Welt zu schüren?
Rubem Fonseca, *Novela negra*

Es ist die Angst, die den Mörder bewaffnet.
Patrizia Cavalli, *Ich schlafe fast immer*

1

In der dunkler werdenden Nacht ergab sich Mayra Cabral de Melo ihrem Schicksal, erkannte, dass der Mann, der die Wagentür öffnete und sie zum Aussteigen zwang, der letzte ihres Lebens sein würde; dass Gott trotz seiner großen Macht nichts würde ausrichten können; dass sie sich getäuscht hatte, sich vielleicht in allem getäuscht hatte. Sie stolperte. Wozu sind Männer gut? Die Stadt lag wie eine kalte Kulisse in ihrem Rücken. Zu allem und zu nichts. Der Mann, ein Verehrer seit zwei Monaten, dem sie in letzter Zeit versucht hatte aus dem Weg zu gehen, fasste sie an der Taille und trieb sie mit militärischer Ruppigkeit vorwärts. Mein Gott, nach all den besonderen Momenten. Sie erinnerte sich, was sie als Kind alles hatte werden wollen: Feuerwehrfrau, Polizistin, Krankenschwester, Ärztin, Fußballspielerin, Schauspielerin, Sängerin, Tänzerin. Die Beste des Viertels, die Beste des ganzen Landes. Die Königin. Aber sie hatte ihre Jugend verbrannt wie ein von Schlangen wimmelndes Schiff: Nacht für Nacht, wenn das Feuer sich am tiefsten frisst, wenn es am stärksten vergiftet. Wenn man alle Namen annimmt. In diesem Augenblick ergab nichts einen Sinn, waren der Traum und ihre Welt weit weg, hinter dieser Lagerhalle, inmitten von Gestrüpp, das nicht wehtat, im Minirock und trägerfreien Top, vorwärtsgestoßen von diesem großen Mann, mit dem sie Spaß gehabt und Gäste empfangen hatte; mit dem sie so oft geschlafen hatte, nur nicht in der vergangenen Woche, obwohl er sie nicht in Ruhe gelassen hat.

Noch vor einigen Minuten, als er mit einer ungeheuren

Summe gelockt hatte, war sie schwach geworden und hatte ihn zu streicheln begonnen, was er mit einer sarkastischen Bemerkung zurückwies: er treibe es nicht mit Toten. Ganz ruhig, mein Schatz, soll ich es dir so machen, wie du es magst? Ich meine es ernst. Wovon redest du? Was meinst du ernst? Keine Antwort. Hab ich was falsch gemacht, mein Engel, mein Plüschbär? Wenn ja, kannst du mir noch mal verzeihen? Er drehte sich nicht mal um.

Sie hat den Brief an ihre Mutter nicht zu Ende geschrieben, ihr auch das Geld noch nicht geschickt. Strom, Wasser und Telefon waren bezahlt. Für Montag hat sie einen Termin beim Gynäkologen und bei der Fußpflegerin vereinbart, und die Leute aus Mazatlán? Den Geburtstag von Yhajaira, ihrer Mitbewohnerin, hat sie völlig vergessen, das erste Mal, dass ihr das passierte. Niemand macht sich über mich lustig, schon gar nicht eine Scheißnutte. Sie hat schon öfter daran gedacht, sich Pfefferspray zu besorgen, aber wozu? So gefährlich war die Stadt nun auch wieder nicht, außerdem war ihre Handtasche im Auto. Darin waren die achtzehntausend Dollar, die ihr Liebhaber ihr geschenkt hat, damit sie seit Freitag nicht zur Arbeit ging, der unfertige Brief, ihre Körpercreme, ihre Schlaftabletten und vieles mehr. Jetzt würde alles diesem Schwein in die Hände fallen, der sie mit den Schönen und Reichen bekannt gemacht hatte, na und? Wieso habe ich das Geld nicht zu Hause gelassen? Weil ich's eilig hatte. Ich wollte dich nicht verletzen. Halt's Maul! Ich hab dich zur Millionärin gemacht, was wolltest du denn noch? Das Gestrüpp zerkratzte ihre Beine, aber das spürte sie längst nicht mehr. Dass du mich nicht bedrohst, mein Herz, dass du nicht so wütend auf mich bist, nur weil ich nicht mit dir zusammen sein wollte. Sie musste unbedingt noch ... Da hörte sie den Schuss: die Nacht wurde schlagartig dunkler. Sie lag auf dem Rücken, den Blick zum weißlichen Mond gerichtet. Der Mörder ließ sich Zeit, großgewachsener Typ, kräftig, kurze Haare, nicht um ihr die Augen zu schließen, sondern um ihr Top nach unten zu ziehen und eine ihrer dunklen Brustwarzen abzuschneiden.

Auf der nahe gelegenen Landstraße zog das Vergessen seine Bahn.

2

Zwei Uhr morgens. Edgar Mendieta, der Zurdo, setzte sich auf und gab beim Ausatmen einen merkwürdigen Laut von sich. Ihm war, als irrte er durch eine dunkle Höhle, die sein Magen war, und stieße auf ein verängstigtes Selbst in Miniaturformat ohne Vergangenheit und ohne Zukunft. Ich werde vor Mick Jagger sterben, dachte er. Im Fernsehen wurden Fitnessgeräte angepriesen. Der Typ ist jetzt Vegetarier und schluckt Omega-6-Kapseln und Kalzium-Tabletten. Er machte den Fernseher aus. Wer bin ich? Wer sagt, dass ich das Richtige tue? Was bin ich wert? An welchem Punkt meines Lebens habe ich mich geirrt? Lohnt sich das Leben? Ein Idiot ohne Liebe, ohne Erfolg, mit einem Job, den keiner schätzt; ein Trottel, der allein lebt, im Haus seines Bruders, ohne Vater und, was noch schlimmer ist, ohne Mutter; ein armer Hund, der noch nicht mal eine Scheidung aufzuweisen hat, weil ich nämlich nie geheiratet habe, der weder Taufpate noch Erstkommunionspate war; ein Depp, der noch vor diesem Wichser von Mick Jagger sterben wird, der jetzt Sir ist und Keith Richards auf den Sack geht. Er setzte sich endgültig auf. Nachts schlief er in weißem T-Shirt und Unterhose. Er machte Licht an. Die Klimaanlage summte leise. Auf dem Nachttisch *Das Haus der glücklichen Buddhas* von João Ubaldo Ribeiro, mit einem Lesezeichen in der Mitte. Ein Hund bellte. Ich bin ein Versager, geißelte er sich weiter, eine arme Sau, eine Null jetzt und bis in alle Ewigkeit, Taugenichts wäre schon zu viel gesagt, denn von Taugen kann keine Rede sein. Die Pistole im Auto. Er stand auf. Verließ das Zimmer.

Manchmal gibt es einfach keine andere Lösung. Er ging in die Garage, öffnete die Tür des Jetta und nahm die Beretta aus dem Handschuhfach. Es ist mir unbegreiflich, wieso ich schon so lange lebe, sollten Leute wie ich wirklich länger als nötig leben?, was ist länger als nötig? Dass die Jahre vergehen und man nichts auf die Reihe kriegt, dass man nach seinem achtzehnten Geburtstag nicht mehr weiß, wozu man geboren ist und was man tun soll, dass man sich Tag für Tag immer nur im Kreis dreht. So ein Mensch hat kein Recht zu leben, so ein Mensch sollte keinen Sauerstoff verschwenden. Er überprüfte das Magazin und die Kugel im Lauf. Dann nahm er eine Zigarette aus dem Päckchen, das im Wagen lag, und zündete sie an. In diesem Augenblick hörte er den Hund bellen. Blödes Viech, bestimmt beißt du dir gerade in den eigenen Schwanz. Er ging zum Gittertor und trat auf die Straße. Der Mond war groß und rötlich, der Hund bellte ihn an. Du spinnst ja, Köter, sprach er ganz leise mit ihm. Was bellst du denn den Mond an? Du bist wie ich, ein Außenseiter; und wie ich machst du nur Blödsinn; ach, Hundchen, wir können halt nicht anders, bringst du dich um oder bringe ich mich um?, hab ich nicht genau das mein Leben lang getan: wie mit Scheuklappen den Mond angebellt? Und komm mir ja keiner damit, dass es poetisch ist, den Mond anzubellen, poetisch sind meine Eier, und die bellt keiner an. Der Hund, der sich im Vorgärtchen gegenüber befand, kannte den Zurdo; er lief zum Gitter und wedelte mit dem Schwanz. Willst du zuerst? Was bist du nur für eine Nervensäge, du kleiner Kläffer. Er sah seinen Schatten und den der 92FS in seiner Hand. Der Hund blickte ihn aufmerksam an und winselte. Was soll dieser flehende Blick?, willst wohl unbedingt der Erste sein?

Wieder bemerkte er seinen Schatten und betrachtete ihn näher, hob die Waffe und sah zu, wie der Schatten über die Straße wanderte; er hielt sich die Pistole an die Schläfe und ging in dieser Haltung in die Garage zurück. Einige Sekunden später kam er wieder raus, ohne Pistole, mit einer neuen Zigarette. Sag mal, du Blödmann, der du alles weißt und, wenn nicht, erfindest, warum habe ich gedacht, was ich gedacht habe?, welche Schraube hat sich da gelockert?, welche Aminosäure, welches Amphetamin oder welche Zelle ist da durchgedreht? Er überquerte die Straße und streichelte den Hund am Kopf. Was veranlasst einen Menschen, der kein Selbstmörder ist, diese Möglichkeit gar nicht so übel zu finden? Der Hund wedelte mit dem Schwanz. Der Zurdo lächelte. Schon gut, Hundchen, morgen geh ich zu Doktor Parra und mach einen Termin für dich aus, aber eins musst du mir versprechen: hör nicht auf ihn, auf keinen Fall; wenn du gern den Mond anbellst, dann bell ihn halt an, du Spinner, was hast du zu verlieren? Er rauchte, der Hund ließ ihn nicht aus den Augen. Willst du etwa eine Zigarette? Jetzt gehst du zu weit, Köter: du bist ja ein richtiger Sünder vor dem Herrn. Er trat die Kippe aus. So, und jetzt leg dich hin, morgen ist ein neuer Tag; er ging wieder rein, ohne den Mond, der inzwischen weißlich leuchte, eines Blickes zu würdigen.

3

Niemand wusste, wer McGiver wirklich war. Die einen sagten, er sei Engländer, die anderen, Deutscher. Dass er Iraner oder Argentinier sei, sagte nie jemand. Geboren war er im Stadtteil Col Pop, vor sechsundfünfzig Jahren, und von Beruf war er Schmuggler. Brauchen Sie AK-47- oder Barrett-50-Gewehre, eine Hubschrauberflotte?, oder möchten Sie unbedingt eine Flasche Dom Pérignon Jahrgang 1954, eine Beichte von Nicole Kidman oder einen Diamanten von Elizabeth Taylor? Dann ist Leo McGiver Ihr Mann; er nahm Aufträge von allen Menschen an, guten, bösen, schlimmsten, und es war nicht sonderlich schwer, ihn in Mexiko-Stadt ausfindig zu machen. Er liebte teure Bars, Schummerlicht und Frauen, die nichts sagten, sondern nur lächelten. Bars sind heutzutage darauf ausgelegt, dass man lächelt, trinkt und flirtet, und nicht, um sich zu unterhalten. Wenn doch mal eine Frau ihre Meinung kundtun wollte, brachte er sie schnell zum Schweigen. Du sollst lächeln, meine Lady, mehr will ich nicht von dir. Gerade ließ er es sich, sexuell befriedigt, in der Jazzbar des Hotels San Luis in Culiacán gutgehen; in der Stadt war er, um sich die Unterstützung eines Drogenkartells zu sichern und um ein merkwürdiges Geschäft, das ihn tagelang auf Trab gehalten hatte, über die Bühne zu bringen. Er hatte sich nur darauf eingelassen, weil es sich um einen alten Bekannten handelte, vielleicht den einzigen Landsmann, zu dem er ein freundschaftliches Verhältnis pflegte, dem einzigen auch, der seine Geschichte kannte. Seinem Wunsch nachzukommen war das Mindeste, was er tun konnte. Ich mag diesen Spinner, er hat die Druckmaschine mit beweglichen Lettern erfunden. Die dunkle Schönheit mit den grünen Kontaktlinsen lächelte und nippte gemächlich an ihrem russischen Wodka. Weiß du, was das ist, eine Druckmaschine mit beweglichen Lettern? Sie schüttelte den Kopf. Jedenfalls hat er sie erfunden; ein Supertyp und ein Spinner. Die Dunkelhaarige nickte wortlos; wenn sie etwas im Schnelldurchgang gelernt hatte, dann, dass der Kunde König war, und wenn dieser Idiot wollte, dass sie die Klappe hielt, würde sie die Klappe halten, quatschen konnte sie später wieder.

Sie hatten bereits zwei Stunden miteinander verbracht, und McGiver hatte allmählich einen sitzen. Er hat noch andere Sachen erfunden, den Füllfederhalter zum Beispiel, hast du schon mal mit einem Füllfederhalter geschrieben? Wieder schüttelte sie den Kopf. Erfunden hat er ihn eines schönen Abends, als er nichts Besseres zu tun hatte; einfach so, ohne vorher drüber nachzudenken, und dieser coole Typ lebt hier, in dieser Stadt, in der sich alles so schnell verändert. Er gehörte zu der Sorte Männer, die einer Frau bei ihrem Geschwafel in die Augen sahen, das hatte sie schon nach drei Minuten kapiert. Auf meinen Freund und seine Erfindungen, Prost. McGiver trank sein Glas aus, das Mädchen nippte an ihrem und schenkte ihm nach. Aber jetzt ist er ein bisschen zu weit gegangen, nicht mit einer Erfindung, ich hab keine Ahnung, woran er gerade tüftelt, sondern mit was anderem, einer Besorgung, meine ganzen Kontakte musste ich dafür spielen lassen, mir regelrecht den Kopf martern und durch die Weltgeschichte gondeln, schräge Sache. Wenn ich dir sage, dass er spinnt, dann spinnt er; aber er ist nicht klinisch verrückt, von wegen Zwangsjacke und so, nein, er hat einfach nur die abartigsten Ideen, vollkommen gaga, verstehst du? Das Mädchen nickte. Ein normaler Mensch hat nicht so abgefahrene Wünsche, weißt du, was passieren würde, wenn alle so wären wie er? Sie schüttelte den Kopf. Dann würde das totale Chaos ausbrechen, der universelle GAU; und das will ich lieber nicht erleben. Was dem so einfällt, ist wirklich unfassbar, wenn ich dir sagen würde, was ich ihm besorgt habe, würde dir die Kinnlade runterfallen, sauteuer, das Ding, aber Geld spielt bei ihm keine Rolle, weißt du, wer Jeff Beck ist? Das Mädchen schüttelte wieder den Kopf. Dachte ich mir schon, hast du den Film *Blow-up* gesehen? Kopfschütteln. Er nickte verständig und trank einen Schluck. Schade, dass man hier nicht rauchen darf, wenn ich was trinke, habe ich Lust auf eine Zigarette, ah, was ich sagen wollte: man muss schon ganz schön ballaballa sein, um in so was zu investieren; morgen werde ich ihm seinen wertvollen Schatz aushändigen, wie ein Blöder habe ich danach gesucht, in Brüssel und Turin, nur um das Ding dann in Lissabon aufzutreiben, im zweiten Stock eines Hauses im Viertel Santa Catarina, weißt du, wo Lissabon liegt? Sie sah zur Decke.

Señor, ich muss was mit Ihnen besprechen. Hey, hey, hey, nichts da, wir sind gerade so schön in Stimmung, brich mir bloß diesen Zauber nicht, haben wir uns verstanden? Ich mach's kurz. Nichts da, Prost, sie war sauer. Einige Minuten später fragte der Schmuggler sie nach dem Kellner. Das Mädchen winkte einen jungen Kerl herbei. Die Rechnung. Weil sie die Letzten waren, hatte er sie schon vorbereitet. Ich habe kein Bargeld bei mir, können Sie die Señorita mit auf die Rechnung setzen und ihr ihren Anteil auszahlen? Dreitausend, sagte sie, und lächelte wieder. Sagen wir viertausend, du bist wirklich ein entzückendes Ding, wie heißt du noch gleich? Sie nannte den Namen, ohne ihn laut auszusprechen. Mit zwei ›s‹? Sie nickte. Nun lächelten beide. McGiver unterzeichnete den Schuldschein und stand auf. Ruf mir ein Taxi. Draußen warten immer welche, Señor. Darf ich Ihnen sagen, wie viel Spaß es mir gemacht hat? Der Schmuggler bewegte abwehrend den Zeigefinger und ging schwankend los. Das Mädchen runzelte die Stirn und sah ihm nach. Aus einer Ecke tauchte der Muerto auf, ein cleverer junger Kerl, und setzte sich zu ihr, auf den Stuhl, auf dem gerade noch McGiver gesessen hatte. Sie sahen sich an, sie entnervt; er liebevoll. Dann standen sie auf und gingen.

4

Mendieta saß an seinem Schreibtisch und las Zeitung. Gris Toledo feilte ihre Fingernägel. Vor ihr stand eine Coca-Cola light; vor ihm Kaffee. Polizisten schwärmten auf den Gängen aus, nachdem sie ihre Anweisungen erhalten hatten. Das Handy klingelte, die berühmte Fanfare der siebten Kavallerie, die auf den Pferderennbahnen dieser Welt so viel Adrenalin freisetzte. Mendieta. Warum redest du so? Wie? So merkwürdig, als hättest du einen Buchstaben verschluckt. Ich hab dir schon immer gesagt, du wirst vom Rumvögeln noch taub. Red nicht so einen Stuss, Zurdo, ich mein's ernst, du klingst irgendwie komisch, außerdem bin ich hier der Arzt. Wie steht's? Gut, hör mal, ich bin für eine Weile nicht erreichbar. Was du nicht sagst. Sobald ich wieder kann, melde ich mich. Was hat sie für Augen? Groß, funkelnd, die schönsten, die ich in meinem kümmerlichen Leben je gesehen habe. Also, nicht taub werden, ja? Das überlasse ich den Maulwürfen und anderem Gewürm. Er legte auf. Das war Montaño, stimmt's? Gris schnaubte. Auf dem Weg zur Arbeit. Was für ein ätzender Typ. Dass ihr beide wie Feuer und Wasser seid, ist nicht zu übersehen, aber letztlich geht dich das nichts an. Von wegen, wenn ich diesen Lustmolch mal mit einer Minderjährigen erwische, wandert er in den Knast. Was bildet der sich eigentlich ein? Bist du eifersüchtig? Ich eifersüchtig? Dass ich nicht lache, Chef, dieser Kerl rührt mich nicht an, nicht mal in einem nächsten Leben. Der Zurdo lächelte. Ist nicht alles seine Schuld, ich hab schon ein paar Mal beobachtet, wie die jungen Dinger sich an ihn ranschmeißen. Ich sag's gern noch mal:

wenn ich mitkriege, dass er mit einer Minderjährigen ins Bett geht, schnappe ich ihn mir. Ortega kam ins Zimmer, mit einer aufgeschlagenen Zeitung in der Hand. Habt ihr die Rede des Präsidenten gesehen? Ich lese sie gerade. Ist der jetzt völlig übergeschnappt oder was? Erklärt tatsächlich den Narcos den Krieg, weißt du, wie viele Polizisten beim Kampf gegen die Drogenkartelle draufgehen werden? Alle. Der Kerl weiß nicht, was er sagt. Zumindest sagt er was, oder könnt ihr euch einen stummen Präsidenten vorstellen?, wandte Gris ein. Das wäre ja wie ein vegetarischer Polizist. Das Allerletzte. Das passt uns alles nicht. Immer mit der Ruhe, am Anfang quatschen sie alle so daher, und dann passiert gar nichts. Mag sein, aber der hier muss sich beweisen, du weißt ja selbst, was gemunkelt wird. Lass dir davon nicht den Schlaf rauben, wenn es wirklich Wahlbetrug war, dann nicht zum ersten Mal. Originalität ist nicht gerade die Stärke dieses Landes. Irgendwas sagt mir, dass es diesmal anders wird. Möge deine Zunge verbrennen. Hör mal, was macht der Fall der Frau ohne Brüste?, ist in aller Munde, und ich krieg rein gar nichts mit, wer war's? Sollen sie uns doch auf den Zahn fühlen, wir haben nur Gerüchte gehört, angeblich stammt er aus einer mächtigen Familie. Mächtig ist noch untertrieben, bemerkte Gris, offenbar hat man der Presse einen Maulkorb verpasst, oder findet ihr's normal, dass nichts über den Fall zu lesen war? Glaubst du wirklich, die Presse spielt da mit? Doch nicht bei uns, mein Freund. Und schon gar nicht heutzutage.

Angelita, die Sekretärin, sah zur Tür herein. Guten Morgen, seid ihr aus dem Bett gefallen? Was soll diese Bemerkung, Angelita? Dass ihr so früh hier seid, kommt doch nur alle Schaltjahre vor. Du bist heute spät dran, das ist ganz was anderes, und weil Montag ist, legen nicht mal die Hühner Eier. Sie lächelte. Spitze Zunge heute, was, Chef?, der Comandante will Sie sprechen, mal sehen, ob Sie zu ihm auch so ungezogen sind. Gelächter.

Was zum Teufel soll ich in Madrid? Mendieta und Briseño sahen sich an, ohne zu blinzeln. Der Comandante hatte ihn zu sich zitiert, um ihm mitzuteilen, dass der Fall der Frau ohne Brüste eingestellt worden war. Wir sind erst gar nicht darauf angesetzt worden. Ich weiß, aber ich will kein böses Gerede auf den Fluren, unsere tägliche Mordrate macht uns schon genug zu schaffen; wenn das so weitergeht, überholen wir in der Landesstatistik noch Tijuana und Ciudad Juárez. Wäre keine schlechte Trophäe, stellen Sie sich vor, eine AK-47 mit Goldsockel auf Ihrem Schreibtisch, ich hab da einen Kumpel, der würde sich mit dem Geschäft dumm und dämlich verdienen. Das ist nicht witzig, Mendieta, deine Bemerkung ist völlig deplatziert. Der Zurdo lächelte, machte eine beschwichtigende Geste und ließ es auf sich beruhen. Was diese Frau angeht, war's das, kapiert? Lass es auch die anderen wissen; ah, ich hab hier noch eine Einladung von der Drug Enforcement Administration, zu einem Seminar über Ermittlungsmethoden im Kampf gegen das organisierte Verbrechen. Die muss für Pineda sein, Briseño streckte ihm den Brief hin. Die ist für dich, da steht's, schwarz auf weiß: Mr. Edgar Mendieta. Er las das Schreiben, den Kurs können sie sich sonst wo hinstecken. Von den Gringos hält man sich am besten so fern wie möglich, Comandante, und von der DEA noch ferner. Ein vorwurfsvoller Blick. Wir haben auch noch eine Einladung aus Madrid.

Bevor er sich mit Gris zusammensetzte, rief er Doktor Parra an. Um acht bei mir in der Praxis. Geht's nicht früher? Ich fühle mich komisch, hab irgendwie keine Wünsche mehr, als hätte ich ein Loch in mir; heute Nacht bin ich aufgewacht und fand mein Leben beschissen, hab sogar meine Pistole geholt. Ruf mich in zwei Stunden noch mal an, ich will sehen, was ich machen kann.

Die Kavalleriefanfare ertönt. Ger. Ich weiß, dass Sie es gar nicht mögen, wenn ich Sie anrufe, aber es musste sein, kommen Sie zum Essen? Ich kann nicht, wir müssen den Fall einer Frau lösen, der man die Brüste abgeschnitten hat. Großer Gott, schwören Sie mir das? Hand aufs Herz. Um Himmels willen, wie kann man nur so grausam sein, wo soll das alles noch hinführen? Keine Ahnung, ich weiß nur, dass wir da gerade dran sind. Dann will ich Sie nicht länger aufhalten, wollte nur schnell sagen, dass der Gringo gerade angerufen hat, er will unbedingt mit Ihnen sprechen. Wenn er sich noch mal meldet, sag ihm, ich bin verreist und dass ich ihn auf jeden Fall zurückrufe, wenn ich wieder da bin. Ach, Zurdo, ich verstehe nicht, warum Sie so abweisend sind, er fragt mich immer nach Ihnen, wie es Ihnen geht, welche Vorlieben Sie haben, was Sie so anziehen, wie groß Sie sind; als ich ihm erzählt habe, dass Sie gern schwarze T-Shirts tragen, hat er sich gefreut. Sag ihm, dass ich in zehn Tagen wieder da bin. Er legte auf. Allein der Gedanke, sein Bruder Enrique könnte recht haben, machte ihn ganz krank, war doch nicht seine Schuld, wenn der Sohn seiner Exgeliebten ihm ähnlich sah, oder? Manche Leute sind nicht dafür geschaffen, Vater zu sein, und ich bin so einer.

Chef, Gris hatte ihn gefunden; ein S-26 auf der mautfreien Landstraße nach Mazatlán, Ortegas Leute sind schon vor Ort.

Am Tatort suchte Ortega den abgesperrten Bereich ab, ein Praktikant der Rechtsmedizin vermerkte seine Beobachtungen in einem Notizbuch. Die abgedeckte Leiche lag im Gestrüpp, rund acht Meter von einer Lagerhalle für Saatgut entfernt. Mendieta ging zu der Leiche, zog das Tuch vom Gesicht und erstarrte. *Bist du ein Bulle? Siehst gar nicht wie einer aus. Du wirkst etwas geknickt, bist du etwas durcheinander? Bist du der Zurdo?* Die Augen der Frau waren geöffnet, die Schönheit ihres Gesichts war trotz der Totenstarre erschütternd. Der Zurdo war wie gelähmt: *Polizisten haben immer etwas Grausames, das sie verrät, du dagegen wirkst ganz normal, trainierst du viel?* Sie liegt noch so da, wie wir sie aufgefunden haben, informierte ihn Ortega, sie wurde erschossen, die Patronenhülse haben wir gefunden, außerdem wurde ihr eine Brustwarze abgeschnitten; wir haben auch Fußabdrücke entdeckt, von ihren Sandalen und von schwereren Schuhen. Gelähmt. Im Fall unserer Unantastbaren, war das da auch nur die Warze oder die ganze Brust? Zurdo, alles okay mit dir?, du bist ja ganz gelb. Er musste ihre Augen ansehen, er musste einfach: das eine honigfarben, das andere grün. Der Rechtsmediziner kam zu ihnen. *Du bist ja Linkshänder, so wie ich.* Der Körpertemperatur nach ist sie seit sechs oder sieben Stunden tot, sie wurde bereits von Ameisen angeknabbert, teilte er mit. Ob wir Samenspuren finden, sehen wir dann in der Rechtsmedizin.

Die Ameisen haben sie fast aufgefressen, sagte der Kriminaltechniker, dabei sehe ich hier gar nicht so viele. Die Kugel ist aus ihrem linken Ohr ausgetreten, getötet wurde sie hier. Gris Toledo nutzte ihre räumliche Intelligenz und sah sich aufmerksam um: grobe Schuhe, wie von einem Forschungsreisenden? Neue Schuhe, hatte ein

Narco sie erledigt? Möglich, nur dass Narcos Cowboystiefel tragen. Eine Vertreterin der Staatsanwaltschaft machte Fotos und tauschte mit Gris Eindrücke aus. Große Stiefel, Soldatenstiefel, war es einer Frau zuzutrauen, dass sie Männerstiefel anzog, um eine falsche Spur zu legen? Die Schrittlänge ist ziemlich groß. Der Zurdo zog sich zurück, die Locken von Mayra Cabral de Melo waren zerzaust. *Unter den Schnecken ihres Haars ist eine Geschichte verborgen.* Er musste an dieses Lied von Roberto Carlos denken. Okay, wenn die Berichte fertig sind, schickt sie mir ins Büro, Gris, ich warte im Auto auf dich. Ortega holte ihn ein. Zurdo, du hast das Mädchen gekannt, das sieht man dir auf einen Kilometer Entfernung an. Hab ich nicht, aber sie ist so schön, dass man heulen möchte. Mach mir nichts vor, selbst einer meiner Leute weiß, wer sie ist. Er ließ ihn einfach stehen. Schon gut, mein Freund, wenn du jemanden brauchst, mit dem du drüber reden willst, ich bin der Erste auf der Liste. Ortegas Handy klingelte. Pineda, was gibt's? Er hörte zu. Wir kommen, glaubst du, der Krieg hat begonnen? Zwei Tote an der Avenida Obregón, in der Nähe der Kreuzung mit der Primavera.

Der Zurdo stieg in den Jetta, ließ den Motor an, spürte die Klimaanlage, dann hörte er den sanften Rhythmus von Peter Frampton, *Baby, I Love Your Way*. Manche Erinnerungen schaffen Zukunft, während andere sie zerstören. *Magst du diese Musik wirklich? Du bist der romantischste Bulle, der mir je untergekommen ist,* er erinnerte sich an ihre üppigen Lippen, ihre rauchige Stimme, ihren brasilianischen Akzent. *Die Portugiesen nennen diese Musik Pimba.* Die Beifahrertür wurde geöffnet, aber es war nicht Gris, die da einstieg: Daniel Quiroz, der cleverste Reporter der

Stadt, lächelte ihn an. Was machst du denn hier, mein guter Zurdo? Ich lutsche Daumen, hab dich schon vermisst. Ich bin erst mal zu Pineda. Hab schon gehört, dass ihr euch ineinander verliebt habt, wann ist die Hochzeit? Habt ihr das Mädchen identifiziert? Ja. Das haben mir die Kollegen schon gesteckt, sie hat im Alexa gearbeitet, hast du Durchfall? Du bist so blass. Von wegen blass, du Idiot, mir geht's gut. So, so, warst du am Ende ein Kunde von ihr?, diese Schwäche war mir noch gar nicht bekannt, mein lieber Zurdo. Halt bloß die Klappe. Er sah den Journalisten mit verzerrtem Gesicht an. Nur ein einziges Mal, Quiroz. Hoppla, da habe ich wohl den Finger in die Wunde gelegt. Weißt du was? Steig lieber aus, sonst kriegst du von mir eine in die Fresse. Das willst du nicht wirklich, Zurdo: »Polizist greift wehrlosen Reporter an«, stell dir nur mal vor. Mendieta sah zur Landstraße, auf der sich die vollbeladenen Lastwagen auf dem Weg in die Stadt stauten, zu den Gaffern, die unter dem gelben Absperrband hindurchzuschlüpfen versuchten. Gris verhörte zwei Arbeiter der Lagerhalle, die permanent den Kopf schüttelten.

Ich weiß, dass sie Brasilianerin war, dass sie im Alexa gearbeitet hat und dass man ein prall gefülltes Geldsäckchen haben musste, wenn man mit ihr schlafen wollte, und was weißt du, mein lieber Zurdo? Nichts, und wenn du mich ein bisschen magst, hör auf, mir Fragen zu stellen, und steig aus. Quiroz sah ihn an: Es tut dir so weh, dass du den Schuldigen nie finden wirst. Er rührte sich nicht. Ich werde ihn finden, darauf kannst du Gift nehmen, und wenn er im Bauch seiner Scheißmutter steckt.

Chef, viel haben wir nicht; die Jungs sagen, sie war Tänzerin im Alexa, und Ortega glaubt, dass Sie sie kannten. Ich habe den Nachtwächter angerufen, und der hat mir die Adresse des Geschäftsführers gegeben, wohnt im Stadtteil Las Vegas, fahren wir zu ihm oder zum Club? Gris Toledo schlug die Tür des Jetta zu und hob ihre Fragen für später auf. Mendieta folgte einfach den Anweisungen seiner Kollegin. Vor einigen Monaten hatte er Mayra Cabral de Melo in Mazatlán kennengelernt: *Bist du ein Bulle? Sieht man dir gar nicht an, dein Gesicht hat so was Unschuldiges, Sanftes, als könntest du keiner Fliege was zuleide tun; und du hast schöne Augen, ein bisschen traurig vielleicht, aber ausdrucksstark; ab jetzt fühle ich mich unter dem Schutz des Gesetzes; du musst dir unbedingt meine Show im Alexa ansehen, es ist nicht nur die Stange und die Beleuchtung oder die allgemeine Geilheit; es ist auch Tanz, Schönheit des Körpers, der nur andeutet; schließlich habe ich eine Tradition zu wahren, oder hast du schon mal eine Brasilianerin gesehen, die nicht tanzen kann? Das Tanzen liegt uns im Blut, von klein auf feilen wir daran, suchen wir für jedes Gefühl eine Bewegung, als wäre es eine Beschwörung. Anders gesagt: ich verleihe der Schönheit des Lebens Ausdruck, manch einer denkt zwar an was ganz anderes, aber dann soll er wenigstens staunen, wenn er wieder geht. Nein, ich mache mir nichts aus Alkohol, aber wir können uns unterhalten, essen, spazieren gehen, ein Gläschen Wein ist auch mal drin; wir Brasilianer trinken lieber Bier, aber mir bläht Bier den Bauch auf, also trinke ich lieber was anderes; ich bin beruflich hier, darüber darf ich nicht sprechen, aber du hast recht, es war eine ganz spezielle Party; da triffst du den Nagel auf den Kopf, die Gäste waren so prominent, da hätte manch einer mich gern mit nach Hause genommen, aber ich habe mich nicht getraut, das ist eine heikle Sache, und manchmal ist es besser, man hält sich an die Vereinbarung, wenn jemand nicht lockerlässt, kann man sich ja hinterher um ihn kümmern, bis jetzt hat aber noch keiner nachgehakt. Das verstehe ich, wirklich, das Leben besteht nicht nur aus Tanzen. Wie gesagt, du hast schöne Augen. Natürlich kannst du auch was zu meinen sagen, aber es dürfte dir schwerfallen, originell zu sein.*

Alonso Carvajal, achtunddreißig, erhielt die Nachricht in seinem Haus im Stadtteil Las Vegas, in Shorts und Hemd. Verschlafen. Seine Frau bei der Arbeit, die Kinder in der Schule. Das arme Ding, sie war unser Star. Mayra Cabral de Melo, war sie Brasilianerin? Gris Toledo, mit harter Stimme. Mendieta spielte den Witwer und schaute nur zu. Hat sie jedenfalls behauptet. Warum zweifeln Sie daran? Die Mädchen sind clever und kommen von sonst wo her, wenn eine lügt, ist das nicht unser Bier. Natürlich, es reicht ja, wenn sie gut mit dem Arsch wackeln kann. Der Zurdo sah sie an. Ist ein Job wie jeder andere. Was Sie nicht sagen, aber darum geht's jetzt nicht; seit wann hat Mayra im Alexa getanzt? Seit vier Monaten etwa, übrigens ist sie an den letzten drei Abenden nicht zur Arbeit erschienen. Was machen Sie in so einem Fall? Wir forschen nach, aber wir haben Mayra nicht erreicht, auch ihre Mitbewohnerin hat sie gestern Morgen nur kurz gesehen, obwohl sie zu Hause war. Wie heißt diese Mitbewohnerin? Yolanda Estrada, ihr Künstlername ist Yhajaira. Adresse? Zaragoza 2516-B, gleich neben dem Casino de la Cultura. Mendieta rief im Präsidium an: Robles, setz dich mit dem Terminator in Verbindung, er soll Camello mitnehmen. Er gab ihm Namen und Adresse durch. Sie sollen uns auf dem Laufenden halten und bei dem Mädchen bleiben, bis wir da sind. Mayra trat unter dem Namen Roxana auf. Wie viele Mädchen tanzen in Ihrem Schuppen? Das ändert sich ständig, im Moment ein Dutzend. Wer außer Ihnen hat direkten Kontakt zu ihnen? Elisa Calderón, meine Assistentin, passt auf, dass sie pünktlich sind, und wenn eine mit einem Gast mitgeht, schreibt sie es auf, außerdem koordiniert sie die Auftritte. Óscar Olivas, der Barmann, den wir alle Fantasma nennen, und die Kellner, vor allem José Escamilla, der die Séparées verkauft. Carvajal machte den Job jetzt seit vierzehn Monaten, anfangs eher ungern, aber inzwischen hatte er sich daran gewöhnt. Ein Mord war noch nie passiert. Wie kam Mayra zu Ihnen? Sie gehörte zu einer Gruppe von Mädchen aus Veracruz, alle drei oder vier Monate gibt es so eine Art Ringtausch. Das heißt, ihre Zeit hier war fast abgelaufen. Sie wollte bleiben, hatte gute Kunden, und wie gesagt, sie war unsere Hauptattraktion, ich denke, sie hätte es geschafft. Wie? Na ja ... Er zögerte. Einer ihrer Kunden ist Mitinhaber des Clubs. Und heißt? Luis Ángel Meraz. Gris schielte zum Zurdo. Der Politiker? Genau der; könnten Sie mir einen Gefallen tun und meinen Namen unerwähnt lassen, wenn Sie ihn aufsuchen? Ich will eine Liste ihrer Kunden, und zwar jetzt gleich. Das dürfen wir nicht, konnte er gerade noch sagen, bevor ihn der Zurdo am Kragen packte. Die Liste, du Penner, oder bist du taub? Die anderen Mitinhaber kannst du gleich mit draufschreiben. Okay, okay. Der Zurdo setzte sich: *als könntest du keiner Fliege was zuleide tun*. Gris sah ihn erstaunt an. Und weiter? Anfangs ist sie mit rund einem Dutzend ausgegangen, am Ende waren es noch zwei oder drei. Wer? Das kostet mich meinen Job. Wenn ich dich einbuchte, kostet es dich deine Jungfräulichkeit, du Wichser, drohte Mendieta, der langsam vom Witwer zum Rächer mutierte. Miguel de Cervantes. Der Zurdo sprang auf wie ein Raubtier, riss Carvajal, der von normaler Statur und ziemlich dick war, vom Stuhl und trat ihm mit dem Knie in die Eier. Autsch. Verarsch uns nicht, du Idiot, das ist der Name eines Schriftstellers. Er hat aber gesagt, dass er so heißt, ich schwör's, der Typ ist Ingenieur, baut Gewächshäuser und wohnt in La Primavera, ein Spanier. Und er hat den Don Quijote geschrieben. Er drückte ihn zurück auf den Stuhl. Bitte, bei mir braucht ihr solche Methoden nicht anzuwenden, ich bin auch so kooperativ, was ich weiß, sage ich auch, und diesen Cervantes kenne ich, für die Aufnahmeprüfung an der Uni musste ich *Der Lizenziat Vidriera* lesen. Wer sind die anderen? Wie schon erwähnt, Luis Ángel Meraz, der ehemalige Parteivorsitzende der PRI und jetzige Abgeordnete, und Richie Bernal, den Sie wahrscheinlich besser kennen als ich. Gris notierte sich die Namen. Wo sie wohnen, weiß ich nicht. Und die Kunden davor? An deren Namen kann ich mich nicht mehr erinnern, das war gleich nach ihrer Ankunft hier; ich werde Elisa bitten, sie rauszusuchen und Sie anzurufen. Wir brauchen ihre Adresse und Telefonnummer für eine Aussage. Sie wohnt in Las Quintas, am Boulevard Sinaloa. Gris schrieb sich die Angaben auf. Haben diese Herren Mayra im Alexa abgeholt? Nein, sie haben angerufen, und wir haben sie hingebracht, das gehört zu den Aufgaben von Elisa. Wohin? In Hotels, Privathäuser, zum Strand, so, wie das eben läuft; nur Cervantes hat sie immer zu sich nach Hause bestellt, deshalb wissen wir, wo er wohnt. Und die anderen? Licenciado Meraz hat uns eine Adresse durchgegeben, Bernal hat sie hier abgeholt oder zu einer Privatparty bestellt; Partys waren ein gutes Geschäft für Mayra, sogar in Mazatlán hatte sie Kunden; wenn ich mich recht erinnere, sollte sie auch am Wochenende hinfahren. Mendieta wurde wieder blass, aber niemand bemerkte es. Erinnert sich auch Elisa Calderón daran? Bestimmt, in letzter Zeit hat sie sich öfter darüber geärgert, dass Mayra ihre Dates selber ausmachte und sich unerlaubt frei nahm. Was sind das in Mazatlán für Leute? Das weiß nur Elisa. Und die Mitinhaber? Außer Meraz sind da noch Bernardo Almada, der in den USA lebt, Rodrigo Cabrera, den Sie bestimmt kennen. Sicher, der ehemalige Generalstaatsanwalt. Und Othoniel Ramírez, der als Handlungsbevollmächtigter fungiert. Haben alle die Mädchen in Anspruch genommen? Almada habe ich nie im Club gesehen, Cabrera nur ab und zu, und wenn, dann nie mit Roxana; Ramírez ist Stammkunde. Auch von Mayra? Nein, das ist Meraz' Terrain. Du hast gesagt, sie ist drei Tage nicht zur Arbeit erschienen, irgendeine Ahnung, wo sie war? Nein, Elisa wusste es auch nicht und war deswegen stinksauer.

Nach fünfunddreißig Minuten rief der Terminator an. Wie sieht's aus? Geht so, mein Zurdo, wir haben, was Sie wissen wollten, und sind jetzt am Schauplatz, hier liegt eine junge Frau mit einem Schuss im Herz. Verdammt. Offenbar hat jemand was dagegen, dass Frauen die Mehrheit der Bevölkerung bilden, mein Zurdo, oder wie sehen Sie das? Unsere erste Spur, mein Termi: der Kerl versteht was von Statistik.

5

McGiver machte den Fernseher aus, duschte, bestellte Frühstück und erledigte Anrufe: Hallo, Twain, Grüner Pfeil hier. Zweiter Vorname? Danilo, was machen unsere Zeiten? Ticken gemächlich vor sich hin, und bei euch? Alles okay mit Nummer zwei, er fordert nur eins: Pünktlichkeit. Kein Problem. Nummer eins will Publicity, Fotos in den Medien, öffentliche Statements; außerdem haben wir eine ernste Störung. Das ist deine Sache, haben sie den Vorschuss bezahlt? Nur Nummer zwei, check noch mal nach, die Anzahlung soll heute eingehen; ich hoffe, dass Nummer eins bald anruft, und was die Störung angeht, da wird bald was passieren, wie sieht's aus mit meinem Vorschlag eines neuen Players. Noch ein paar Tage, dann sind wir so weit. Klick. Sein Kontaktmann in Sachen Waffenhandel, er wollte sicherstellen, dass alles glattging; gestern Abend hatte er den Abschluss eines Geschäfts gefeiert, das ihnen Millionen von Dollars und Folgeaufträge einbringen würde.

Er wählte die nächste Nummer. Ja, bitte. Sinnliche Stimme. Guten Tag, Neuigkeiten? Sie wollen alles im Voraus. Wie misstrauisch. Das ist eben ihr Stil, du weißt ja, wie die Hauptstädter sind, wenn's ums Geschäft geht, trauen sie nicht mal ihrer Großmutter. Morgen Abend kriegen sie achtzig Prozent, den Rest behalten wir als Garantie, falls die Ware gefakt ist. Darauf werden sie sich nicht einlassen, außerdem liefern sie Originalware. Dann sag ihnen, das sei eben unser Stil. Wir sollten keine Spielchen mit ihnen treiben, und noch mal, damit du's begreifst: die werden keinen Finger rühren, bevor das Thema Geld nicht geregelt ist. Also kümmer dich drum, ich ruf dich morgen wieder an. Bist du noch in Yucatán? Da war ich nie, in Saltillo dagegen gibt es nach wie vor das beste Agavenbrot. Er legte auf. Auch wenn er nie mit Dulce Arredondo schlafen würde: sie gefiel ihm.

Señor Olmedo, bitte. Er ist nicht da, soll ich ihm etwas ausrichten? Ich weiß nicht, ob Sie sich an mich erinnern, ich bin Leo McGiver, wir hatten miteinander gesprochen. Ah, ja; ich habe ihm Ihre Grüße ausgerichtet und soll Ihnen sagen, dass er Sie heute Abend um zehn bei sich zu Hause erwartet. Ausgezeichnet, aber ich würde trotzdem gern mit ihm sprechen, wenn das möglich ist. Mmm ... ich fürchte nein, er hat mich aus Altata angerufen, und wenn er von dort aus anruft, ist es unwahrscheinlich, dass er sich noch mal hier blicken lässt. Wie gut Sie das einschätzen können. Nach zwölf Jahren kennt man eben seinen Chef. Richten Sie ihm meine Glückwünsche aus, eine gute Sekretärin ist schon der halbe Erfolg. Können Sie ihm das nicht sagen, vielleicht erhöht er mir dann mein Gehalt. Mache ich, und wenn er es Ihnen nicht erhöht, kommen Sie einfach zu mir. Ich hoffe, es klappt mit der Gehaltserhöhung. Sie verabschiedeten sich.

Er öffnete die Tür, Frühstücksdüfte wehten ins Zimmer. Wie lange war es her, seit er zum letzten Mal Eier mit Chorizo gefrühstückt hatte? Als der Kellner weg war, hob er den Deckel vom Teller und nahm einen Bissen. Wenn ich nicht rechtzeitig die Fliege gemacht hätte, wäre ich heute eine fette Sau von hundertdreißig Kilo; unmöglich, bei solchen Köstlichkeiten nicht schwach zu werden. Dann rief er Olmedo auf dem Handy an, aber er ging nicht ran.

Er frühstückte weiter. Meine Mutter, die wusste auch,

wie man eine Chorizo richtig brät, Gott hab sie selig. Früher waren Mütter immer auch gute Köchinnen. Heutzutage bringen sie nur noch Schinkensandwich mit Mayonnaise und Pommes frites zustande, und dazu gibt's Coca-Cola. Widerlich. Was waren das damals noch für Zeiten. Wenn es kalt war, gab's vor der Schule immer Haferbrei oder heiße Schokolade. Vielleicht hat sich die Welt deshalb so verändert: weil das Essen so ungesund ist und keiner mehr kochen kann. Ring. McGiver erhielt nie Anrufe. Ring, ring. Sein Herz zog sich zusammen. Er hatte kein Handy, und normalerweise wusste niemand, wo er abstieg. Ring, ring, ring. Er nahm ab. Warum gehst du nicht ran, Junge, warst du gerade auf dem Scheißhaus oder was? Mit wem habe ich das Vergnügen? Ich bin's, dein Vater. Jetzt krampfte sich sein mit Chorizo und Rührei gefüllter Magen endgültig zusammen. Gestern wolltest du nicht auf mich hören, also schicke ich dir in fünf Minuten zwei Boten vorbei, und dass du mir ja spurst, hörst du? Wer sind Sie? Dein Vater, hab ich doch gesagt. Er legte auf. Was war denn das? McGiver war hart ihm Nehmen, alle Schmuggler waren das, aber er achtete strikt auf höfliche Umgangsformen, und das hier gefiel ihm ganz und gar nicht. Sein Vater, was sollte das heißen? Er hatte ein mulmiges Gefühl und beschloss, sich aus dem Staub zu machen, aber kaum war er aufgestanden, klopfte es an der Tür. Verdammt, murmelte er. Machen Sie auf, die Stimme klang fordernd. McGiver, der noch im Hemd war, zog sich das Sakko an, entsicherte seine Smith & Wesson und steckte sie in den Hosenbund. Dann wollen wir mal. Wer ist da? Unser Treffen wurde gerade vereinbart, du Schwachkopf, also mach die Tür auf oder wir treten sie ein.

Es waren Vanessa, seine Gespielin vom Vorabend, und der Muerto, der höchstens neunzehn war und gerade eine Herstal Five-seven auf ihn richtete, auch bekannt unter dem Namen Bullentöter. Heiliger Bimbam, murmelte der Schmuggler, Alter schützt vor Torheit nicht.

Mich lässt keiner vor der Tür warten, schon gar nicht ein Wichser wie Sie, blaffte der Muerto mit der Pistole in der Hand, ohne die Tür ganz zu schließen. McGiver hatte nur Augen für Vanessa, die eine enge Jeans und eine rote Bluse trug. Was für ein schönes Mädchen, dachte er und sagte: Dann haben Sie also eine Nachricht für mich? Maul halten, jetzt rede ich, wissen Sie, welche meiner Freundinnen das AK-47 erfunden hat? Einen Scheiß weiß der, sagte der Killer, der kann ja nicht mal eine blöde Tür aufmachen. Der Schmuggler lächelte. Schnauze, drohte das Mädchen, das bei Tag hübscher war als bei Nacht. McGiver hob scherzhaft die Arme, um anzuzeigen, dass er von jetzt an schweigen würde. Sollte es Ihnen noch nie jemand gesagt haben, Sie sind ein echter Kotzbrocken. Soll ich dem Wichser eine Kugel verpassen?, der Junge war jetzt richtig in Fahrt, wollte Eindruck schinden bei der dunklen Schönheit mit den funkelnden Augen. Noch ein paar Minuten Geduld, dann gehört er dir. Vanessa drehte sich leicht in seine Richtung, und der Killer deutete ein Lächeln an. Ein eisiges Lächeln. Ablenkung genug, damit der Schmuggler zwei Schüsse auf ihn abfeuern und das Mädchen ins Visier nehmen konnte. Langsam sackte der Muerto zusammen, überrascht, ohne die Pistole loszulassen, beseelt von dem Wunsch, zu erzählen, was er auf dem Weg ins Jenseits sah. McGiver steckte sich den Bullentöter in den Gürtel und wandte sich der blassen Vanessa mit Doppel-S zu, sieht so aus, als wären wir zum

Alleinsein verdammt; der Typ, der bei mir angerufen hat, ist das dein Chef? Sie nickte. Ein Geschäftsmann? Ja. Was will er von mir? Das wird er Ihnen selber sagen, aber es geht um Waffen. Das Mädchen war wie gelähmt vor Entsetzen, leichenblass, trockene Lippen. Bist du mit dem Auto hier? Ja, stammelte sie. Du kannst ruhig den Mund aufmachen, wir sind ja nicht in einem dieser Schuppen, in denen man sein eigenes Wort nicht versteht. McGiver tätschelte sich Aftershave ins Gesicht, packte rasch seine Sachen zusammen, darunter ein blauer Monteuranzug, legte die Pistole und den Schatz seines Freundes in den Koffer; gemeinsam verließen sie das Zimmer.

Während der Fahrt erkannte er die Hidalgo-Brücke, das mythische Viertel Tierra Blanca, berühmt geworden durch die Gomeros, die Narcos in den Sechzigern, die gepflasterten Straßen, über die er mehr als einmal hatte flüchten müssen. Dann nahm er Vanessa in Augenschein. Sie war hübsch, kräftig gebaut, hatte weiche Haut und schwarze, schulterlange Haare; er wusste, dass die organisierten Banden immer mehr Frauen aufnahmen, also würde er ihr keine Fragen stellen, er machte sich auch keinen Kopf darüber, dass durch den Auszug aus dem Hotel seine Pläne durcheinandergeraten waren: das würde er schon irgendwie regeln. Das Mädchen drückte auf eine Fernbedienung, eine Garagentür glitt leise auf. Sie kamen auf einen großen Hof, auf dem vier Cheyennes und ein BMW standen. Zwei Männer, die deutlich sichtbar Waffen trugen, näherten sich. Wo ist Señor de la Vega? In seinem Büro, er kocht vor Wut. Warum? Wissen wir nicht. Vanessa gab McGiver zu verstehen, dass er ihr folgen sollte. Ein paar schlecht gepflegte Pflanzen. In der Eingangshalle wurde McGiver gefilzt, man nahm ihm die

Smith & Wesson und den Bullentöter ab. Die bewahre ich für Sie auf, Kollege. Dann durchquerten sie ein Zimmer mit schwarzen Ledersesseln, überall stand Krimskrams herum, die Wände waren übersät mit Familienfotos; die könnten ruhig ein paar Kunstwerke aufhängen, dachte der Schmuggler, gleich neben den Fotos der Großmutter oder der Erstkommunion der Kinder. Ganz ähnlich hatte es auch bei seinen Eltern ausgesehen; durch die dünnen Vorhänge fiel das Morgenlicht herein, dahinter sah man das Stadion der Dorados. Vor einer weißen Tür blieben sie stehen. Kommt rein, sagte eine Stimme, nachdem Vanessa sie angekündigt hatte.

Normales Büro: Schreibtisch, Computer, Versammlungsraum. Dioni de la Vega saß bequem zurückgelehnt in einem Ledersessel. Kurioser Fall. Er stammte aus der Oberschicht, um seinen Wandel zum Narco rankten sich Mythen. Es waren mehrere Versionen im Umlauf, über die er selbst nur lachte. Er war um die fünfunddreißig, schlank, kurz getrimmter Bart. Du bist also Leo McGiver. Ihr Haus ist sehr gemütlich, Señor de la Vega, ein, zwei kleine Veränderungen, und schon hätte man einen Palast. Red keinen Blödsinn und setz dich hin, er zeigte auf einen weiteren Ledersessel. Imelda, bring dem Mann was zu trinken, welchen Tee magst du? Ich hätte gern einen türkischen Kaffee. He, du bist hier nicht in Paris, du kannst froh sein, dass wir Nescafé haben. Dann lieber eine Seven-up light. Du hast vielleicht Ansprüche. Für Sie? Wasser ohne Eiswürfel, und schick deinen Partner ins Miró, er soll uns einen Kaffee holen, falls es länger dauert. Er ist tot. Dioni sah McGiver an, der eine Unschuldsmine aufsetzte. Du bist vielleicht ein verdammtes Arschloch, McGiver, dieser Junge hätte es weit gebracht. Daran habe ich keinen Zweifel, aber er hat sich eben mehr für Imelda interessiert als für mich. Dioni schüttelte bedauernd den Kopf. Na gut, ich habe dich herbringen lassen, weil ich Waffen brauche, der Präsident hat uns den Krieg erklärt, und ich will nicht mit heruntergelassenen Hosen erwischt werden. Ich weiß, dass du Geschäfte mit den Valdés machst, ich weiß sogar, was sie bei dir bestellt haben, und genau das will ich auch, wie sieht's aus? Dachte ich mir's doch, dass Sie ein ausgefuchster Geschäftsmann sind. Ganz ruhig, Freundchen, ich mag es überhaupt nicht, wenn man sich bei mir einschleimt, erklär mir lieber den nächsten Schritt. Sie überweisen mir sieben Millionen Dollar auf dieses Konto in Litauen und drei Millionen Euro auf dieses Konto in der Schweiz. Er gab ihm zwei Kärtchen. Dafür kriegen Sie hundertfünfundzwanzig AK-47-Gewehre, fünfundzwanzig Barrett, Kaliber 50, achthundert Handgranaten, sechsundsechzig Beretta 92FS, fünfundzwanzig Smith & Wesson, siebenundvierzig Handfeuerwaffen von Herstal, 5,7 mal 28 mm, fünf Bazookas mit großer Reichweite und zwanzigtausend Stück Munition. De la Vega hatte lächelnd zugehört. Die Lieferung erfolgt zwölf Tage nach Anzahlung, zwischen Yameto und Nuevo Altata, per Flugzeug, Anwasserung im Morgengrauen. Vor Ort sorgen Sie selbst dafür, dass alles gut bei Ihren Leuten ankommt. Abgemacht. Sie gaben sich die Hand. Und meine Seven-up? Kannst du vergessen, McGiver, das hier ist ein Lagerhaus, ist dir das gar nicht aufgefallen? Schau dich um: kein Fernseher, und wo kein Fernseher ist, wohnt auch keiner. McGiver lächelte. Ich werd's mir merken; da ist noch etwas, worüber ich mit Ihnen sprechen wollte. Was? Ich wäre gern an Ihren Geschäften beteiligt. De la Vega sah ihn an. Wir werden diese Scheißbande aufmischen, McGiver, du wirst schon sehen, und dabei könntest du uns tatsächlich nützlich sein; aber das besprechen wir ein andermal, ich muss jetzt zu einer Schulaufführung, meine drei Kinder singen vor, wenn ich nicht komme, bringen sie mich um.

6

Es war kurz nach zwölf, als sie in der Zaragoza eintrafen. Der Terminator und Camello setzten sie grob ins Bild, der Zurdo verstand nicht alles, hakte aber nicht nach. Ortega analysierte gerade ein Stück Blei, das er mit einer Uhrmacherzange hielt. Du wolltest was zu tun haben, jetzt hast du was zu tun; es gibt Tage, da beschließt jemand, die Menschheit zu dezimieren, und keiner kann ihn aufhalten. Es gibt Tage, da wird es nicht richtig hell, murmelte Mendieta, als er sich der Leiche näherte. Montaño, der die Hoffnung nicht aufgab, Gris doch noch flachzulegen, begrüßte sie überschwänglich. Sie sehen von Tag zu Tag besser aus, was essen Sie nur zum Frühstück? Das von einem Arzt zu hören ist wirklich ein besonderes Kompliment, vielen Dank. Umso mehr, wenn dieser Arzt ein Rechtsmediziner ist. Montaño machte sich ans Werk. Was haben Sie rausgefunden, Doktor? Todeszeitpunkt: vor circa acht Stunden, Todesursache: Schuss ins Herz, das, um auf meines zu sprechen zu kommen, Ihretwegen tief betrübt ist. Gris nahm das gelbliche Gesicht von Yolanda Estrada in Augenschein, die ein schlichtes T-Shirt und einen rosafarbenen Slip trug, dann jedes Detail des Zimmers. Montaño startete einen zweiten Versuch. Glauben Sie, wir könnten diesem Herz ein wenig Erleichterung verschaffen? Doktor Montaño, übertreiben Sie's nicht, sonst knalle ich Ihnen eine. Er atmete tief aus. Nichts für ungut, Toledo, ich will doch nur zum Ausdruck bringen, wie sehr ich Sie bewundere. Gris wandte ihm den Rücken zu. Wir haben ein zerrissenes Poster der brasilianischen Nationalelf gefunden, von der letzten Fußball-WM. Ortega versuchte, die Situation zu entschärfen. Ist von da drüben, er zeigte auf eine Stelle an der Wand; vielleicht finden wir Fingerabdrücke. Kümmer dich drum, sagte der Zurdo. Neben dem Nagel in der Wand hingen zwei fade Landschaftsbilder. Machen wir's auf unsere Art, mein Freund. Absolut. Ortega klopfte ihm auf die Schulter. Kann es sein, dass die beiden Morde irgendwie zusammenhängen? Es war eine dämliche Frage, die nur dazu dienen sollte, den Zurdo etwas lockerer zu machen. Die beiden Frauen waren befreundet, sind am selben Tag gestorben, im Abstand von wenigen Minuten, gegen drei, wenn man dem Praktikanten aus der Rechtsmedizin Glauben schenkt, gegen vier, laut Montaño; aber du weißt ja, wie das ist: das Offensichtliche führt meist in die falsche Richtung. *Wie wenn man zwei Tangas anhat, stimmt's? Wenn man einen auszieht, denken alle, man sei nackt. Oder wenn die Tangas hautfarben sind.* Nach dem, was sie anhat, zu urteilen, hat sie schon geschlafen und kannte den Mörder; man macht ja nicht jedem die Tür im Pyjama auf, sagte der Kriminaltechniker. Das kann man bei dieser Sorte von Frauen nicht wissen, die sind nämlich ganz schön abgebrüht. Ist sie noch heil? Er fasste sich an die Brust. Ja, sogar Montaño glaubt, dass man ihr keine Gewalt angetan hat, kennst du Mayras Zimmer? Mendieta konnte nur schwer verhehlen, dass ihn die Frage nervte. Hör zu, ich war kein Freier von ihr, ist das klar? Stille. Warum schleichst du dann hier rum wie ein geprügelter Hund? Mayra war das Mädchen, das ich in Mazatlán kennengelernt habe, erinnerst du dich? Seither habe ich sie nicht mehr gesehen. Gris machte Notizen. Aha, ist die Tür da drüben. Mendieta, sichtlich verärgert, trat ein und blieb sofort wie vom Donner gerührt stehen. Überall hingen Nacktfotos von Mayra in ihrer urwüchsigen Schönheit. Von vorne, von hinten, von der Seite. In aufreizenden Posen. Zitternd stand er da und starrte ins Nichts. Wozu ist ein Schwachkopf wie ich gut? Er musste schlucken, ein Idiot, der nichts aus seinem Leben gemacht hat? Die Tätowierung auf ihrem Bauch, knapp über der Scham, sprang einem sofort ins Auge. *Bist du etwa schüchtern? Das kann ich gar nicht glauben, ein Bulle, den eigentlich nichts mehr schocken kann, hast du noch nie so eine Tätowierung gesehen? Nur Mut, du bist ein Superheld: mein Superheld, der Mann, der mich vor den bösen Buben rettet.* Trockener Mund. Schönheit ist ein guter Grund, um zu leben, nicht wahr? Ein Spurentechniker sicherte Fingerabdrücke, während ein anderer fröhlich Briefe und Visitenkarten von Verehrern zusammensammelte: war sie nicht ein wahnsinnig heißer Feger, Chef?, vor rund zwei Monaten sind wir mal ins Alexa, wir haben zusammengelegt, damit wenigstens einer von uns zum Zuge kam, aber glauben Sie, es hätte gereicht? Sie hat uns gnadenlos abblitzen lassen, dabei haben alle ihren halben Monatslohn springen lassen. Mendieta war immer noch wie gelähmt. Erst als das Handy klingelte, löste er sich aus seiner Starre.

Wo treibst du dich rum? Briseño, sein Chef. Im Zentrum, wir haben noch eine Tote. Sind Ortega und Montaño bei dir? Wir sind mitten in der Arbeit. Wer ist das Opfer? Eine Tänzerin. Eine Akademie aus der Stadt? Sie hat im Alexa getanzt. Ach so, eine Tabletänzerin; Gris soll dort bleiben, ihr drei fahrt sofort ins Hotel San Luis, dort wurde gerade eine Leiche entdeckt. Das hier ist auch eine Leiche. Aber meine Leiche ist ein Gringo mit zwei Schüssen in der Brust. Also, Abmarsch, Zurdo, und nimm gefälligst das komplette Team mit!

Sechster Stock. Schöne Aussicht. Entdeckt hatte ihn das Zimmermädchen. Der Geschäftsführer, ein eleganter junger Typ, begleitete sie. Der Mann hieß Steven Tyler und lebte in Scottsdale, Arizona, US-Amerikaner. Beruf? Pianist. Mendieta sah sich die Leiche näher an, suchte das Zimmer ab, während Montaño die Temperatur des Muerto maß, der auf dem Teppich lag. Rühr mir ja nichts an, Kumpel. Neben dem scharfen Geruch der Leichensäfte nahm der Zurdo einen süßen, weiblichen Duft wahr. Er riecht nach Frau. Ist ein Indiz dafür, dass der Typ nicht schwul war. Von wegen, dafür musst du dir doch nur ein bisschen von Saritas Parfüm draufspritzen. Ortega lächelte, zog sich die Handschuhe an und durchsuchte die Taschen des Toten, er stieß auf ein Portemonnaie aus grobem Leder und reichte es dem Zurdo. Darin waren vierzig Dollar und hundert mexikanische Pesos, aber kein Ausweis. Er gab es Ortega zurück. Das Bad roch nach Hugo Boss und war sauber. Die Laken nehmen wir mit, da findet sich immer was. Mendietas Handy klingelte, aber er hatte keine Lust, mit Doktor Parra zu sprechen: verdammter Seelenklempner, soll er doch warten. Der Zurdo verließ das Bad, warf einen Blick in den leeren Schrank, öffnete eine Schublade, die ebenfalls leer war. Der Geschäftsführer stand in der Tür und beobachtete alles neugierig. Wann ist dieser Gast angekommen? Gestern um die Mittagszeit. Haben Sie ihn selbst gesehen? Nein, er hat an der Rezeption eingecheckt wie alle anderen. Rufen Sie den Mitarbeiter her, der ihn in Empfang genommen hat. Sein Dienst beginnt um zwei, er müsste gleich kommen. Ist was, Zurdo? Ortega bemerkte, dass sein Freund sein Gleichgewicht wiedergefunden hatte. Kein Gepäck, im Bad ein Duft, den er nicht benutzt hat, und im Portemonnaie ein paar Pesos, aber kein Ausweis, keine Kreditkarte, nichts; ich glaube, das ist nicht der Gast, sondern jemand, der ihn besucht hat; außerdem ist er sehr jung, wie alt würdest du ihn schätzen? Zwanzig, einundzwanzig. Was meinst du, Montaño? Er mag zwar der Nationalität nach US-Amerikaner sein, aber bestimmt kein gebürtiger: Nase, Mund, Augen, Gesichtszüge und so weiter; alles deutet darauf hin, dass wir es hier mit einem reinrassigen Mexikaner zu tun haben. Kann ich das Telefon da benutzen? Nein, wir müssen noch die Fingerabdrücke sichern. Der Geschäftsführer ging ins Nebenzimmer.

Kurz darauf erschien der Mann, der an der Rezeption arbeitete. Das ist nicht Señor Tyler, dafür ist er viel zu jung. Señor Tyler ist um die fünfzig, weiß, groß. Mendieta und Ortega sahen sich an. Ich brauche die Meldekarte mit der Unterschrift, und dann schicke ich Ihnen noch meinen Zeichner für ein Phantombild. Montaño sagte, er sei seit rund vier Stunden tot, die Kugeln seien am Rücken ausgetreten. Das Zimmermädchen hat ihn nach zwölf Uhr entdeckt, und keiner hat die Schüsse gehört oder irgendwas gesehen. Typisch, die Welt des Verbrechens ist taub, blind, stumm und opportunistisch. Schaffen wir ihn ins Depot, mal sehen, wer sich meldet, schlug Mendieta vor und dachte laut nach: Warum hat man ihr die Brustwarze abgeschnitten?, Taschenmesser oder Biss?, Biss?

Er rief Briseño an und berichtete ihm von dem toten Mexikaner. Der echte Gast, sprich: der Gringo, ist geflüchtet. Was sagen wir der Presse? Am besten gar nichts. Der Tote war also kein Pianist? Wenn der Pianist war, bin ich ein Besatzungsmitglied der Apollo 13, seine Hände sind klein, rau und mit Narben übersät. Gut, dann fahre ich jetzt nach Hause. Was werden Sie kochen? Scampi à la Rockefeller. Guten Appetit. Sag mal, gibt es im Fall der Tänzerinnen Verdächtige? Zwei, Richie Bernal und einen Spanier: Miguel de Cervantes; und dann ist da noch Luis Ángel Meraz, der sich gelegentlich mit ihr vergnügt hat. Ich glaube nicht, dass Meraz etwas damit zu tun hat, das ist ein feiner Mensch mit großer Zukunft, lasst die Finger von ihm. Deswegen habe ich ihn ja auch nicht zu den Verdächtigen gezählt. Mendieta spürte, dass es eine Verbindung zwischen seinem Chef und Meraz gab, und beschloss, Meraz erst mal außen vor zu lassen. Dieser Cervantes, das ist aber nicht der von Don Quijote, oder? Doch, genau der. Ist der nicht schon lange tot? Offenbar nicht, scheint mir kerngesund zu sein. Gut, Zurdo, pass gut auf deine Nervenzelle auf, ist womöglich die einzige, die du noch hast; wegen Bernal kannst du Pineda um Hilfe bitten, er schuldet uns noch was, wir sehen uns dann später.

Briseño rief zu Hause an. Mein Schatz, was hältst du davon, wenn wir es uns mit Scampi in Knoblauchöl mal wieder so richtig gutgehen lassen? Manchmal muss man es mit einer Rochade versuchen. Ach, mein Bester, das ist doch kein richtiges Essen. Lieber à la Rockefeller, das kannst du doch so gut. Na schön, mein Schatz, dann komme ich jetzt, soll ich was mitbringen? Wenn du noch Weizenbrot mit Kürbisfüllung besorgst, kriegst du heute das, was du so gern hast. Heißt das, du hast keine Kopfschmerzen? Ich?, wie kommst du denn darauf? Das mit dem Brot ist gebongt.

Der Zurdo fuhr zum Präsidium zurück, wo Gris gerade Elisa Calderón verhörte, beide waren so sehr bei der Sache, dass er nicht stören wollte, also führte er José Escamilla, den Kellner aus dem Alexa, in ein anderes Büro. Gris und Elisa tranken Coca-Cola light. Sie war atemberaubend schön, die Männer sahen sie und waren wie hypnotisiert, wie benommen, und das schien diesen Teufelsbraten nur noch mehr anzustacheln, ihre Bewegungen waren so sexy, dass selbst die Frauen aus ihren Löchern krochen, um sie zu sehen; ganz krank waren sie vor Neid, aber sie mussten einfach hinschauen. Ich habe bei ihr zu Hause Fotos mit einer ganz besonderen Tätowierung gesehen. Sie war hochmütig, anders ist dieses Tattoo nicht zu erklären, und sie war kein guter Mensch, nach außen hin sympathisch, ja, aber einer Kollegin einen Gefallen zu tun kam bei ihr nicht in die Tüte, einige haben sie dafür gehasst, Camila Naranjo zum Beispiel, von mir aus kann sie verrecken, hat sie mehrmals zu mir gesagt; Mayra hat ihr den besten Kunden weggeschnappt. Wer war das? Licenciado Luis Ángel Meraz, erst war er nach Camila verrückt, dann nach Mayra, so sind die Männer eben: flatterhaft, sind Sie verheiratet? Nein, aber verlobt. Ich sehe keinen Ring. Nur mündlich. Sage ich doch: flatterhaft. Bringen Sie ihn dazu, Ihnen den Ring zu schenken, dann vermeiden Sie böse Überraschungen. Und du, bist du verheiratet? War ich, vor vielen Jahren, davon ist mir ein sechzehnjähriger Sohn geblieben, der demnächst auf die Uni geht. Der Geschäftsführer hat uns gesagt, dass Mayra den Stall verlassen wollte. Gott möge mir verzeihen, aber sie war ein richtiges Miststück. Der Vertrag, den die Mädchen unterzeichnen, legt fest, dass wir ihre Geschäfte organisieren, vor allem dann, wenn sie sich im Club ergeben, bei dem, was sie in ihrer Freizeit an Land ziehen, drücken wir ein Auge zu, das überwachen wir auch nicht. Am Anfang hat sie sich brav daran gehalten, aber dann hat sie immer mehr ihr eigenes Ding gemacht; jetzt zum Beispiel wussten wir wieder mal nicht, wo sie sich rumgetrieben hat, zwei Tage lang war sie wie vom Erdboden verschluckt, am liebsten hätte ich ihr dafür die Ohren lang gezogen; wenn wir gewusst hätten, mit wem sie sich eingelassen hat, würde sie vielleicht noch leben. Wer war dein Kontakt in Mazatlán? Joaquín Lizárraga, sein Büro liegt gleich neben der Buchhandlung La Casa del Caracol; er hat die Verträge gemacht, die Mädchen die Show. War Mayra in letzter Zeit irgendwie merkwürdig? Sie war sehr aufmüpfig, diese Woche hätte sie in Mexicali anfangen sollen, aber sie wollte nicht weg; klar, bei den Kunden würde ich auch nicht wegwollen; überlegen Sie nur mal, wie viele Dollars allein Richie Bernal ihr in den Rachen gestopft hat, der Kerl glaubt doch, Geld sei ausschließlich dazu da, dass man es zum Fenster rausschmeißt. Wen mochte sie am meisten? Vor allem mochte sie Geld, und Geld hat sie von allen dreien gekriegt, deshalb will mir auch nicht in den Kopf, dass einer von denen sie getötet haben soll. Richie ist ziemlich gewalttätig, aber bei ihr war er sanft wie ein Lämmchen. Die anderen beiden sind gut erzogen, aber, na ja, Sie wissen ja, wie die Welt ist; manchmal, wenn ich der Zeitung von Mordfällen lese, frage ich mich, ob ich auch dazu fähig wäre; und die Antwort ist nicht immer nein. Ist Mayra gut mit Yolanda Estrada ausgekommen? An manchen Tagen haben sie kein Wort miteinander gesprochen, waren wie Katz und Maus, aber die eine hat es ohne die andere nicht ausgehalten; als ob sie sich gegenseitig bräuchten, gibt es einen Zusammenhang zwischen den beiden Verbrechen? Das wissen wir noch nicht, war Yolanda bei ihren Kolleginnen beliebt? Mehr oder weniger, beliebter jedenfalls als Mayra, die konnte wirklich niemand ausstehen. Nicht mal du? Ich am allerwenigsten, sie hat mir die Arbeit erschwert, wo sie nur konnte.

Sie sprachen noch über den Alltag im Club, schwierige Kunden und den Geschäftsführer, der sich am Anfang schwergetan, aber jetzt doch eingewöhnt hatte. Einer der Inhaber hat ihn eingestellt, weil der Vorgänger geschickt in die eigene Tasche gewirtschaftet hatte. Wissen Sie noch, welcher der Inhaber? Rodrigo Cabrera, ich glaube, die beiden haben zusammen bei der Staatsanwaltschaft gearbeitet. Erinnerst du dich noch an die ersten Kunden, die Mayra nicht mehr bedienen wollte? Schwierig, sie war nämlich sehr clever, hat sich die Männer nach und nach vom Leib gehalten. Mit wem war Camila Naranjo liiert, bevor Mayra aufgekreuzt ist? Sie sind zusammen hergekommen, aber offenbar hat es vorher schon Zankereien gegeben; Meraz hat sie zehn-, zwölfmal mitgenommen, mehr nicht. Wie oft kommen ihre Kunden ins Alexa? Cervantes ist wie besessen und kommt fast jeden Tag; Richie taucht immer mal wieder auf; Meraz bleibt nie länger, Fantasma sagt ihm Bescheid, wenn neue Mädchen eingetroffen sind, und er schaut, ob er eine mitnimmt. Sie bat sie, die Stadt bis auf weiteres nicht zu verlassen.

Ich hoffe, der Chef verzeiht mir, dass ich ihn nicht zu dem Verhör hinzugezogen habe, überlegte sie, er ist in letzter Zeit ziemlich neben der Spur. Also: wir haben eine toughe, beneidete und extrem attraktive Frau, dazu drei Kunden, die alles abstreiten werden, aber als Mörder in Frage kommen. Sie stand auf. Ich muss mit Rodo sprechen. Sie rief den Terminator und Camello an und bat sie, den Kellner und den Barmann zu befragen. Verwundert nahm sie zur Kenntnis, dass Escamilla bei Mendieta war. Okay, sagt ihm, dass ich essen gegangen bin, und der Barmann, Fantasma? Den lassen wir noch ein bisschen schmoren, der Chef wird ihn später ausquetschen.

Deine persönlichen Angaben, mein Junge. José Escamilla, vierundzwanzig Jahre alt, geboren in Culiacán, verheiratet, zweijährige Tochter, seit drei Jahren im Alexa angestellt. Weißt du, warum wir dich befragen? Weil Yhajaira und Roxana ermordet wurden. Erzähl uns was von Yhajaira. Sowohl sie als auch Roxana waren heiß begehrt, Leute aus allen Schichten wollten sie haben, zahlten jeden Preis, üble Sache, das mit den beiden; sehen Sie, wer in diesem Milieu arbeitet, der tut es wegen Geld, Spaß ist da nicht angesagt, das gilt vor allem für die Mädchen, schließlich stehen die nicht viele Jahre voll im Saft. Wer waren ihre Stammkunden? Schwer zu sagen, mal ein Militär, mal ein Geschäftsmann, dann wieder ein Lehrer, ein Politiker, ein Handwerker; das Alexa ist wie die Kirche, jeder war wenigstens einmal da; in der einen Woche hat sich Yhajaira ausschließlich um einen Oberst gekümmert, in der nächsten um einen Professor der Universidad Autónoma de Sinaloa. Was ist mit Roxana? Sie war der Star, die Schönste von allen, Sex pur, letzte Woche hatte sie zwei Freier: den Besitzer der Agrarbetriebe San Esteban, der ihr zwei Monate lang nachgelaufen ist wie ein tollwütiger Hund, bis sie ihm verklickern konnte, dass er ihr das Geschäft versaut, und Marcelino Freire, einen Brasilianer, der bei den Dorados spielt, der Typ, der den Elfmeter verschossen hat, als es um den Aufstieg ging, angeblich war er gekauft, glauben Sie das auch? Natürlich nicht, im Fußball gibt's nur ehrenwerte Leute; nenn mir die Namen, an die du dich noch erinnerst, erst die Fans von Roxana, dann die von Yhajaira. Ramón Ibarra schrieb ihr Gedichte, die sie zum Lachen brachten, ein dünner Kerl mit Afrofrisur, den er immer mitschleppte, hat mit Gläsern und Flaschen Musik für sie gemacht, ein Typ mit Bart hat sich eine rote Clownsnase aufgesetzt und stundenlang Grimassen für sie gezogen, der Geschäftsführer von Multicinemas ist ihr regelrecht nachgestiegen. Ist dir jemand besonders aufgefallen? Ein blonder Journalist, der früher dick war, hat mir immer ein gutes Trinkgeld gegeben, dem tropfte der Speichel, wenn er sie tanzen sah. Er überlegte einen Moment. Sonst noch jemand? Ich glaube nicht, außer dem Spanier Miguel de Cervantes und Richie Bernal, aber die kennen ja alle. Mendieta machte die Tür auf und befahl: Terminator, ruf den Gori an, ich habe hier einen Zeugen, der sein Gedächtnis verloren hat, dem muss jemand auf die Sprünge helfen; gleich kommt jemand, der Alzheimer heilen kann. Was soll das? Nichts, nur für den Fall, dass du jemanden vergessen hast. Escamilla ließ den Kopf sinken und begann zu schwitzen. Ist nicht leicht, sich in diesem Job zu halten, ich hab drei Jahre überstanden, weil ich nichts sehe, nichts höre und nichts sage. Der Gori ist wie ein Stift von Bic, er versagt nie. Am Ende hat sich Roxana nur noch um drei Männer gekümmert: Luis Ángel Meraz und die beiden, die ich erwähnt habe. Wer war ihr Favorit? In letzter Zeit Richie, der muss ein Vermögen für sie ausgegeben haben, kennen Sie Richie? Gott bewahre. Ich dachte, alle Bullen kennen ihn. Und der Geschäftsführer? Ein eher ruhiger Typ, zumindest weiß man kaum was über ihn, macht den Job seit rund anderthalb Jahren, ist nur mit Nadia ins Bett gegangen, einem Mädchen, das früher mal professionelle Turnerin war, bekannt als die Königin der Stange, und mit Miroslava, die inzwischen die Älteste ist. Woher kam er? Von hier, hat für die letzte Regierung gearbeitet, ich glaube bei der Staatsanwaltschaft. Und der Besitzer, was weiß man über den? Soweit mir bekannt ist, hat der Club mehrere Teilhaber, darunter Meraz, der ehemalige Staatsanwalt Cabrera und ein Gringo, den ich nicht kenne. Es gibt ja so einige Clubs in der Stadt, hat eines der Mädchen auch mal woanders getanzt? Im Club Sinaloa, da durften sie allein hingehen, aber sie haben mich trotzdem gebeten mitzukommen, für ein kleines Trinkgeld. Diese Herren haben also eine Schwäche für schöne Frauen. Das können Sie laut sagen, Yhajaira war eine herbe Schönheit, und alle haben nach ihr gegeifert, aber Roxana, das war eine Göttin, wenn sie irgendwo auftauchte, haben alle nur gestarrt, und nicht nur die Männer, auch die Frauen; sie war Sex pur, dazu noch diese Augen, eins grün, das andere honiggelb, sie konnte schauen, ohne zu blinzeln. *Natürlich kannst du auch was zu meinen sagen, aber es dürfte dir schwerfallen, originell zu sein.* Viel mehr weiß ich auch nicht, Licenciado Ramírez nahm sie in Empfang und hat immer die Tür zugemacht, ich hab mal ein Lachen gehört oder einen anerkennenden Ausruf, aber gesehen habe ich nie was, das müssen mächtige Leute gewesen sein, weil immer Bodyguards herumgeschlichen sind, und draußen standen Autos mit dem Emblem der Regierung oder eines großen Unternehmens; ich wusste nie, wie lang es gehen würde, musste die Mädchen einfach nur abliefern, Licenciado Ramírez war extrem misstrauisch, aber die Mädchen haben mich in Schutz genommen; über die Leute oder die Orte, an die sie gebracht wurden, haben sie kein Wort verloren, auch in diesem Geschäft ist es ratsam, diskret zu sein; Ramírez ist der Bevollmächtigte des Unternehmens, mit dem ist nicht zu spaßen. Du kannst weitermachen, wie gehabt, aber halte dich bereit, falls wir noch was wissen wollen. Wenn Sie ein Mädchen brauchen, wenden Sie sich ruhig an mich, von den meisten weiß ich, wo sie wohnen, und alle schulden mir einen Gefallen. Weißt du, wie viele Jahre du für Zuhälterei kriegst? Nein, aber ich weiß, wie viel ich jeden Monat ruberschieben muss, damit ich in Ruhe arbeiten kann, er grinste. Du kannst gehen. Er sprang auf. Warte, du hast mir noch nicht gesagt, wie der Besitzer von Agrarbetriebe San Esteban heißt. Esteban Aguirrebere. Fantasma bestätigte, was Escamilla gesagt hatte. Er war vollkommen gelassen, rauchte, ein zäher Bursche, die Ruhe selbst. Du sagst also: Ist ein neues Mädchen eingetroffen, Licenciado, ein Kracher; und er nimmt sie sich dann vor. So in etwa. Wieso vertraut er blind deinem Geschmack? Tut er nicht, aber ich weiß, worauf er abfährt, auf Mädchen mit prallem Hintern, schönem Gesicht, gut gebaut. Große Titten? Normale, kleine, große, ist ihm in der Regel egal, wichtig ist der Hintern. So, so. Die anderen mussten draußen bleiben. Wer war Ramírez?

7

Samantha Valdés hörte sich auf dem weichen Rücksitz eines neuen Cadillac EXT an, was McGiver zu sagen hatte. Er saß auf dem Beifahrersitz, der Fahrer hatte ein Auge auf ihn. Sie fuhren langsam den Niños-Héroes-Damm entlang. Davor und dahinter schützten zwei Pick-ups Ford Lobo die Tochter und einzige Erbin von Marcelo Valdés, dem Chef des Pazifischen Kartells. Turbulente Zeiten. McGiver hatte sich nach hinten gewandt. Ich habe alles, was nötig ist, Señora Valdés, sechzehn Mann, die bereitstehen, um Phoenix und sein Umland mit Ware zu überschwemmen. Für Sie würde das Übliche rausspringen, plus fünfzehn Prozent extra. Sie kennen uns ja von den Waffendeals, wir arbeiten effizient und zuverlässig, überlassen Sie uns eine Lieferung, und Sie werden es nicht bereuen. Samantha hörte ihm seit sieben Minuten zu und hatte längst die Nase voll. Er war eine feste Bank, wenn es um Waffen ging, und auch sonst, aber ihr Mann in Phoenix war ihr treu ergeben, und sie hatte nicht vor, ihn zu verraten. Es reicht, fiel sie ihm ins Wort, es geht nicht; wir sind eine straff geführte Organisation, da ist für niemand Neuen Platz; Sie sind Geschäftsmann und werden das sicherlich verstehen. Könnten Sie mir nicht eine Chance geben? Wenn nicht in Phoenix, dann vielleicht in Dallas oder San Francisco. Unmöglich, ich könnte Ihnen jetzt sagen, dass wir am Nordpol einen Vertreter bräuchten, aber Sie sind ein ernsthafter Mensch, und mit ernsthaften Menschen sollte man keine Scherze treiben. Sie trug ein hellblaues Kleid. Deswegen empfehle ich Ihnen auch, nicht sauer zu sein, ich fände es bedauerlich, wenn ich nicht mehr auf Ihre Dienste zählen könnte. Machen Sie sich da keine Sorgen, auch wenn ich nicht verleugnen kann, dass ich auf Ihre Unterstützung gehofft hatte. Ich habe gesagt, was zu sagen war, und werde mich nicht wiederholen. Guacho, setz mich bei Mariana ab, danach bringst du den Herrn, wo immer er hin will, und fährst zurück, nicht dass zu Hause was passiert, und du treibst dich irgendwo rum. Geht es Ihrem Herrn Papa besser? Manchmal, er jagt uns immer öfter einen Schrecken ein.

McGiver stieg aus und verabschiedete sich von Samantha. Obwohl er wusste, dass sie nie ein Abenteuer haben würden, genoss er ihren parfümierten Zauber. Trotz allem vielen Dank, Señora, und wie gesagt, ich stehe Ihnen stets zu Diensten. Sie standen auf dem Parkplatz des Gebäudes. Samantha sah ihn einige Sekunden lang prüfend an. Ich weiß, dass Sie sich mit Dioni de la Vega getroffen haben, und ich kann mir denken, worum es ging, wenn Sie ihn noch mal treffen, müssen Sie aufpassen. Kaltes Lächeln auf beiden Seiten. Ich will alles wissen, jedes Detail, ich zahle Ihnen stets das Doppelte dessen, was er Ihnen zahlt. Sie hatte ihn ertappt, was McGiver gar nicht passte, aber er hielt den Mund: war auch besser so für ihn. Er bat den Fahrer, ihn ins Hotel Lucerna zu bringen. Er würde heute noch Fabián Olmedo treffen, und er wusste, was er zu tun hatte. Guacho hatte *Wächter der Nacht* eingestellt, mit Daniel Quiroz, aber McGiver hörte nicht hin, was war mit den Kunsträubern in Mexiko-Stadt? Er würde Dulce anrufen. Ob sie seine Anweisungen befolgt hatte? Wenn in der Welt ein Gleichgewicht möglich war, dann hatte er es gefunden. Er durchquerte die Tür des Hotels und ging direkt zur Bar.

Alkohol ist kein schlechter Ratgeber, man hört ihm nur nicht immer richtig zu.

8

Ohne es sich vorgenommen zu haben, war er zur Kapelle des heiligen Malverde gefahren.

Er parkte gegenüber und sah zu, wie Menschen aller Schichten eintrafen. Zu Fuß, in Autos, in Ford Hummers. Ängstliche und Angsteinflößende. Eine Folkloreband aus dem Norden spielte ununterbrochen Corridos. *Das Leben ist merkwürdig, Edgar, ich glaube, mir dir wäre ein Leben möglich, ein anderes Leben, meine ich, ein Leben, wie es sich jede Frau erträumt.* Ich kann dir nichts versprechen, Malverde, ich bin nur ein kleines Würstchen, aber wenn ich den Scheißkerl schnappe, bringe ich dir Rosen, die mochte sie garantiert; ich hab sie nie gefragt, aber alle Frauen mögen Rosen. Er sah eine wunderschöne Braut, die sich mit den Anwesenden unterhielt, während sie gefilmt wurde, er meinte, Mayra Cabral de Melo zu sehen, ihren fantastischen Körper, aber nein, das konnte nicht sein, sie lag in der Rechtsmedizin und wartete darauf, dass die Ermittlungen vorankamen und ihre Familie ausfindig gemacht wurde, damit der Leichnam übergeben werden konnte. Er atmete tief durch. Spürte eine eitrige Leere.

Schwer zu sagen, wie lange er regungslos dagesessen hatte, zu begreifen versucht hatte, in welchen Abgrund er da gestürzt war. Was ist los mit mir? Ich war weder in sie verliebt, noch haben wir viel Zeit miteinander verbracht, und im Bett war sie auch nicht anders als andere Frauen; aber sie hat mich wieder auf den Geschmack gebracht. Ihren roten Bikini werde ich nie vergessen.

Er ließ den Motor an. Sofort ertönte Queen: *Who Wants To Live Forever?* Ich nicht, sagte er, und sie noch weniger. Er fuhr langsam. Ich bin ziemlich fertig, gestand er sich ein. Aber Ortega hat recht, hinter ihrem Tod verbirgt sich nur eine einzige Wahrheit, und die gilt es zu entdecken, und wenn es so weit ist: der Kerl hat ihr eine Brustwarze abgeschnitten, warum?, ist das ein Zeichen, eine Markierung oder ein Ablenkungsmanöver? Verdammt!, wie kann man nur eine Frau wie Mayra umbringen? Wir sind doch alle krank. Er öffnete das Handschuhfach, sah seine Beretta und den letzten Umschlag, den er von Briseño erhalten hatte: da hast du was, damit du aufhörst zu heulen. Hat das was mit mir zu tun?, wer wusste, dass wir was miteinander hatten? Wenn das hier das moderne Leben ist, hätten wir lieber in der Steinzeit bleiben sollen.

Fünfzehn Minuten später traf er im Quijote ein. Die Stadt war ein Backofen, und alle schwitzten mit.

Cocacha, bring mir ein Schweinshaxenbrötchen und ein Bier. Schon wieder, Zurdo?, willst du nicht lieber was anderes? Das ist doch kein richtiges Essen, schließlich bist du ein Gesetzeshüter, der sich permanent mit erbarmungslosen Mördern herumschlagen muss; ein bisschen abwechslungsreichere Kost täte dir gut, mein Bester, sonst fällst du mir irgendwann vom Fleisch. Okay, bring mir statt dem Bier einen Whisky. Ich finde es schockierend, dass du dich über mich lustig machst, hätte dich deine Mutter, Gott hab sie selig, bei mir in Obhut gegeben, hättest du längst was auf den Popo gekriegt.

Er brachte ihm ein Rindersteak mit Pommes frites, Cesar Salad und eine Michelada. Keine Widerrede, Mendieta betrachtete den Teller und das Glas Mixbier, dann wandte er sich seinem Freund zu. Kanntest du Susana?

Welche Susana? Die Tochter von Doña Mary. Ah, natürlich, eine kleine Blonde mit knackigem Hintern, hab sie schon seit Jahren nicht mehr gesehen, ich glaube, sie lebt jetzt irgendwo anders, was ist mit ihr? Die Michelada hat mich drauf gebracht. Sag bloß, du warst einer ihrer Betthupferl. Wo denkst du hin, ich war ein braver Junge. Die hat's nämlich mit Gott und der Welt getrieben, ihre Muschi war immer heiß, wenn du wüsstest, was die mir alles erzählt hat, ihr ganzes Wesen hat sich praktisch zwischen ihren Beinen konzentriert, lebt Doña Mary noch? Sie wohnt sogar noch da, wo sie immer gewohnt hat. Diese Tochter ist ihr ein bisschen wild geraten, irgendwann wollte sie plötzlich Liebe, statt Sex, ist an Orten aufgetaucht, wo man sie nicht vermutet hätte, kurios, oder? Mendieta hatte sie als hübsch, sympathisch und Expertin in Sachen Autorücksitz in Erinnerung. Übung macht den Meister, dachte er, er war nicht oft mit ihr ausgegangen, aber wenn, dann hatte sie immer Rindersteak mit Pommes frites und eine Michelada bestellt. Gut, lass es dir schmecken, ich muss mich um mein Schätzchen kümmern, ist gerade eingetrudelt, schau dir nur dieses Prachtstück an. Mendieta erblickte einen jungen Handwerker, der übers ganze Gesicht grinste.

Enrique meinte, Susana und ihr Sohn wollten im Sommer kommen, und jetzt ist es Sommer und außerdem noch heißer als letztes Jahr. Wir drehen uns im Kreis, wir fragen uns immer wieder, warum wir immer noch hier wohnen, und trotzdem geht keiner weg. Jason Mendieta, warum hat Susana ihm diesen Nachnamen gegeben? War er wirklich sein Sohn? Quatsch, als wären wir die einzigen Mendietas auf der Welt; bestimmt hat sie jemand anderen mit diesem Nachnamen kennengelernt ...

Gegen sechs rief Ortega an. Hast du immer noch deine Tage, mein Freund? Gerade habe ich mir Slipeinlagen von Kotex besorgt, mit Flügelchen. Sieh einer an, also, ich bin hier auf einen Punkt gestoßen, der dich interessieren könnte; bei dem zweiten Mädchen wurde eine Neun-Millimeter-Pistole benutzt, und wir haben keine Schmauchspuren gefunden, was darauf hinweist, dass sie aus einem gewissen Abstand erschossen wurde und der Mörder ein guter Schütze ist; hör zu, wenn du was mit dem ersten Mädchen hattest, geht mich das nichts an, nur eins: du solltest ihr dankbar sein, dass sie dich vom Schwulsein bekehrt hat, und dir den Arsch aufreißen, damit der Mörder seine Strafe kriegt. Genau, den buchten wir ein, den Wichser. Bei ihr wurde ebenfalls eine Neun-Millimeter benutzt. Was Neues über den Gringo? Wofür hältst du mich? Für einen Roboter? Er legte auf. Der Zurdo verfiel wieder ins Grübeln: ein Tänzerinnenmörder? Das hatte ihm gerade noch gefehlt, ein Moralist des einundzwanzigsten Jahrhunderts, warum nicht? Ich hoffe, es taucht nicht noch eine auf.

Es war schon dunkel, als er das Lokal verließ, und immer noch heiß, bestimmt um die achtunddreißig Grad, jedenfalls schwitzte er. *Ich würde gern noch bleiben, mein Polizist, dann könnten wir weiter Spielchen spielen und die Gesetze brechen, aber ich muss in einer Stunde arbeiten und mich zurechtmachen.* Warum hassen sich die Menschen so? Wahre Teufel sind das. Bringen sich gegenseitig um. Kann man seine Abneigung nicht anders ausdrücken? Viele Leute haben den Tod verdient, stimmt, sind das Schlimmste vom Schlimmsten, was die Menschheit hervorgebracht hat, aber wer soll sie aus der Welt schaffen? Oft schaut irgendein Schwachkopf in den Spiegel und sagt »ich«, feuert seine kleine Knarre ab und stört das Gleichgewicht. Dann ruft jemand die Polizei, und wir stehen auf der Matte, als hätten wir nichts Besseres zu tun. Ich zum Beispiel habe schon ewig keine Löcher mehr in die Luft gestarrt.

Er machte das Radio an. Quiroz in Hochform: Heute Morgen wurden zwei Leichen aufgefunden, die eine in der Avenida Costerita, die andere in einem Haus in der Zaragoza, mitten im Stadtzentrum. Die Polizei hat keine Spur. Haben wir es mit einem Serienkiller zu tun, der es auf Tabletänzerinnen abgesehen hat? Beide Frauen arbeiteten nämlich in einem bekannten Nachtclub am Boulevard Zapata. Polizeichef Briseño erklärte gegenüber diesem Sender, man werde nicht ruhen, bis die Verbrecher hinter Gittern säßen; Daniel Quiroz für *Wächter der Nacht*. Mir scheint, der Comandante hat dem Kerl die monatliche Rate erhöht, kommt ziemlich selbstgefällig daher. Er legte eine CD ein: *The Way It Used To Be* von Engelbert Humperdinck.

Zu Hause geriet er bei einem doppelten Whisky on the rocks ins Grübeln und kam zu dem Schluss, dass er in die Gänge kommen musste. Wollte er sein ganzes Leben lang Bulle bleiben?, zunehmen, bis das Hemd spannte? Er passte immer weniger zu dem Geist, der im Präsidium herrschte. Außerdem arbeitete er in einer Stadt, in der sein Beruf nie zu Ergebnissen führte und selten geschätzt wurde. Die meisten Einwohner fühlten sich zum Verbrecher berufen, unfassbar, aber wahr. Und er?, wozu fühlte er sich berufen? Schöne Scheiße.

Als er seinen zweiten Drink nahm, klingelte das Telefon. Und nun? Ihm fiel ein, dass Jason anrufen wollte. Er hoffte darauf, dass der Anrufer aufgeben würde, aber nichts dergleichen. Jason Mendieta, geh mir nicht auf den Sack, was bist du nur für ein Sohn, dass du mir das Leben schwermachst, bevor wir uns überhaupt kennengelernt haben?, meinst du etwa, ich habe alle Zeit der Welt für dich? Ich muss arbeiten, Junge, bin an einem Fall dran, der mir näher geht, als mir lieb ist, hat dich schon mal eine Frau um den Verstand gebracht? Kein Angst, ich werde dir jetzt nicht damit kommen, dass du es schon noch begreifen wirst, wenn du erst mal groß bist, man lernt nämlich in jedem Alter was dazu, blöd ist nur, dass es nichts nützt. Er goss sich den dritten Whisky ein, womit die Flasche leer war, und verließ das Haus. Das Telefon klingelte immer noch. Das Alexa wartete auf ihn; er würde allein hingehen, Gris hatte sich nicht gemeldet. *Ein Mann ist nur ein Mann, wenn er unglaublich ist, und du bist unglaublich.*

9

Gandhi Olmedo war im Wohnzimmer eingeschlafen. Es war nicht irgendein Wohnzimmer. Obwohl er es sich hätte leisten können, hingen an den Wänden keine Bilder von Toledo oder Picasso. Nicht mal eines von Frida Kahlo, trotz mehrerer Angebote, und auch keine Sklavin von Teresa Margolles, die er beinahe in Madrid gekauft hätte. Stattdessen hingen dort Gitarrenteile. Gandhi sammelte die Überreste von Gitarren, die von ihren Besitzern zertrümmert worden waren. Er besaß fünf von Jimi Hendrix, drei von Pete Townshend, vier von Ritchie Blackmore und zwei von Kurt Cobain. Sie waren elegant eingerahmt und mit Sicherheitsglas geschützt. Das Wohnzimmer war eine Galerie mit »Rauchen verboten«-Schildern, die keiner ernst nahm, Feuerlöschern, die seit Jahren nicht mehr gewartet wurden, und versperrten Notausgängen.

Gandhi war ein einflussreicher Geschäftsmann, der alles hatte, der sich nicht nur allen Luxus, sondern gelegentlich auch ein bisschen Elend gönnte. Er hatte einmal unter den Reichen Culiacáns einen Wettbewerb veranstaltet, bei dem es darum ging, wer am längsten bei einer armen Familie leben und das Gleiche essen würde wie sie. Am längsten durchgehalten hatte er selbst, daher sein Spitzname.

An diesem Abend war er eingenickt, als er auf einen Kunsthändler wartete, der ihm zwei Gitarren liefern wollte, eine von Pete Townshend und eine von Jimi Hendrix, beide in Woodstock zertrümmert. Wie besessen war er hinter diesen Teilen hergewesen, und nun war es endlich so weit; außerdem würde man ihm als Leihgabe eine weitere Gitarre überlassen, eine von John Lennon, die er angeblich an dem Tag kaputtgehauen hatte, an dem die Beatles sich trennten.

Das soll ich Ihnen glauben?, für wen halten Sie mich? Es stimmt, Señor Olmedo, der Vorfall wurde nirgends festgehalten, weder Paul McCartney noch Ringo Starr wollen sich dazu äußern, aber die Besitzerin versichert, dass sie in dem Zimmer war, in dem Lennon seiner Wut freien Lauf ließ. Wut?, glauben Sie wirklich, dass John Lennon die Trennung so in Rage versetzt hat, dass er einer Rickenbacker 325 etwas antun konnte? Sie wollen mich wohl verarschen. Das würde ich nie wagen, Señor Olmedo, nur war die Sache so privat, dass Miss Thompson die einzige Zeugin ist, sie war mit Yoko Ono verabredet, um über eine Ausstellung ihrer Werke zu sprechen. Kein Interesse. Señor Olmedo, ich schlage vor, wir überlassen sie Ihnen für zwei Monate, und wenn Sie nicht überzeugt sind, geben Sie sie einfach zurück und fertig, ganz unverbindlich. Ich mache keine unverbindlichen Geschäfte, also liefern Sie mir nur das, was ich bestellt habe.

Er hatte ihn für neun Uhr zitiert, denn um zehn würde Leo McGiver ihm ein anderes Juwel liefern: die Gitarre, die Jeff Beck in seiner Zeit bei den Yardbirds zertrümmert hatte, im Film *Blow-up* von Antonioni. Eine echte Rarität, die ihn ein Vermögen gekostet hatte. Dieser McGiver war wirklich ein Ass.

Olmedo hatte ein glückliches Händchen bewiesen und das Erbe seiner Eltern in einen lukrativen Zweig der Autoindustrie gesteckt, seine Konkurrenz warf ihm unpatriotische Praktiken vor, aber das ließ ihn kalt, er nahm den

Platz ein, der ihm gebührte, und das war das einzig Wichtige. Trotzdem war er ein äußerst vorsichtiger Mensch. Dreimal schon hatte man ihn entführt, zweimal war er ungeschoren davongekommen, beim ersten Mal wäre er beinahe hopsgegangen.

Olmedo nahm sich eine Flasche Buchanan's Red Seal, einen kleinen Eiswürfelbehälter, legte eine CD von Tom Waits ein und setzte sich in seinen Lieblingssessel. Er lebte allein. Eine Putzfrau hielt das Haus in Ordnung, aber sie war momentan in Mexiko-Stadt, wo eine ihrer Töchter gerade ein Baby bekommen hatte.

Olmedo war dreiundfünfzig und ein zäher Typ. Obwohl er mit vier Frauen liiert gewesen war und eine Tochter hatte, war er ein eingefleischter Junggeselle. Zumindest behauptete er das gegenüber Doktor Parra, mit dem er sich ab und zu traf, um zu essen oder zu plaudern.

Gegen halb elf hatte er mehr als die Hälfte der Flasche geleert, zwei CDs gehört und schlief wie ein Stein. Da klingelte es mehrmals. Eigentlich war er zu träge, um aufzumachen. Man müsste einen Butler haben, der sich um solche Sachen kümmert, dachte er. Gähnend stand er auf und taumelte zur Tür. Er war leger angezogen, so wie er es am liebsten mochte. Ob das die Engländer waren? Die kommen, wann's ihnen gerade in den Eiern juckt, diese blöden Wichser. Geschäftsleute wollen das sein? Dass ich nicht lache, Geschäftsleute kommen nie zu spät, vor allem dann nicht, wenn was für sie rausspringt. McGiver ist eine Ausnahme, der war in seinem ganzen verfluchten Leben noch nie pünktlich gewesen. Erst veranstaltet er einen Mordswirbel, alles sei bereit, es müsse schnell über die Bühne gehen, sonst hätte er ein Problem, und jetzt ist die Pfeife ebenfalls zu spät. Ihm fiel ein, dass die fünfhunderttausend Dollar auf dem CD-Regal lagen, gut, dann konnte er die Sache schnell erledigen. Er würde sich das Echtheitszertifikat kurz ansehen, natürlich auch die Gitarrenteile selbst. Aber auf Leo war Verlass.

Ohne zu fragen, wer es war, machte er die Tür auf, eine Sekunde später brach er zusammen. Ein Schuss hatte ihn ins Herz getroffen.

10

Vor dem Alexa verkaufte ein dürrer Kerl Süßigkeiten und Zigaretten. Seine Ware stellte er in einer Holzkiste zur Schau, gleich neben einem falschen Glasfenster am Eingang. Der Schauplatz der Triumphe von Mayra Cabral de Melo. *Das ist vielleicht nicht der beste Job, den ich je hatte, aber ich liebe ihn.* Mendieta sah, wie der fliegende Händler durch die Scheibe starrte. Er hieß bei allen der Apache und hatte für den Mord an seiner Frau zehn Jahre gesessen. Der Zurdo kannte ihn, weil er ein Informant von Sánchez gewesen war, seinem ehemaligen Kollegen, der jetzt als Rentner auf einer Farm lebte, Rettich anbaute und Karottenmarmelade fabrizierte. Was siehst du, Apache? Er drehte sich nicht um. In dieser Scheibe sind sie alle zu sehen, Señor, die Guten und die Bösen, die Verbrecher und die Märtyrer, die Politiker und die Sportler; an manchen Tagen kommt sogar Gott vorbei, mit einem schweren Ledersack im Schlepptau, dann liegt mir die Frage auf der Zunge: »Don Dios, was ist da drin?« Aber ich trau mich nicht. Er nahm seine Baseballmütze ab, wischte sich den Schweiß von der Stirn, auf der an einer Stelle, wo man ihm die Haare rausgerissen hatte, eine runzlige Narbe prangte. Na, wie geht's?, habe ich ihn stattdessen gefragt, und schwups war er wieder weg, der Mann will nicht mit mir reden, es ist ihm peinlich; manchmal kommt auch sie vorbei und macht sich lustig, diese Schlampe; manchmal weint sie auch, ich weiß nie, was ich denken soll. Mendieta beobachtete eine Spiegelung in der Scheibe, aber er konnte nichts Besonderes erkennen. Es ist jeden Abend anders, Señor, manchmal sehe ich nur Gebäude, deren Bewohner sich verschanzt haben, nicht blicken lassen die sich, haben vor irgendwas Angst, nicht mal die Jalousien ziehen sie hoch; dann wieder sehe ich Flüsse, in denen niemand schwimmt, einsame Strände, Wüsten ohne Skorpione, Kakerlaken im All. Gib mir eine Packung Trident. Suchen Sie sich eine Geschmacksrichtung aus, Ihrem Gesicht nach zu urteilen, mögen Sie Minze, hab ich recht? Erinnerst du dich an Sánchez? Ein barmherziger Mensch, kommt auch manchmal vorbei, als Cowboy verkleidet, oder wollen Sie lieber Zitrusgeschmack? Wie wär's, wenn du in der Scheibe deine Zukunft lesen würdest, Apache. Würde ich liebend gern, Señor, aber irgendeine Macht hat was dagegen, mit wem habe ich das Vergnügen? Mendieta. Er überlegte kurz. Der Zurdo Mendieta? Gibt's noch einen anderen? Sánchez hat große Stücke auf dich gehalten, wie geht's dir? Ganz gut. Sánchez' Freunde sind auch meine Freunde, ich steh dir also ganz zur Verfügung. Ich behalt's im Hinterkopf. Ich hab dich hier noch nie gesehen, also willst du was Bestimmtes: Gefängnislogik. Nicht nur. Da hast du recht, ich schätze, es geht um die beiden toten Mädchen. Wo hat Richie Bernal Roxana abgeholt? Direkt vor meiner Nase. Diese Frauen haben es in sich, also nimm dich in Acht, Zurdo Mendieta, die Schatten haben Augen und tragen Ray Ban. Er steckte die Kaugummis ein. Ist dir irgendwas zu Ohren gekommen? Der Teufel schläft nicht, und wenn, macht er nur ein Auge zu. Ich habe drei Verdächtige. Dann bist du ganz schön aufgeschmissen, Zurdo, schließlich brauchst du nur einen. Eine Gruppe von Jugendlichen kam vorbei, um Zigaretten zu kaufen.

Er kannte den Türsteher, José Rivera, hatte ihn schon zweimal wegen illegalen Waffenbesitzes festgenommen. Sie sahen sich an. Der Typ lächelte ihn unterkühlt an und ließ ihn mit einer leichten Verbeugung passieren. Willkommen, Comandante. Bist du auch brav, Rivera? Brav wie ein Klosterschüler. Das will ich dir auch geraten haben; morgen früh will ich dich auf dem Präsidium sehen, dort wartet eine Prüfung auf dich. Die habe ich schon bestanden. Er grinste. Der Zurdo, dem der lange Tag in den Knochen saß, verzog missmutig das Gesicht. Lass mal sehen, was du da so eifersüchtig bewachst. Nichts, was Sie nicht schon gesehen und genossen hätten, mein Comandante. Kaum war Mendieta eingetreten, holte er sein Handy hervor und wählte eine Nummer.

Lichter. Schrille Geräusche. Rauch. Parfüm. Er nahm verschiedene Gerüche wahr, aber es interessierte ihn nicht. Die Mädchen gingen zum ersten Mal an diesem Abend über den beleuchteten Laufsteg, der mitten durch den Raum verlief. Die Stammgäste waren aus dem Häuschen, jaulten. Mendieta spürte eine große Leere. *Es ist nicht nur die Stange oder die Beleuchtung oder die kollektive Geilheit, es ist der Tanz, die Schönheit des Körpers*. Das ist also der Schauplatz ihrer Erfolge, da ist ja ein Schweinestall besser. José Escamilla bot ihm einen Tisch an, von dem aus ihm nichts entgehen würde, und als er Platz genommen hatte, erklärte er ihm, was er von den Mädchen, die an ihm vorbeidefilierten, alles erwarten durfte gegen das bescheidene Entgelt von einhundertachtzig Pesos: ein Sonderangebot zur halbmonatlichen Lohnauszahlung. Der Detective hörte zu, dann bestellte er ein Bier und einen Tequila. Vom Türsteher informiert, kam Alonso Carvajal zu ihm, um ihn zu begrüßen. Willkommen, Detective, stets zu Ihren Diensten, gibt's was Neues? Ihre Leute sind nicht kooperativ genug, Carvajal, ich fürchte, wir müssen ihnen ein bisschen auf die Füße treten und die Mädchen verhören. Die sind jetzt schon völlig verängstigt. Niemand darf Culiacán verlassen, bis er nicht den Rosenkranz auswendig aufsagen kann. Darauf können Sie sich verlassen; Elisa meinte, Ihre Kollegin möchte mit Camila Naranjo sprechen, ich versuche, sie zu erreichen, aber gestern ist sie nicht gekommen, ich hoffe, wir erleben keine weitere Überraschung. Das hoffe ich auch. Schön, dass Sie es so gelassen nehmen, Detective; Carvajal fasste sich ins Gesicht, Mendieta lächelte. Was ist mit Ramírez, Ihrem Bevollmächtigten? Habe ich noch nicht gesehen. Ich gebe Ihnen mal sein Kärtchen. Danke. Jetzt entschuldigen Sie mich bitte, ich habe noch einiges zu tun, aber fühlen Sie sich wie zu Hause, wir sind immer für Sie da. Er verabschiedete sich. Der Zurdo sah zu, wie rund dreißig Männer immer mehr außer Rand und Band gerieten. Na, Chef, wie geht's?, sind Sie beruflich hier oder wollen Sie sich amüsieren? Ein Polizist ist immer im Dienst. So, so, sehen Sie den Mann da drüben, der sich dahinten im Dunkeln am Rum gütlich tut? Der Zurdo warf einen Blick in die angezeigte Richtung. Das ist Miguel de Cervantes, einer von Roxanas Verehrern. Der Mann trank direkt aus der Flasche und setzte sie mit einem Hammerschlag wieder ab. Dann ließ er die Stirn sacken, stützte seine Ellenbogen auf den kleinen Tisch, vergrub sein Gesicht in den Händen und setzte schließlich die Flasche erneut an. Soll ich Sie mit ihm bekannt machen? Gern, am besten noch, bevor er sich umbringt.

Mendieta nahm neben dem Spanier Platz, dessen Augen fiebrig glänzten. Hast du was zu rauchen? Der Zurdo schüttelte den Kopf. Irgendwas anderes, verdammte Scheiße, Crack, Crystal? Ich hab Koks. Nicht mein Ding, aber geht auch, zwei Lines, dazu noch eine Flasche Rum, mach schon, her mit dem Zeug. Wie hoch ist die Selbstmordrate in Spanien? Geht mir am Arsch vorbei. Er sah ihn kalt an. Wann hast du Roxana zum letzten Mal gesehen? Das sage ich nur den Bullen. Was meinst du, wen du vor dir hast, die Jungfrau von Macarena? Schon gut, Alter, siehst eben nicht aus wie einer, bin ja kein Hellseher. Und? Vor fünf Tagen. Hat sie irgendwas gesagt, dass sie Angst hatte oder bedroht wurde? Nein, wenn diese Frau bei einem war, gab's die Welt da draußen nicht mehr, dann gab's nur noch sie und dich; dieser Scheißwichser, der sie umgebracht hat, wenn ich den erwische. Mendieta goss sich einen Rum ein und kippte ihn in einem Zug. Eh, du bist doch kein Bulle und hast sie auch gekannt. Ihre Blicke trafen sich am Abgrund. Seit wann hattest du was mit ihr? Seit ich hier bin, also seit etwa zwei Monaten, ich hätte sie nicht umbringen können, selbst wenn man mir alles Gold der Welt geboten hätte, Mann. Wo habt ihr euch getroffen? Bei mir, in La Primavera, diesem Schnöselviertel, in dem nur merkwürdige Leute wohnen. Stehst du auf Waffen? Nicht mal auf Spielzeugpistolen, meine Eltern waren Pazifisten. Er schenkte Mendieta nach, sie prosteten sich zu und leerten ihre Gläser. Man hat ihr eine Brustwarze abgeschnitten. Scheiße, dabei durfte niemand ihre Dinger anfassen, wenn sie auf irgendwas höllisch aufpasste, dann auf ihre Titten. *Ich weiß, aber ich möchte nicht, dass sie schlaff werden; außerdem, wenn ihr nur schauen dürft, macht euch das umso schärfer, oder nicht? Also, Hände weg, nur anschauen, wie bei der Tätowierung.* Dieses Arschloch, erst bringt er sie um, dann schneidet er ihr den Nippel ab, an dem er nie nuckeln durfte; wie krank muss man sein. Wie heißt du? Edgar Mendieta. Miguel de Cervantes. Verplempere nicht deine Zeit mit mir, Alter: bevor ich eine Frau wie Roxana umbringe, bringe ich eher meine Mutter um, und die ist mir heilig. Du bist ja krass drauf. Ich mein's ernst. Wie habt ihr eure Treffen arrangiert? Sie hat bestimmt, an welchem Tag, eh, wenn's nach mir gegangen wäre, hätte ich jede Nacht mit ihr verbracht. Jede verdammte Nacht wollte ich diese Pussy in meinem Bett. Wann wolltet ihr euch zuletzt treffen? Heute, wie's mir geht, brauche ich dir wohl nicht zu erzählen, dieser Wichser hat mich mitten ins Herz getroffen. Wo warst du gestern Abend? Zu Hause. Kannst du das beweisen? Ich hab mir die Wiederholung der Partie Madrid gegen Barça angesehen, auf der Terrasse, ein Gärtner, der den Rasen gesprengt hat, hat mich gegrüßt. Wann war das? Gegen zehn, dann noch mal um halb drei Uhr morgens, als ich ins Bett bin, der Gärtner ist nämlich auch der Nachtwächter; übrigens war Vollmond, roter Vollmond, glaubst du an UFOs? Er erinnerte sich an den Hund, der den roten Mond angebellt hatte, bis er nach drei Minuten wieder weiß geworden war, würde ein Mörder auf so was achten? Mayra war wahrscheinlich genau um diese Uhrzeit getötet worden. Du darfst die Stadt nicht verlassen, bis du Gegenteiliges von uns hörst. Keine Sorge, ich hab hier noch einiges zu tun. Cervantes goss Mendieta noch mal nach, sie prosteten sich zu, der eine mit dem Glas, der andere mit der Flasche. Und jetzt gib mir deine Telefonnummern und deine Geschäftsadresse, deine Privatadresse haben wir schon. Hier steht alles drauf. Er reichte ihm eine Visitenkarte, Mendieta nahm sie entgegen und machte mit seinem Handy noch ein Foto von ihm. Hat sie dir nie was von den anderen erzählt? Cervantes lächelte spöttisch. Willst du wissen, ob du Eindruck bei ihr hinterlassen hast? Ich will wissen, ob sie sich von einem ihrer Kunden bedroht oder verfolgt fühlte. Nein, sie war sehr diskret, sogar Romane hat sie gelesen, Mann, was die mir mit meinem Namen auf den Sack gegangen ist, ich weiß nicht, ob du weißt, dass ich wie ein spanischer Schriftsteller heiße. Nein, wusste ich nicht. Dachte ich mir, Bulle eben. Du kriegst gleich eine in die Fresse. Wenn hier jemand krass drauf ist, dann du, Arschloch.

Sein Tisch war inzwischen besetzt, also suchte er sich einen anderen Platz. Die Mädchen zeigten weiterhin, was sie zu bieten hatten, nur diesmal einzeln. Der Kellner brachte ein Bier und einen Tequila. Geht aufs Haus, mit Grüßen vom Chef, schon eine entdeckt, die Ihnen gefällt? Die, die da gerade tanzt, ist frisch eingetroffen. Schick mir lieber eine, die zusammen mit Roxana hergekommen ist, am besten die Schönste, damit ich ohne Reue sündigen kann. Ich weiß schon, wer, Sie werden begeistert sein, außerdem war sie eine Freundin von beiden. Er ging zu einem Mädchen, das sich rittlings auf einem älteren Herrn abmühte. Alles klar, hier oder im Séparée?

Das Séparée war eine zwei mal ein Meter große Höhle mit Schummerlicht, in der lediglich ein Plastikstuhl stand. Miroslava setzte sich lächelnd auf seinen Schoß und begann sich zu bewegen. Langsam, erzähl mir erst was über Roxana. Geilt dich das auf oder was? Genau das will ich rausfinden. Was ist heute nur los?, alle fragen mich nach Roxana. Wer sind alle? Alle eben, man muss nur sterben, schon steht man Mittelpunkt. Wie viele sind alle? Mehr, als ich im Leben jemals haben kann, bei Yhajaira ist es genauso, seit ich hier angekommen bin, werde ich ständig nach ihr gefragt; soll ich dich für zu Hause heiß machen oder willst du über die Mädchen quatschen?, wenn du Sonderwünsche hast, damit kann ich dir heute nicht dienen. Warum? Hausregeln. Lass uns über Roxana reden. Die letzten drei Abende ist sie nicht aufgetaucht, aber so war sie eben; wenn sie da war, war der Laden bumsvoll, und wenn sie nicht da war, auch. Deshalb mochten wir sie. Sie hat mit diesem Spanier rumgemacht, tut mir richtig leid, der Typ, so verknallt, wie der in sie ist, du bist ein Bulle, oder? Einer von der schlimmsten Sorte. Miroslava verstummte, dann entspannte sie sich, hob den Kopf, um ihrem Gegenüber nicht in die Augen sehen zu müssen. Tja, jeder macht eben den Job, den er am besten kann, wie sind die beiden gestorben? Sie wurden erschossen. Man hat immer Angst, dass einem das passieren könnte, jeder Kunde kann Henker oder Gentleman sein, kann einem den Himmel oder die Hölle bescheren. Der Türsteher klopfte an, damit sie sich beeilten. Gleich, rief Mendieta, aber er rührte sich nicht. Du hast mir noch nicht gesagt, mit wem sie liiert war. Mit allen, sie war der Star, wie oft in der Woche warst du hier? Ich?, nie, ich hab sie auch nie tanzen sehen, kennengelernt hab ich sie in Mazatlán, vor drei Monaten. Diese Fahrten nach Mazatlán waren mir immer unheimlich. Weißt du, wer sie hingebracht hat? Schluss jetzt, rief der Türsteher. Wir könnten uns später treffen. Kennst du das Café Miró, an der Chapule. Nein, aber das kriege ich schon raus. Dann sehen wir uns dort um elf. Geht auch um fünf? Um elf schlafe ich noch. Willst du lieber ins Präsidium kommen? Nein, wie wär's, wenn wir uns bei mir zu Hause treffen?, Spezialbehandlung inklusive? Er wollte sich schon darauf einlassen, als plötzlich die Musik verstummte und eine schneidende Stille eintrat: Okay, um fünf im Miró, er eilte zurück in den Hauptraum, was war los?

Wenn das stimmt, dann Gnade euch Gott, ihr verdammten Arschlöcher, schrie ein Typ um die zwanzig mit Fusselbart, bunt bedrucktem Hemd und Jeans. An seinem Hals prangte eine protzige Goldkette mit Kreuz. Das ist Richie Bernal, flüsterte Miroslava hinter ihm. Der Junge fuchtelte mit einer AK-47 herum, verballerte ein ganzes Magazin, zerschoss den Laufsteg zu Kleinholz. Alle warfen sich auf den Boden, unter die Tische, hinter die Stühle oder wohin immer sie konnten. Kreischen. Besser, sie ist noch am Leben, sonst ist hier gleich Himmelfahrt. Er schwang sich das Gewehr elegant um die Schultern, zog seine Pistole und schoss eine Lampe an der Decke aus. Ich will sie lebend, Leute, ich geh nämlich jetzt zu einer großen Party, und ich werde verfickt noch mal nicht allein dort aufkreuzen. Mendieta sah, dass Carvajal sich hinter dem Tresen verschanzt hatte, während Fantasma in aller Seelenruhe rauchte. Richie, bitte, flehende Stimme. Du hältst das Maul, Carvajal; alle halten hier das Maul, du, die alten Säcke, einfach alle, sonst gibt's eine Ladung Blei. Er machte einem Kumpan ein Zeichen, der gab ihm eine neue Kalaschnikow. Miroslava zitterte und schmiegte sich an den Zurdo. Sie hatte große Brüste, aber er spürte sie nicht. Er hasste es, sich mit den Narcos anlegen zu müssen, aber er wusste, dass er nicht drum rumkommen würde, schließlich war er der einzige Bulle hier. Schöne Scheiße. Er sah, dass der Spanier sich nicht vom Fleck gerührt hatte, aber die Szene wachsam verfolgte. Vielleicht dachte er darüber nach, ob er nicht auch in Deckung gehen sollte, jedenfalls sah er zum Parkettboden. So gefallt ihr mir schon besser, ihr Mucksmäuschen, rief

Bernal. Und jetzt zu dir, Carvajal, du Weichei, bring mir Roxana, bei meinem Chef wird heute nämlich groß gefeiert. Richie, ich kann nichts dafür, begann der Geschäftsführer und streckte den Kopf hinterm Tresen hervor, Roxana ... Bernal ballerte erneut zur Decke. Sag mir ja nicht, sie ist tot, sonst mach ich dich kalt, du Fettsack, hol sie her, sag ihr, ihr Richie ist da, um sie abzuholen, der, der ihr's besorgt wie sonst keiner. Lass den Schwachsinn, Bernal. Mendieta machte zwei Schritte nach vorn; blitzschnell drehte sich Richie um. Sie ist tot, keiner kann sie wieder lebendig machen. Fick dich ins Knie, schrie Bernal und drückte ab, aber das Gewehr war gar nicht geladen. Was ist das? Er schleuderte die Waffe gegen den Typ, der sie ihm gegeben hatte. Wie willst du mich denn mit einer ungeladenen Knarre beschützen? Hör auf, dich hier wie ein Kleinkind zu benehmen, der Zurdo baute sich vor ihm auf, er könnte ihn bei der Gelegenheit fragen, wo er gestern Nacht war, überlegte er, aber er ließ es lieber bleiben. Du bist doch kein Hosenscheißer mehr. Bernal entriss einem seiner Helfer die Pistole und hielt dem Zurdo den Lauf zwischen die Augen. Bevor ich dich wegpuste, sag mir, wer du bist, du Schwuchtel, Richie Bernal tötet niemanden, von dem er den Namen nicht kennt. Ich lasse hier die Hühner tanzen, erwiderte der Zurdo, der unter Hochspannung stand. Dann fliegen hier gleich die Federn, du Wichser. Das ist der Zurdo Mendieta, murmelte jemand. Bernal beruhigte sich etwas. Bist du sicher? Der Zurdo wandte sich in die Richtung, aus der die Stimme gekommen war. Er erkannte den Diablo Urquídez, der früher mal bei der Polizei gewesen war und bald die Tochter eines seiner besten Freunde heiraten würde. Der Diablo reichte seinem Chef ein Handy, das er sich sofort ans Ohr hielt. Gut. Nichts, bin gerade dabei, den Zurdo Mendieta kaltzumachen und ..., er hörte mehrere Sekunden lang zu. Dann ließ er die Pistole sinken, warf das Handy auf den Boden und sagte: Idioten haben immer das Glück, dass jemand sie mag. Er eilte zum Ausgang, seine Leute liefen ihm nach. Der Diablo hob das Handy auf und lächelte Mendieta zu. Vergessen Sie nicht, dass wir Sie auf unserer Hochzeit erwarten, mein Zurdo, dann schloss er sich seinen Kumpanen an. Ehrensache, mein Diablo, rief Mendieta ihm hinterher, das war sie am Telefon, stimmt's? Wer sonst?

Escamilla brachte ein Bier und einen Tequila, aber Miguel de Cervantes war ihm zuvorgekommen. Du hast ganz schön Eier in der Hose, Detective, wenn du mir auf die Pelle rücken willst, bitte schön, wird mir ein Vergnügen sein. Er drückte ihm ein bis an den Rand gefülltes Glas Rum in die Hand, und sie tranken. Miroslava gab Mendieta einen Kuss und rieb ihre Brüste an ihm, ohne dass er davon Notiz nahm. Bevor sie wieder zur unwiderstehlichen Versuchung wurde, zog er sich lieber zurück, er hatte die Nase voll. Fühlte sich erschöpft, leer, am liebsten hätte er geheult.

11

Kein Mensch überlebt einen Schuss ins Herz, nur Gandhi Olmedo, der noch etwas anderes sammelte, nämlich schusssichere Westen, und zwar seit dem Tag, an dem er seinen Entführern entwischt war und, von einer 38er-Kugel getroffen, fast ins Gras gebissen hätte.

Ich hab mich gefragt, wozu ist eine Geisel gut? Zu nichts, also bringt man sie besser um. Beim Abendessen hatten sie mich grün und blau geschlagen, und ich war rasend vor Wut, wozu ist eine Leiche gut? Es macht keinen Unterschied. Wir waren in den Bergen, in einer Hütte, irgendwo zwischen Culiacán und Sinaloa, und ich war an Händen und Füßen gefesselt. Ich hatte nur eins im Sinn: sobald diese Arschlöcher schlafen, haue ich ab. Zu dem Zeitpunkt war ich schon seit zwanzig Stunden in Gefangenschaft. Eine halbe Million Pesos wollten die Kerle haben, was damals ein Vermögen war, die würde ich nie zusammenkriegen, nicht mal, wenn ich meine Feinde um Geld anhauen würde. Mein Aufpasser hielt sich bis Mitternacht wach, dann schlief er wie seine Komplizen ein. Ich kroch in Zeitlupe durch ein Loch in der Bretterwand; dann rollte ich mich zwanzig Meter weit; ging alles furchtbar langsam, ich war ja an Händen und Füßen gefesselt, außerdem sprang mir das Herz fast aus der Brust. Ich wollte gerade weghüpfen wie ein Känguru, da trifft mich der Schuss; die haben eine ganze Salve abgefeuert, aber abgekriegt habe ich nur eine Kugel. In dem Moment dachte ich nur an eins, eine schusssichere Weste, nichts da von wegen in die Kirche gehen oder zum Grab des heiligen Malverde pilgern, sollte ich das hier heil überstehen, werde ich Tag und Nacht eine schusssichere Weste tragen. Damals war ich schlank, jedenfalls schlanker als heute, und hatte kaum Blut in den Adern, meine Entführer befanden mich also für tot und ließen mich einfach liegen, ich schleppte mich irgendwie den Hügel runter bis zur Landstraße. Halb tot war ich, als mich am frühen Morgen Läufer entdeckten, die dort trainierten. Einer davon war Psychologiestudent und ist mittlerweile ein angesehener Seelenklempner: Doktor Parra.

Er war so betrunken gewesen, als ihn der Schuss traf, dass er einfach bis zum nächsten Morgen durchgeschlafen hatte. Mühsam rappelte er sich auf. Er sah das Loch in seinem Hemd und holte sich erst mal ein kühles Bier. Nach einem kräftigen Schluck zog er sich das Hemd aus und begutachtete das Projektil und die kleine Delle in seiner Weste. Kaliber 25, dachte er: Pfuscher. Er inspizierte das Stück Metall. Nicht mal eine vernünftige Pistole können die sich leisten. Er trank das Bier aus. Wer konnte das gewesen sein? Mit einer so vorsintflutlichen Pistole? Er machte das Licht aus und setzte sich, sah kurz zum CD-Regal, die Tüte mit dem Geld war noch da, auch die Sammlung an der Wand war noch vollständig. Er ging zur Haustür, sie war zu, aber nicht verschlossen, dann legte er das Geld in den Safe. Die hatten es also nur auf mich abgesehen, aber wer?, wer steckt dahinter? Feinde habe ich genug, und die kommen alle in Frage, umso mehr, da ein Auftragsmord heutzutage so billig ist; der Pistole nach zu urteilen, war es ein Anfänger, Gott sei Dank, hätte er mir wie üblich den Gnadenschuss versetzt, würde ich jetzt vor mich hin modern, was war eigentlich mit seinen Lieferanten? Bei Leo wundert es mich nicht, der Quatschkopf hat immer tausend Sachen in der Mache, muss immer alles schnell, schnell gehen am Telefon, aber die Engländer? Die sind immer so höflich, dass es einem regelrecht auf den Sack geht. Er machte sich noch ein Bier auf. Wer schickt mir diesen Gruß? Der Chuco Valenzuela wäre durchaus dazu fähig, diese Scheißschwuchtel, der dreht fast durch, weil seine Geschäfte nicht ins Rollen kommen; der Animal auch, bei Fray Antonio bin ich mir nicht sicher, ist ein gerissener Hund. Er trank, legte eine CD von Cream ein und setzte sich wieder. Durch eines der Fenster schien die Sonne. Die Polizei einschalten? Quatsch, ich seh sie schon hier rumschnüffeln und blöde Fragen stellen, ein Privatdetektiv? Gibt es nicht in dieser Stadt, und wenn, müssen das arme Schweine sein. *Sunshine of Your Love* in der Luft.

Er dachte wieder an die Engländer. Ob sie gekommen waren? Vielleicht ja, und ich bin nur nicht aufgewacht. Bestimmt rufen sie an, sobald sie im Büro sind. Und wenn ich einen Gringo engagiere? Die sind wenigstens effektiv, nicht so wie diese Loser von der hiesigen Polizei.

Um neun kam er aus dem Bad. Er machte seine Handys an, aber er hatte keine wichtigen Nachrichten. Also machte er sie wieder aus. Sein Festnetztelefon zeigte zwei verpasste Anrufe an, einer von vor zehn Minuten, aus einer der Hummer-Niederlassungen, und einer aus der für Luxusautos. Er stieg in seinen Jeep und fuhr zu Puye, um seinen Kater zu lindern: ein Cocktail aus Shrimps, Tintenfisch, Venusmuscheln, Austern und Meeresschnecken mit ein bisschen Cayennepfeffer, und schon wäre er wie neugeboren. Wenn die Engländer Geschäfte machen wollten, mussten sie eben warten, und ja, er würde die

Gringos anrufen, die gleichen, die seine damaligen Entführer ausfindig gemacht und liquidiert hatten. Wenn es der Chuco war, wird es der Scheißkerl bitter bereuen, es könnte aber auch der Sultan Camacho gewesen sein, oder wem schulde ich so viel, dass er mich lieber tot als lebendig sieht? Die Gringos werden es schon rauskriegen; aber bevor ich sie anrufe, frage ich erst noch Carrasco, bei dem trifft sich immer Gott und die Welt, da hört er so einiges und weiß immer schon, was passieren wird, bevor es passiert. Den sollten sie als Erdbebenfrühwarnsystem engagieren; außerdem schuldet er mir noch Geld. Besser, der Chuco war's nicht; wenn ich die Gringos heute anrufe, sind sie übermorgen hier. Puye, rief er, noch bevor er das Auto geparkt hatte, einmal Cocktail Gandhi, und mach ordentlich Chili dran, ich bin nämlich ziemlich angeschlagen. Wird gemacht, Don Fabián.

Um diese Uhrzeit ölte Leo McGiver im Hotel Lucerna liebevoll seine Smith & Wesson. Dazu pfiff er die Vierzigste von Mozart.

12

Vier Uhr morgens. Mendieta hatte seine Pistole gereinigt, zwei Filme mit Reese Witherspoon als Blondine gesehen und eine doppelte Dosis Beruhigungsmittel geschluckt, trotzdem konnte er nicht schlafen. Ab und zu nickte er für ein paar Minuten ein, dann war er wieder wach. Träge dachte er an den Engel, der ihn vor Richie gerettet hatte: hoffentlich muss ich dafür keinen hohen Preis bezahlen. Sein Blick fiel auf das Buch von João Ubaldo Ribeiro, aber er rührte es nicht an. Mayra Cabral, ein Auge grün, das andere honiggelb, was für eine Art, die Welt zu sehen. *Ich glaube nicht, dass du ein Bulle bist, du besitzt diesen Zauber guter Menschen, der immer etwas Lächerliches hat, aber bis jetzt habe ich auch noch nie jemanden über João Ubaldo Ribeiro sprechen hören, auch wenn er ihn nicht gelesen hat.* Und dann hat sie mich mit diesen verfluchten Augen angeschaut, mein Freund: das eine wie der Urwald, das andere wie ein Chinarestaurant. Er stand auf. Und wenn ich sie suche? Die Mädchen bleiben drei Monate an jedem Ort, und ich kenne sie jetzt schon seit vier. Vielleicht sagen sie mir, wo sie hin ist. Hey, ich suche Mayra Cabral de Melo, alle nennen sie Roxana. Uh, mein Chef, die ist vor einem Monat fortgegangen, es heißt, sie verdreht jetzt den Männern in Mexicali den Kopf, diesen Schweinigeln. Entmutigt setzte er sich wieder hin. Wozu mir was vormachen. Was gut ist, ist nie von Dauer. Er betrachtete seine Hände: wäre eine davon doch nur so, wie der Schriftsteller Ruy Sánchez sie beschreibt, bereit für das Begehren. Und dann dieser Idiot von Parra, den ich nicht zu greifen kriege, ich werde mir dieses Scheißberuhigungsmittel auf die Eier schmieren, vielleicht wirkt's ja da. Er dachte an den toten Jungen in dem Hotel. Wer hat ihn umgebracht? Dieser Steven Tyler scheint ein abgebrühter Kerl zu sein. Was suchen Gringos in Mexiko? Drogen, Sex mit Tourifühurern, Alterswohnsitze, schöne Landschaften, manche wollen auch Geschäfte machen; was hatte dieser Typ in Culiacán zu suchen? Hier gibt es keine Tourifführer, nicht mal Ruinen gibt es, vielleicht wollte er Drogen oder einen Alterswohnsitz, und wenn er geschäftlich hier war, ist er Landwirt?, wer waren seine Partner?, betrieb er legale Geschäfte, und hatte oder suchte er Teilhaber?, wieso hat er den Jungen kaltgemacht? In seinem Zimmer hat man keinen Hinweis gefunden. Und wenn er ausgeraubt werden sollte und sich gewehrt hat? Eine Anzeige wäre ihn billiger gekommen. Er ist geflüchtet, weil er ihn getötet hat. Wenn er in Notwehr gehandelt hat und der Junge dabei draufgegangen ist, dann ist er Mexikaner, ein Gringo würde zur Polizei gehen und Anzeige erstatten, ein Mexikaner niemals, der traut der Polizei nicht über den Weg. Steven Tyler, der Sänger von Aerosmith, ist also Mexikaner, Mexikaner? Das ist ja mal eine Nachricht. Aussichtsloser Fall? Er legte Musik ein: *April Come She Will* von Simon & Garfunkel, und dann lag er einfach ruhig da, mit der Gewissheit, dass die Morgendämmerung Erlösung bringen würde.

Ist Traurigkeit ein Menschenrecht? Wenn nicht, sollte sie es sein. Ich verstehe nicht, wo diese Leere herkommt, dieser Mangel an Ehrgeiz, dieses Gefühl, eine Waise zu sein, niemanden zu haben, dem man vorwerfen konnte, was geschah.

Was hatte Mayra für Gewohnheiten?, ging sie ins Fitness-Studio?, aß sie Müsli zum Frühstück?, mochte sie

Fisch?, schaute sie Soaps?, hörte sie Musik?, hatte sie außerhalb des Berufs Freundinnen?, nahm sie Drogen?, ging sie ins Kino? Ich weiß, dass sie gern gelesen hat und kein Brot aß, wer hat die Fotos von ihr gemacht?, wo wurde sie abgeholt, bevor sie hinter der Lagerhalle ermordet wurde? Dieser Dichterspanier ist mit allen Wassern gewaschen, aber würde er so weit gehen? Wer überhaupt nicht ins Schema passt, ist Richie, der Spinner, den kann ich eigentlich streichen; hoffentlich bringt es mich nicht in Teufels Küche, wenn ich ihm irgendwann einen Gegengefallen erweisen muss; wovor ich mich auf keinen Fall drücken kann, ist die Hochzeit von Begoña und dem Diablo; warum ausgerechnet dort?, wieso hat er sie nicht schon vorher getötet, die Leiche in Decken gewickelt und verschwinden lassen?, will er uns damit etwas mitteilen?, warum hat er ihr eine Brustwarze abgeschnitten?, warum musste Yolanda Estrada sterben?, war es derselbe Täter? Zumindest das gleiche Kaliber. Also kein Narco?

Zum Frühstück aß er Machaca mit Gemüse und Weizentortillas, seine Lebensgeister versuchte er mit Bob Dylan zu wecken, *My Back Pages*, in der Konzertversion zum dreißigsten Jubiläum des Sängers. Er kaute bedächtig. Vierzigmal, wurde mir als Kind eingebläut, welcher Quacksalber hatte die Schnapsidee, dass Kinder das zählen können? Haben Sie schon wieder keinen Appetit, Zurdo? Wenn Sie so weitermachen, werden Sie nicht sehr alt, schimpfte Ger, als sie ihm die zweite Tasse heißes Wasser für den Nescafé hinstellte. Das Leben ist nichts wert, Ger, da bin ich mir ganz sicher. Nur weil José Alfredo das gesungen hat, muss es ja nicht stimmen, der Mann war ein

Gequälter, Alkoholiker, frauensüchtig und schwach. Hast du's mal bei ihm probiert? Gott bewahre, der war doch schon damals steinalt, ich hab da meine festen Prinzipien; hören Sie, was für eine Hitze, Sie sollten sich eine zweite Klimaanlage zulegen, damit Sie nicht in diesem Zustand frühstücken müssen, Sie sind ja ganz verschwitzt. Du hast zu viel Chili an die Machaca getan. Sie sind doch sonst nicht so empfindlich, wissen Sie, wer Chili nicht riechen konnte? Fito de la Parra. Der Schlagzeuger von Canned Heat? Ich hab ihn in der Hauptstadt kennengelernt, als ich noch auf der Piste war. Den hast du dir also auch gekrallt. Wieso gekrallt, Zurdo? Eine Frau muss doch nicht krallen, kratzen, Wunden reißen oder umgarnen, die Männer fallen einem ganz von allein in den Schoß. Schweigen. Verzeihung, Zurdo, ich weiß ja, dass es bei Ihnen nicht so gelaufen ist, wie Sie es verdient hätten, aber das kommt noch, Sie sind jung, hübsch, aus guter Familie, allerdings gefällt mir überhaupt nicht, dass Sie sich nicht anständig rasieren; das werde ich nie begreifen, wieso laufen die Männer heutzutage rum wie Bettler? Fang bloß nicht damit an, Ger, alle, die du gerade erwähnt hast, waren ungepflegte Zottelköpfe, gut, dass ich die nie getroffen habe, sonst hätte ich sie sofort einbuchten lassen. Wie? In dieser Stadt läuft die Hälfte der Gauner frei rum und begeht Übeltaten, und alle tragen sie ihre Haare kurz, sehr kurz sogar; wenn Sie die schon nicht richtig in den Griff kriegen, wieso sich dann so bedeutende Menschen wie Musiker vorknöpfen? Damit bei denen endlich mal jemand die Schere schwingt. Bitte nicht, das sind anständige Leute, kreative Menschen, wichtige Menschen. Alex Lora, ein anständiger Mensch? Der vielleicht nicht, den können Sie ruhig verhaften und ihm die Locken abschneiden, und wenn Sie noch was anderes abschneiden wollen, nur zu, meinen Segen haben Sie. Ich verstehe nicht, wieso du ihn nicht magst, was hat er dir denn getan? Das erzähle ich Ihnen ein andermal, Zurdo, jetzt muss ich zum Supermarkt, es ist fast nichts mehr im Haus, und ich will Ihnen doch Scampibällchen machen. Ich kenne da jemanden, der würde dich nur wegen deiner Scampibällchen heiraten. Gutaussehend? Schon, auf seine Art. Stellen Sie ihn mir ruhig mal vor, ich werde ihn so gut behandeln, dass er sogar meine Kochkünste vergisst; hören Sie, das mit der Frau ohne Brüste hat mich richtig schockiert, haben Sie den Täter schon gekriegt? Wir treiben ihn gerade in die Enge. Ich hoffe, ihr schneidet dem Kerl ab, was ihm zwischen den Beinen baumelt. Das Telefon klingelte. Ger nahm ab: Einen Moment, bitte, es ist Gris.

Wie geht's, Chef? Bin noch beim Frühstücken, hast du Ortega gesehen? Er hat uns gerade das ballistische Gutachten gebracht, er hat auch noch was anderes gefunden, musste aber los, ein Fall an der Landstraße nach Culiacán; aber deswegen rufe ich nicht an, ich hab hier eine Frau, die behauptet, sie hätte gestern Abend ihren Vater ermordet. Hat sie gestanden? Sie sitzt vor mir, angeblich hat sie ihn in seinem Haus in Chapule erschossen, sogar die Tatwaffe hat sie mir ausgehändigt. Was macht sie für einen Eindruck? Normal, ich habe die Adresse des Opfers. Gut, sperr sie ein, und wir fahren da mal hin, ruf Montaño und Ortega an, sie sollen ihre fleißigen Bienchen hinschicken.

Das Haus lag in der Nähe des Miró. Einstöckiges Gebäude mit weitläufigem Garten, sehr gepflegt, große Fenster mit weißen Vorhängen, ein Meter hoher, weiß gestrichener Holzzaun. Braune Tür, breit. Mendieta klingelte mehrmals. Gekonnt steckte er dann seinen Dietrich ins Schloss, knackte es und trat vorsichtig ein. Großes Wohnzimmer. Durch das Fenster zum hinteren Garten fiel Licht herein. Schlichte, aber exquisite schwarze Ledermöbel, an den Wänden merkwürdige Bilder, die meisten länglich. Er bewegte sich leise. Unregelmäßig geformte Objekte aus Holz und Metall, umrahmt. Auf dem Tisch in der Mitte standen zwei Flaschen, eine halb geleerte Whiskyflasche und eine leere Bierflasche. Ein Whiskyglas. Er horchte. Es roch nach teurem Holz und Alkohol. Er betrat die leeren Zimmer, darunter drei Schlafzimmer. In einem davon herrschte Unordnung, auf einem Sofa lag schmutzige Wäsche, davor stand ein großer Fernseher. Er warf einen Blick auf den hinteren Garten: Blumen, Gerberabeete, eine Bougainvillea, Farne, ein Schuppen, in dem ein grüner Jeep stand, eine Grillstelle und weiße Metallstühle. Die Küche leer, sauber, hell.

Er kehrte ins Wohnzimmer zurück, und die Leiche?

Beim näheren Betrachten der Bilder stellte er fest, dass es sich um Gitarrenteile handelte. Wow, tolle Idee. Dann ging er die Plattensammlung durch: Blues, Jazz, Reggae und klassischer Rock. In einer Ecke sieben CDs der Los Tigres del Norte. Fabián Olmedo, was ist das für ein Mensch? Zumindest war er gebildet, seine Tochter hat ihn angeblich umgebracht, aber wo ist die Leiche?, hat sie ihn irgendwo anders ins Jenseits befördert? Jedenfalls darf diese Plattensammlung nicht herrenlos bleiben, sonst geht sie womöglich der Welt verloren und wird nie wieder gehört, lieber soll sie der Teufel küssen. Das Telefon klingelte. Er legte ein Taschentuch über den Hörer und nahm ab. Wartete. Señor Olmedo? Mit wem spreche ich?

Wer sind Sie? Sein Sekretär. Ich hab keinen Sekretär. Sind Sie Fabián Olmedo? Und wer bist du, du Scherzkeks?, was hast du in meinem Haus zu suchen? Ich bin von der Polizei, uns wurde gemeldet, dass Sie tot sind. Noch ist der Wichser nicht geboren, der mich um die Ecke bringt. Gratuliere, wo sind Sie? Vorm Haus. Ich gehe jetzt raus in den Vorgarten, damit Sie mich sehen können.

Ein Jeep hielt vor der Tür.

Gandhi Olmedo, in Jeans, weißem Hemd, Mokassins, stieg behände aus dem Wagen. Mendieta sah sein Menschenfressergesicht und begriff, was seine Tochter dazu getrieben hatte.

Edgar Mendieta, Morddezernat, heute Morgen ist Ihre Tochter im Präsidium erschienen und hat angegeben, Sie gestern erschossen zu haben, wir wollten nicht, dass Ihre Leiche verwest und die Nachbarschaft darunter zu leiden hat. Gandhi lächelte und nickte. Sind Leute da drin? Nein, aber es werden gleich welche anrücken. Ich lebe noch, also ruf sie an und sag ihnen, sie sollen sich um was anderes kümmern, und was meine Tochter angeht, mit der könnt ihr machen, was ihr wollt. Was ist passiert? Sie standen immer noch vor der Eingangstür. Ich habe auf jemanden gewartet, es hat geklingelt, also habe ich aufgemacht, und zack, schon hatte ich eine Ladung Blei sitzen, genau hier, er zeigte auf seine Brust. War nur eine Delle, also kann ich auch niemanden anzeigen. Was für eine Weste haben Sie? Eine Kevlar von DuPont. Das Neueste vom Neuesten, ich habe Ihre Plattensammlung gesehen, Glückwunsch. Sie haben hoffentlich keine mitgehen lassen. Wo denken Sie hin, das würde ich nie tun. Olmedo lächelte sarkastisch. Und wie finden Sie meine Gitarrensammlung? Beeindruckend, aber es fehlen noch einige Stücke, oder? Ich hab keine von Kiss gesehen. Diese Schwuchteln, das war doch alles nur Fake, diese Rauchbomben und dieser ganze Quatsch; mich interessieren nur Gitarren von Vollblutmusikern, Leuten, die ihren Trieben gefolgt sind. Brutalen Trieben meistens. Meine Sammlung ist eine Art Hommage an die Wutattacke.

In diesem Moment hielten Gris und zwei weitere Autos vor dem Haus. Aus einem stiegen zwei junge Beamte mit gelbem Plastikband in den Händen, aus dem anderen ein Mann ganz in Weiß. Toledo, darf ich vorstellen: Señor Fabián Olmedo. Gris fiel die Kinnlade runter. Ihr könnt wieder abziehen, der Tote ist wiederauferstanden. Was machen wir mit dem Mädchen? Die lasst ihr laufen, es liegt ja kein Verbrechen vor.

Na gut, Señor Olmedo, dann entschuldigen Sie die Störung, zwei Fragen hätte ich allerdings noch, warum wollte Ihre Tochter Sie töten? Woher wissen Sie, dass es meine Tochter ist? Hat sie behauptet. Dann überprüfen Sie es, bevor sie das nächste Mal bei mir einbrechen. Er machte Anstalten, das Haus zu betreten. Mendieta hielt ihn zurück. Er spürte seinen harten, durchtrainierten Arm. Ich sagte zwei Fragen, Señor Olmedo. Und ich habe bereits alles Nötige gesagt. Er riss sich los, ging hinein und knallte die Tür hinter sich zu.

Sie fuhren zum Präsidium, unterwegs erzählte Mendieta Gris, was im Alexa vorgefallen war. Sie schwiegen eine Weile. Was denken Sie? Ich halte sowohl Cervantes als auch Bernal für unschuldig, aber du weißt, wie das ist, dem ersten Eindruck darf man nicht trauen; wir müssen mit Meraz sprechen, der Typ hat beste Beziehungen, sogar der Comandante hat mir nahegelegt, ihn nicht zu belästigen, was ist mit Elisa Calderón? War sehr kooperativ, aber irgendwie habe ich das Gefühl, dass da was war, was ich sie nicht gefragt habe. Wie meinst du das? Ich weiß nicht, sie wirkte anschließend irgendwie erleichtert. Dann lad sie noch mal vor, und lass sie nicht wieder gehen, bis du zufrieden bist; ich würde mich gern mal mit der Tochter von Olmedo unterhalten, ruf im Archiv an und frag nach, ob wir was über ihn haben, seine Überheblichkeit ist mir ziemlich auf den Senkel gegangen. Und die Sache im Hotel? War offenbar ein Raubmord, ich fahr aber noch mal hin und schaue, ob ich was finde.

Paty Olmedo trug eine enge Jeans und eine trägerlose Bluse. Über der Scham war der Rand einer Tätowierung zu erkennen, eine andere bedeckte ihren linken Arm. Bildhübsch. Perfekter Körper. Mendieta fühlte, was man so fühlt. Er stellte sich vor. Sie, ungeschminkt, antwortete mit einem Lächeln. Wieso hast du deinen Vater umgebracht? Aus Hass, er war ein Frauenfeind, ein Typ, der vor nichts und niemandem Respekt hatte, er hat es genossen, Leute fertigzumachen, sie zu quälen; fragen Sie nur seine Angestellten, meine Mutter und die anderen Frauen, die mit ihm zusammengelebt haben, alle waren hinterher traumatisiert, so wie ich, seine einzige Tochter; haben Sie Kinder? Ihrem Gesicht nach sind Sie ein vorbildlicher Vater, er hingegen war der reinste Dreck, ein Rabenvater, ein Geizhals, deswegen habe ich ihn umgebracht, er hat es nicht verdient, Sauerstoff zu verbrauchen. Mendieta betrachtete ihr erhitztes Gesicht, ihre wippenden Brüste, und hatte Lust, sie nackt zu sehen. *Die Frau ist der Mittelpunkt von allem*. Weißt du, wie viele Jahre dich für Mord erwarten? Ist mir egal, Hauptsache, ich habe diesen Widerling aus der Welt geschafft. Sie schwiegen. Wo hattest du die Pistole her? Hat mir ein Typ in irgendeiner Bar geschenkt, er hatte zwei, also hat er mir eine davon gegeben. Wie heißt dieser Typ? Keine Ahnung, ich glaube, die anderen nannten ihn El Guasave oder so, wir haben eine Weile geplaudert, dann haben wir uns geküsst und es in seinem Pick-up getrieben, er hat mich gefragt, was mein größter Wunsch ist; meinen Vater umzubringen, hab ich gesagt, was brauchst du dafür? Eine Pistole. Im Handschuhfach hatte er zwei, eine große und eine kleine, und die kleine hat er mir gegeben. In welcher Bar war das? Im Studio Six, kann ich mal aufs Klo? Noch nicht, hast du jemandem gesagt, dass du deinen Vater kaltmachen willst? Nein, meine Freunde sind leicht beeinflussbar, am Ende hätten sie es mir womöglich nachgemacht, und einige der Herren Papa sind ziemlich cool, jedenfalls mag ich sie. Du hättest gern einen davon als Vater. Könnte man so sagen. Was hat dein Vater beruflich gemacht? Autos verkauft, alle möglichen Marken; er war das, was man einen erfolgreichen Geschäftsmann nennt, und jetzt ist er tot. Und du stinkreich. Ich will sein Geld nicht, wahrscheinlich hat er es eh dem Teufel vermacht. Wie oft hat er dir gesagt, dass du vielleicht gar nicht seine Tochter bist? Nie, wir haben ja kaum miteinander gesprochen, ich habe ihn seit Monaten nicht mehr gesehen, warum fragen Sie das? Nur so. Ich hätte gern so einen Vater wie Liv Tyler gehabt, der immer gut drauf ist, liebevoll, der ihr sogar ähnlich sieht. Tyler, wie der Kerl im Hotel, erinnerte sich Mendieta. Wie alt schätzt du den Typ, der dir die Knarre geschenkt hat? Um die zwanzig. Mmmm ..., hast du einen Job? Ich entwerfe Mode, wie gefällt Ihnen dieses Modell? Sie meinte die Bluse. Wäre ein Bombenerfolg in Aguaruto, er lächelte. Wann werde ich abgeführt? Ich will meine Zelle sehen, sie schön dekorieren, für wenn meine Freunde kommen, und dann natürlich die Kuschelzelle, mein Leben wird obercool sein. Bist du verheiratet? Nein, aber ich habe rund zwanzig Freunde, die diesen Part übernehmen könnten. Pass auf, dass dich kein Wächter nimmt. Ein Grobian? Wie aufregend. Sie hatte eine gewisse Ähnlichkeit mit ihrem Vater, aber eigentlich sah sie aus wie Scarlett Johansson. Ich habe eine schlechte Nachricht für dich. Paty wurde ernst. Ist keine Zelle für mich frei? Ich zahle auch dafür, hab gehört, das geht. Dein Vater lebt, und er wollte keine Anzeige erstatten; obwohl du ein Verbrechen begangen hast, das von Amts wegen verfolgt werden müsste, bist du frei. Sie war völlig verdattert. Wen habe ich dann getötet?, ich hab doch mit eigenen Augen gesehen, wie er zusammengebrochen ist. Er hatte eine kugelsichere Weste an. Sie erstarrte, fiel dann vor Enttäuschung in sich zusammen. Wusstest du nicht, dass er immer eine kugelsichere Weste trägt? Tränen rannen ihr übers Gesicht. Ich hatte es vergessen. Pause. Señor Mendieta, Sie ahnen nicht, wie traurig es ist, wenn man zu nichts nütze ist, Sie können sich nicht vorstellen, wie schrecklich es sich anfühlt, wenn man sich nicht mal seinen größten Feind vom Hals schaffen kann. Mendieta wusste ganz genau, was sie meinte. Ich bin eine Versagerin, er stand auf, während er ihr nachsah, roch er einen Duft: Dolce & Gabbana? Er ging ihr hinterher. Sah, wie sie in einen Nissan Murano stieg und auf der Zapata davonraste. Lohnte es sich, ihre Pistole zu untersuchen?, wer der Typ wohl war? Diese Scheißwelt, wie wäre sie, wenn es mehr Zufälle gäbe?

13

Ich will Kokain in die USA schaffen, sagte McGiver. Der Krieg wird die Schmuggelwege stören, und in den Kartellen wird es heiß hergehen; meine kolumbianischen Kontakte stehen, die zu den Gringos auch, es wird sich alles neu mischen, diese Gelegenheit muss ich nutzen. Du bist wirklich ehrgeizig, wenn deine Geschäfte doch so gut laufen, warum willst du dich dann auf ein so heikles Terrain begeben, das du nicht mal kennst? Das sagt der Richtige. Ist bald drei Jahre her, seit ich nichts mehr mit dem Thema zu tun habe. Aber du wäschst weiterhin Geld. Ich habe noch nie Geld gewaschen, ich bewahre es lediglich auf, das ist was anderes; ich bin wie eine Bank, mit dem einzigen Unterschied, dass ich nicht ein Fünftel dem Staat überlasse oder gegen Zinsen weiterverleihe. McGiver steckte sich ein Stück Tintenfisch in den Mund, sie waren im El Farallón, in einem Séparée, feierten den neuesten Erwerb für Gandhis Sammlung, eine Jeff Beck. Ich brauche deine Hilfe, du kennst Gott und die Welt, du könntest mir die richtigen Türen öffnen. Gandhi lächelte. Das werde ich aber nicht tun, Leo, diesen schlechten Gefallen werde ich dir nicht erweisen. Warum? Die Regierung weiß nicht, was sie redet, und ich glaube nicht, dass sie den wahren Kartellen ans Leder will; niemand gibt freiwillig ein so lukratives Geschäft auf, zumal der Markt geschützt ist. Schon gar nicht die Gringos. Klar, die kriegen ja auch den Löwenanteil. Vorgestern habe ich ein Geschäft mit Samantha Valdés abgeschlossen, ich werde über vierzig Mann von ihr mit Waffen ausstatten, und gestern wollte Dioni de la Vega das Gleiche, meinst du, die würden so viel investieren, wenn sie nicht mit einem Krieg rechnen würden? Olmedo nahm eine Kuttel, würzte sie mit Zitronensaft und etwas Cayennepfeffer, kaute, spülte mit einem Schluck Bier nach. Dann solltest du erst recht die Finger davon lassen, wenn sie ihr Terrain so eifersüchtig verteidigen, sind sie zu allem fähig, um sich Neulinge vom Leib zu halten, in diesem Geschäft scheint die Sonne nicht für alle, die Auserwählten kann man an einer Hand abzählen. McGiver probierte den Aguachile und trank einen Schluck Wein. Mir will einfach die Idee nicht aus dem Kopf, dass ein Versuch sich lohnen würde. Ist ja auch in Ordnung, Hauptsache, dir ist klar, dass es heutzutage aus der Mode gekommen ist, für eine Idee zu sterben, und ich würde noch hinzufügen, dass du längst aus dem Alter raus bist. Sie grinsten. So alt bin ich nun auch wieder nicht, du Idiot. Aber auch nicht mehr jung. Noch kann ich dreimal, ohne ihn rauszuziehen. Du meinst wohl dreimal stöhnen. Sie lachten. Wirst du die Schmuggelgeschäfte aufgeben? Garantiert nicht, Schmuggler zu sein ist mein Schicksal, brauchst du was? Bevor du dich umbringen lässt, krieg bitte noch raus, ob John Lennon eine Gitarre zertrümmert hat, als die Beatles sich getrennt haben, dafür musst du eine gewisse Frau Thompson aufstöbern, die angeblich an dem Tag mit Yoko über eine Ausstellung gesprochen hat. Vorname? Hab nur den Nachnamen. Okay, das wird mich auf Trab halten, bis ich meine Entscheidung getroffen habe, jetzt muss man erst mal abwarten, wie die Umwälzungen so ausfallen. Wäre übrigens schön, wenn du am Leben bleiben würdest, darf ich erfahren, wer deine Kontaktleute auf der anderen Seite sind? McGivers Augen funkelten, er vertraute Olmedo, aber nicht blind; trotzdem beschloss er, das Risiko einzugehen. Mein Waffenlieferant. Vergiss es, Leo, das ist, als würdest du einen Mercedes gegen einen Toyota tauschen. McGiver trank seinen Muga aus und schenkte sich nach. Vielleicht hast du recht, wir sind für so was zu alt, aber ich werde es trotzdem riskieren, was hab ich schon zu verlieren? Olmedo lächelte und schüttelte den Kopf. Gestern Abend, als ich auf dich gewartet habe, hab ich so viel Whisky gekippt, dass ich irgendwann eingeschlafen bin, und als ich von Engelchen geträumt habe, klingelt es plötzlich, ich mache auf und kriege einen Schuss in die Brust. Nein!, und weißt du, wer's war? Woher soll ich das wissen? Meine Tochter, Mann, Paty Olmedo, die Erbin des verdammten Imperiums, das ich mein ganzes Scheißleben lang aufgebaut habe; weißt du, wie ich mich gefühlt habe? Wie eine elende Wanze. Oder noch schlimmer, wie das verachtenswerteste Geschöpf auf der ganzen Welt, ein Volltrottel, der sich für nichts und wieder nichts den Arsch aufgerissen hat, auf die halbe Welt geschissen hat, weißt du, wo die Kleine studiert hat? In London, ich habe sie auf die beste Schule für Modedesign geschickt, und wofür?, wie soll ich mich da nicht alt fühlen?, ich habe es nicht mal geschafft, eine Tochter großzuziehen, mein Leben bestand nur aus Geld, Geld, Geld, und was nützt mir diese ganze Kohle, wenn ich es am Ende dieser Göre in den Rachen werfen muss? Ich hätte auf einen dieser Spinner hören sollen, die immer rumkrakeelen: Reichtum ist Selektion, nicht Akkumulation. Und dann taucht auch noch so ein Scheißbulle auf und geht mir auf den Sack, ein gewisser Edgar Mendieta, mit einem Gesicht von wegen ich war's nicht, einem Gesicht wie der schlimmste Bolero, den du in deinem beschissenen Leben gehört hast, ein eingebildeter Fatzke in schwarzer Kluft; hätte ich nicht verdammt aufgepasst, hätte er mich noch beklaut, sagt der doch glatt: was für eine tolle Plattensammlung. Hätte ich nicht sofort reagiert, hätte er sie mitgehen lassen. Edgar Mendieta? Das muss der aus Col Pop sein, da hatte ich mal einen Kumpel, Enrique Mendieta, Exguerillero, sind das am Ende Brüder? Das interessiert mich einen Scheiß, Leo, meine Tochter, Mann, meine eigene Tochter wollte mich umbringen, und du quatschst mich hier voll von wegen, dass du als Narco noch mehr Kohle machen könntest als sowieso schon. Er verstummte. Hast du mit ihr gesprochen? Gesprochen? Am liebsten würde ich ihr den Hintern versohlen. Sie sahen sich an, Olmedo resigniert, McGiver grinsend. Was du da erzählst, Gandhi, beweist nur, dass das Leben keinen Sinn hat, ich werde das Ding also durchziehen. Willst du Gladiolen oder Chrysanthemen? Rosen, Mann, sei nicht so knausrig.

Draußen ertönte eine Maschinengewehrsalve: Richie Bernal linderte seinen Schmerz, und im Apostolis, einem in der Nähe gelegenen Restaurant, schaffte es McGivers ärgster Konkurrent, ihn bei der Nummer eins zu verdrängen: er würde zweitausend Mann der mexikanischen Armee mit Waffen ausstatten.

14

Er rief Doktor Parra an: Nimm schon ab, blöder Quacksalber. Die Sekretärin meldete sich. Ah, Señor Mendieta, gut, dass Sie anrufen, ich hab's gestern bei Ihnen versucht, um Ihnen Bescheid zu sagen, dass der Doktor zu einem Kongress nach Austin, Texas, gefahren ist, in einer Woche ist er wieder da. Na, Mahlzeit: was nützt einem ein Arzt, der nicht da ist, wenn man ihn braucht?

Auf dem Schreibtisch lagen die Berichte von Ortega und Montaño, sie enthielten nicht viel Neues: Schuss mit einer Neun-Millimeter-Pistole, aus nächster Nähe bei Mayra, aus etwas größerer Entfernung bei Yolanda; Ersterer hatte man mit einem stumpfen Messer die Brustwarze abgeschnitten, Zeitpunkt ihres Abgangs von dieser Welt: zwischen zwei und vier Uhr morgens. Du Arschloch, wieso hast du deine Wut an ihren Brüsten ausgelassen? Sie waren so schön, so unvergesslich. Kein Alkohol im Blut, eine Genprobe würde aufbewahrt, für alle Fälle. *Mexiko ist eine Versuchung, ich hatte nichts, als ich hergekommen bin, nur meine Kunst, und wie du siehst, habe ich es zu etwas gebracht; bald kann ich mich aus dem Geschäft zurückziehen und anderen Dingen widmen, aber ich habe niemanden getötet, Herr Polizist, ich schwör's, Sie könnten allerdings der Erste sein: ich werde Sie nämlich jetzt zu Tode küssen.* Es war, wie im Meer toter Mann zu spielen. Einfach da sein, ihr zuhören, sie sehen, sie berühren, alles Schreckliche hinter sich lassen. Überall Fingerabdrücke, sprich: Jack the Ripper hatte sein Unwesen getrieben. Ich werde dich finden, was immer du bist, Mann, Frau oder sonst was; wohin auch immer du dich verkriechst, ich werde dich rauszerren, das schwöre ich bei Gott; ich weiß nicht, wann oder wo, ich weiß nur, dass. Miguel de Cervantes, so cool ist der nicht, ich werde ihm mal ordentlich Feuer unterm Hintern machen; Richie Bernals Stil ist das auch nicht, er hätte sie durchsiebt; das andere Mädchen, war das derselbe Täter?, aus demselben Grund? Aber sie wurde nicht verstümmelt. Ein Doppelmord? Manche Freundschaften kosten einen das Leben. Auch sie hat es verdient, dass man ihrem Mörder die Eingeweide rausreißt. Wir haben keine Handtasche gefunden, kein Handy, nichts, das heißt was? Und der andere Tote hatte immer noch keinen Namen, erschossen zwischen neun und elf Uhr morgens, Fingerabdrücke auf dem Telefon, aber nicht registriert. Vor ihm stand eine kleine, mit chinesischen Ornamenten verzierte Metallschachtel, die Papiere und Briefe von Mayra enthielt. Er las den Absender, Adresse in São Paulo, könnte von ihrer Mutter sein. Er kramte weiter. Da war ihr Pass: Mexikanerin, geboren 1987 in Guadalajara. Na, so was. Der Zurdo verharrte reglos, sah nachdenklich zu Gris, die an ihrem Schreibtisch saß, Papiere durchging und an ihrer Coca-Cola nippte. Er selbst trank Kaffee. In der Zeitung war der Krieg gegen die Narcos das bestimmende Thema. Wenn das wahr ist, lass ich mir ein Ei abschneiden, außer natürlich, das Ganze ist ein abgekartetes Spiel, dachte Mendieta, wie kann man Krieg führen gegen diese Wichser? Sie haben alles: Waffen, Beziehungen, Strategen, Spione, Geld, Verbündete; eigentlich aussichtslos. Das Handy klingelte, er warf die Zeitung in den Müll, es war Quiroz. Warum rückt ihr nichts über die Frau ohne Brüste raus, Zurdo? Welche Frau ohne Brüste, du Tintenkleckser? Verarsch mich nicht, mein bester Zurdo. Ich weiß nicht, wovon du redest, mein bester Quiroz.

Alle meine Quellen sagen, dass ihr zurückgepfiffen wurdet, dass ihr nicht mal eine Ermittlungsakte anlegen durftet. So, so, ich wiederum habe gehört, dass ihr diejenigen seid, denen man einen Maulkorb verpasst hat. Dann steht Aussage gegen Aussage. Mendieta lächelte. Wenn ihr der Sache nachgeht, sagst du mir Bescheid, ja? Vergiss es, Quiroz, so wie's aussieht, bleibt da der Deckel drauf. Sag mal, was ist eigentlich mit dem Gringo? Welchem Gringo? Mann, Zurdo, sind wir nun Freunde oder sind wir keine Freunde? Ich mein's ernst. Okay, dann erzähl ich's dir: Heute Morgen wurde uns ein Toter im Hotel San Luis gemeldet. Wir sind hin und haben erfahren, dass es schon gestern passiert ist; Montaño hat die Leiche gerade unterm Messer, aber noch weiß keiner was; neulich habe ich Ortega getroffen, aber er ist voll und ganz mit den Narco-Opfern beschäftigt. Und was hast du ihm gesagt? Dass ich mit dem Idioten von Mendieta sprechen werde, und schon habe ich meinen Aufmacher. War wohl ein Reinfall; wenn jemand einen Gringo gefunden hat, wir waren's jedenfalls nicht. Hör zu, du Knallkopf, wenn du so weitermachst, kriegen wir noch Ärger miteinander, und falls dir's noch nicht aufgefallen ist, ich hab dich nicht nach dem gefragt, was dir so wehtut. Er legte auf. Mendieta zündete sich eine Zigarette an. Das will ich dir auch geraten haben, Quiroz, er hatte die Zigarette noch nicht zu Ende geraucht, als Angelita rief. Gris, Rodo auf Leitung eins.

Versteinertes Gesicht: Was willst du? Nein, wie oft soll ich dir das noch sagen?, erst wieder, wenn du mich nicht mehr behandelst wie ein kleines Mädchen, mir ist es ernst, und du pfeifst drauf, hab ich etwa keinen Respekt verdient? Wie soll ich dir das glauben, Rodo, du hast ja nicht mal an einen Verlobungsring gedacht. Sie knallte den Hörer auf die Gabel. Angelita, die immer noch in der Tür stand, war die Kinnlade runtergefallen, selbst der Zurdo war verblüfft. Gris widmete sich wieder ihren Papieren. Chef, stammelte die Sekretärin, der Comandante will Sie sprechen.

Leise verließ Mendieta den Raum. Er sah auf die Uhr: acht vor zwölf, Miroslava fiel ihm wieder ein.

Briseño hatte Notizen auf dem Schreibtisch liegen. Setz dich. Mendieta betrachtete ihn nachdenklich: irgendwas macht ihm Sorgen, ist es gut, dass ein Chef so durchschaubar ist? Der hier ist es jedenfalls. Irgendwas Neues? Im Fall der Mädchen müssten wir noch Licenciado Luis Ángel Meraz befragen. Ich habe dir doch gesagt, dass du ihn in Ruhe lassen sollst, du kannst ihn aber gern anrufen und ihn auf den neuesten Stand bringen. Er ist seit einer Woche in Mexiko-Stadt, kommt heute Abend zurück, so viel zum ersten Mädchen; vom zweiten wissen wir rein gar nichts. Legt den Fall zu den Akten, das sind doch nur Tabletänzerinnen, wir sind nicht gerade gut besetzt, und wie du siehst, kann Meraz nicht der Täter sein, er ist auf Reisen, was ist mit dem Toten im Hotel San Luis? Da haben wir bisher nur das ballistische Gutachten, er war nicht in unserer Kartei, der Gast hat sich aus dem Staub gemacht, das Hotel wurde mit einem Voucher bezahlt; die Kreditkarte ist von einer Bank in Phoenix, die sich weigert, Informationen rauszurücken, und registrierte Fingerabdrücke haben wir auch keine gefunden. Warten wir ab, wer die Leiche einfordert. Comandante, was halten Sie von der Kriegserklärung des Präsidenten? Ich lade dich in den nächsten Tagen mal zum Essen ein, du magst doch Erbsensuppe, oder? Nur wenn es schwarze Erbsen sind. Hör mal, die Gringos bestehen darauf, dass du kommst, ich glaube, die wollen sich dich angeln. Anbeißen tun nur die, die das Maul zu weit aufreißen. Stimmt es eigentlich, dass die Tabletänzerin, die dir so zu schaffen macht, bildhübsch war? *Du hast wirklich schöne Augen. Natürlich kannst du auch was zu meinen sagen, aber es dürfte dir schwerfallen, originell zu sein.* Der Detective stand auf. Ich weiß doch, dass du sie aus Mazatlán kennst, er streckte ihm den Halbmonatsumschlag hin. Geh einen heben, Mendieta, das hilft. Wussten Sie, dass der Exstaatsanwalt Teilhaber des Alexa ist? Lass die Finger davon, sonst kommen wir in Teufels Küche. Als er das Büro verließ, spürte er, dass seine innere Leere zugenommen hatte; trotzdem drehte er sich noch einmal um: Chef, kann ich die Einladung aus Madrid mal sehen?

In seinem Büro suchte er sein Handy durch. Gris, schick dieses Foto an diese Adresse und bitte um einen Bericht zu dem Kerl hier, das ist Miguel de Cervantes.

Mayras Wohnung. Er trat ein. Nahm einen dezenten, kristallinen, männlichen Duft war. Edel, dachte er, dahinter verbirgt sich jemand, der es sich leisten kann. Edel heißt bei Parfüms immer teuer. Er verharrte einige Minuten lang reglos im Wohnzimmer: es gibt keine Klingel. Es klopft: wer ist da? Ich bin's, Yhajaira, gut, dass du zu Hause bist, mach bitte auf. Roxana ist nicht da. Das weiß ich, ich bin wegen dir hier, der schönsten Frau der Welt. Meinst du das ernst? Hab ich dich jemals angelogen? Sie lässt ihn herein. Hast du schon länger geklopft? Ich hab schon geschlafen. Du siehst fantastisch aus in deinem Pyjama, man merkt dir gar nicht an, dass ich dich aus dem

Schlaf gerissen habe. Danke, setz dich doch, wie war das mit der schönsten Frau der Welt? Roxana wird ausflippen, wenn sie das hört, du weißt ja, wie sie ist. Sie verteidigt ihr Revier wie eine Raubkatze, stimmt's?, wie war dein Tag? Eher anstrengend, ich bin total erschossen. Du sagst es. Er schoss ihr mit einer Neun-Millimeter-Pistole mitten ins Herz, welcher Hersteller? Er malte sich aus, wie der Mörder die Wohnung verließ, in aller Ruhe, nachdem er sich vorher noch vergewissert hatte, dass im Gebäude alles still war. In welchem Moment hat er das Poster des brasilianischen WM-Teams zerrissen? Vor der Wand, an der es gehangen hatte, blieb er stehen und überlegte. Er fand es bizarr und notierte es in sein Büchlein. Der Täter wollte verhindern, dass Yhajaira beim Verhör seinen Namen erwähnte; es könnte also durchaus sein, dass beide Verbrechen von derselben Person begangen wurden. Er konzentrierte sich auf die Parfümdüfte: diffus, auch der, den er am deutlichsten riechen konnte. Dolce & Gabbana?, Hugo Boss?, Polo von Ralph Lauren? Auch das notierte er. Die Einrichtung war schlicht, einige Gegenstände waren bei der Spurensicherung. Kleine Küche, gut gefüllter Kühlschrank: frisches Obst, Trockenfrüchte, Gemüse, Fisch, Eier, Nahrungsergänzungsmittel, Bier. Auf dem Boden eine leere Tomatenkiste mit der Aufschrift Agrarbetriebe San Esteban. Eine Tür führte zu einem kleinen Innenhof, wo man Wäsche aufhängen konnte. Er hörte die Nachbarn, die mit ihren Kindern von der Schule kamen. Gris gegenüber hatten sie ausgesagt, dass sie nichts über die beiden Frauen wüssten. Yolandas Schlafzimmer war das reinste Chaos und sagte ihm nichts. Er betrat Mayras und versuchte, objektiv zu sein, sprich: ihren nackten Körper und ihr lächelndes Gesicht zu ignorieren, die den Raum dominierten. Ich werde dich finden, murmelte er. Niemand ist perfekt, irgendeinen Hinweis hast du garantiert hinterlassen, irgendwas wirst du tun, das dich verrät, und dann schnappe ich dich. Irgendwann stelle ich dir die richtige Frage, und diesen Lackmustest wirst du nicht bestehen, du Wichser. Mit dem Kleiderschrank ließ er sich Zeit, rund dreißig Paar Schuhe mit gläsernen Plateausohlen in allen Farben und Formen. Ein Fach mit Büchern auf Portugiesisch, darunter *Das Haus der glücklichen Buddhas*. Warum Yhajaira?, was hätte ihrem Henker so gefährlich werden können, wenn er sie am Leben gelassen hätte?, wusste sie, dass Roxana an dem Abend bei ihm war? Er war hochkonzentriert, als er das Türklicken hörte. Während er herumfuhr, fiel ihm ein, dass er die Eingangstür nicht geschlossen hatte und der Teppich weich und tief war. Ein Luxus bei diesem Klima.

Der Türsteher des Alexa richtete seine Waffe auf ihn. Mendieta ignorierte ihn und sah sich weiterhin im Raum um. Mexikanerin, geboren 1987 in Guadalajara, erinnerte er sich. Wer bist du wirklich, Mayra Cabral de Melo? Ihr zweiter Nachname war Palencia. Gültiger Pass. Plötzlich hatte er berufliches Interesse an dem Fall. Warum hast du so viel Wert darauf gelegt, für eine Brasilianerin gehalten zu werden? Du hast gesprochen wie eine Brasilianerin; du hast getanzt wie eine Brasilianerin; du hast auf Portugiesisch gelesen, die kleine Bibliothek deutet darauf hin, dass das nicht nur Show war; um *Das Haus der glücklichen Buddhas* zu lesen, muss man Brasilianerin sein, und du hast von Ribeiro als einem großen Autor gesprochen, und von Coelho und Fonseca. Alle Briefe waren von derselben Person, die dir zu Gelassenheit und Geduld riet. Ihm fiel ein, dass er einen braunen Umschlag geöffnet hatte, in dem ein Dutzend Visitenkarten gewesen war, und dass er alle Namen gelesen und sich zwei Kärtchen in die Tasche gesteckt hatte.

Auf dem Teppich war ein vierzig mal vierzig Zentimeter großer Abdruck zu sehen; eine schwere Kiste, die erst kürzlich entfernt worden war, vom Mörder? Wenn er eine Kiste wegschleppen kann, die so einen Abdruck hinterlässt, muss er ziemlich viel Kraft haben. Was hast du hier zu suchen?, fragte er schließlich den Türsteher barsch, der die Pistole sinken ließ. Müsstest du nicht im Präsidium sein? Ich habe keine Aussage zu machen. Dann lass dir schnell eine einfallen, meine Kollegen kommen nämlich gleich. Der Mann richtete erneut die Pistole auf ihn. Wie ich sehe, benutzt du immer noch illegale Waffen, Rivera, dafür musst entweder du geradestehen oder dein Chef. Hör auf, mich zu nerven, Mendieta, du kriegst doch nie was gebacken. Irrtum, nicht ich, du bist hier derjenige, der schief gewickelt ist.

Sein Handy klingelte, es war Gris. Chef, ich hab mir einige von Mayras Briefen durchgelesen. Er ließ sie reden. Ihre Mutter stammt aus Guadalajara und heißt Elena Palencia. Such im Telefonbuch nach ihr. Hab ich schon, hier sind ihre Nummern. Ich komme in einer halben Stunde, vorher muss ich noch jemanden verhaften. Er legte auf.

Wie verhaften? Ich werde doch gar nicht gesucht. Doch, wirst du, außerdem bist du im Besitz einer Waffe, die ausschließlich vom Militär benutzt werden darf. Das ist doch kein Verbrechen. Das wird der Richter entscheiden. Mit der Pistole in der Hand ging er auf den Zurdo zu. Glaub bloß nicht, dass ich mich so einfach abführen lasse, was wirfst du mir überhaupt vor? Du stehst im Verdacht, Yolanda Estrada alias Yhajaira ermordet zu haben. Was?

Du hast sie wohl nicht mehr alle, wie willst du das beweisen? Wer braucht denn Beweise? Du bist vorbestraft, und wie hier und überall sonst begehen Vorbestrafte immer wieder die gleichen Fehler. Ich schwöre bei meiner Mutter, dass ich nichts mit dem Mord zu tun habe, ich bin hier, weil ich was mit Yhajaira hatte; du kannst dir nicht vorstellen, wie fertig mich ihr Tod macht, ich wollte nur ihre Wohnung sehen, ihr Zimmer, mich an ihren Geburtstag letzten Sonntag erinnern, wie viel Spaß wir hier miteinander hatten. Der Zurdo wollte sich erst über ihn lustig machen, schwieg aber doch, ging es ihm nicht genauso? Wann war die Party, und wer war alles da? Gekommen bin ich um fünf, gegangen gegen acht, sie ist noch geblieben, um sich für das Alexa zurechtzumachen. War sie allein? Ja. Warum riechst du nicht nach Parfüm? Wegen meiner Frau, immer, wenn ich mich mit Yolanda traf, habe ich was aufgetragen, und sie hat mir eine Szene gemacht. Welches Parfüm? Irgendeins von denen, die ich so geschenkt bekomme. Kanntest du alle Männer, mit denen sie was hatte? Das soll wohl ein Scherz sein; diese Frau war megaaktiv. Und Roxana? Noch aktiver, halb Culiacán lag ihr zu Füßen. Weißt du was?, nimm die Pistole, aber lass mich laufen, ich hab meiner Mutter geschworen, mich aus allem Schlamassel rauszuhalten, und genau das habe ich auch versucht. Er warf ihm die Waffe zu, Mendieta nahm sie in Augenschein, sie war entsichert, das Magazin voll, eine Sig Sauer. Man merkte José Rivera an, dass er wirklich niedergeschlagen war. Einverstanden, sagte er, aber du wirst mir helfen, wenn ich dich brauche, das gilt für beide Mordfälle. Er gab ihm die Pistole zurück. Schenk sie deiner Mutter als Beweis für deine Läuterung. Du bist ein komischer Kauz, Mendieta. Sag mal, Securityleute kriegen doch immer mehr mit, als sie sollen, wer war Roxanas Lover? Sie hatte mehrere. Welchen davon würdest du als ihren Favoriten bezeichnen? Schwer zu sagen, du hast ja selber gesehen, wie sich Richie neulich aufgeführt hat; Glückwunsch übrigens. Weißt du, ob sie auch gemeinsame Kunden hatten? Bestimmt, ist ganz normal; Männer suchen Abwechslung. Ich denke da an jemanden, dem bekannt war, wo sie wohnten. Davon weiß ich nichts. Hast du das Poster mit der Nationalmannschaft gesehen? Oft. Jemand hat es zerrissen. Roxana hätte der Schlag getroffen, sie hat überall damit geprahlt, fünfmaliger Weltmeister zu sein. Sie schwiegen. Vor einigen Tagen hast du Roxana nach Mazatlán gebracht, in wessen Auftrag? Ich?, wo hast du das denn her?; ich hab sie nirgendwohin gefahren, nie. Pass auf, was du tust, und mach keine Dummheiten, und jetzt zieh Leine, bevor unser Trupp anrückt.

Er wandte sich wieder dem Zimmer zu: wie schwer es doch ist, den Heuhaufen für eine Stecknadel zu finden.

Kavallerie. Chef, es war Gris, Elisa Calderón hat angerufen. Sie sagt, eines der Mädchen hätte gesehen, wie Mayra letzten Sonntag mit Luis Ángel Meraz weggefahren ist, sie heißt Camila Naranjo, beide sind unterwegs ins Präsidium. War Meraz nicht angeblich in Mexiko-Stadt? Das hatte der Geschäftsführer ausgesagt, ja, aber da sieht man's mal wieder. Schauen wir mal, was Camila weiß. Klick. Noch einer, der einen Doppelgänger hat.

15

Peter Conolly hasste Mexiko. Es ist nicht einfach, ein ganzes Land zu hassen, aber er schaffte es und zelebrierte seinen Hass geradezu. Seit er beim SWAT-Team des FBI arbeitete, liebte er seine Einsätze in Mexiko besonders. Wenn er aus dem Flugzeug stieg, spuckte er zuerst auf den Boden, und er behauptete, er scheiße bei den Hotels, in denen er untergebracht sei, immer in den Garten. Mexiko war für ihn ein jämmerliches Land, mit sich selbst überfordert, eine beschissene Durchgangsstation für Drogen aus Südamerika; das einen Teil der Gewinne einstrich und immer mehr forderte. Die muss man alle ausradieren, koste es, was es wolle, genauso wie diese Bande von Idioten, die den gerade genehmigten Krieg verhindern wollen; sollen sie doch schreien, zu ihren Heiligen beten, heulen, damit erreichen sie gar nichts: Schwachköpfe. Diese ganzen Latinos, die wie die Heuschrecken über Felder, Restaurants und Geschäfte herfallen, werden die mächtigste Nation der Welt noch in den Abgrund reißen; konnte man sie nicht einfach ausrotten oder wenigstens versklaven? Wie viele Probleme man auf einen Schlag los wäre. Ich muss jemanden finden, der es dem Kongress vorschlägt, sonst sprechen wir irgendwann dieses Kauderwelsch, mit dem die sich verständigen.

Er war Mitglied einer Vereinigung, die in Texas, Arizona und New Mexico illegale Einwanderer jagte. Sein Ziel: jeden Tag ein Toter; er war stolz darauf, dass er in zwölf Jahren seine Quote immer erfüllt hatte. Wenn er dienstlich unterwegs war, genoss er seine tägliche Hinrichtung umso mehr. Gestern im Morgengrauen, auf einer Straße in Westwood, in der Nähe der Universität von Kalifornien, LA, hatte er ein Kindermädchen und einen Baggerführer ausgelöscht, die auf dem Weg zur Arbeit gewesen waren. Aus Erfahrung wusste er, dass ihm ein harter Tag bevorstand, und er hatte schon mal vorlegen wollen. Nach seiner Rückkehr würde er sich einige Sänger vorknöpfen. Shakira, diese grüne Kotze, wäre als Erste dran; dann Ricky, dann irgendein Sänger aus dem Norden und zum Abschluss dieser Gitarrist, wie heißt der noch? Scheißpack.

Er sah die Nachrichten auf CNN, um die Zeit zu überbrücken, bis die anderen Gringos gefrühstückt hätten und zum Sightseeing, Fischen oder Jagen aufgebrochen wären. Dieses Hotel ist ein Rattenloch, dachte er, aber sie sind ja alle gleich. In diesem widerlichen, unrettbar verlorenen Land, das uns keine andere Wahl lässt, als es zu unseren Gunsten zu steuern; die Vereinbarung, die wir gestern Abend unterzeichnet haben, ist großartig: zweitausend Mann ist eine gute Zahl. Im Fernsehen hielt gerade der Präsident der Vereinigten Staaten eine Ansprache. Der alte Herr sollte nicht in ein so heruntergekommenes Land reisen, schon gar nicht auf eine so exponierte Ranch; das Risiko ist einfach zu groß. Wenn man nur auf mich hören würde. Er lag angekleidet auf dem Bett und rauchte, betrachtete einen Stadtplan.

Um zwei nach acht beschloss er, dass es Zeit fürs Frühstück war. Er machte das Bett, faltete den Plan zusammen und legte ihn auf den Nachttisch; stellte den Fernseher lauter. Dann löste er die Kette, öffnete die Tür, die Kugel schlug in seinen Kopf ein. Er hatte noch ziehen können, aber zum Abdrücken hatte es nicht mehr gereicht. Ich hab's ja immer gesagt. Es war sein letzter Gedanke. Verfluchtes Land.

McGiver, der einen blauen Klempneroverall trug, stand auf. Weil er mit einer anderen Reaktion gerechnet hatte, hatte er sich hingekniet. Er vergewisserte sich, dass der Mann tot war. Waffen zu verkaufen ist gefährlicher, als Informationen zu verkaufen, sagte er, während er die Leiche ins Zimmer schleifte und die Waffe an sich nahm. Er überprüfte den Pass, durchsuchte den kleinen Koffer und zog einen am Vorabend unterzeichneten Vertrag heraus; sah sich die Unterschrift näher an und lächelte; betrachtete den Stadtplan, fand keine Markierungen, ließ ihn einfach auf den Boden fallen; nahm die drei Handys und steckte sie ein, dazu einige Dollarscheine. Geld kommt und geht, murmelte er. Das hier kommt. Im Fernsehen eine Meldung über Atomwaffen im Iran.

Er verließ das Zimmer, las die Nummer: 522. Dann hängte er das Schild »Bitte nicht stören« an den Knauf und schloss leise die Tür.

16

Um vier Uhr nachmittags rief Mendieta Elena Palencia an, die seit vier Monaten in São Paulo, Brasilien, war und erst am Ende des Sommers wiederkommen würde. Er notierte sich ihre Handynummer und fuhr ins Miró. *Honey* von Bobby Goldsboro. Er verspürte den Impuls, die Stereoanlage auszumachen, widerstand ihm aber. Als er in die Victoria einbog, wurde er an einem Kontrollposten aufgehalten, wo das Militär nach Waffen suchte. Er wies sich aus, aber es war zwecklos. Ich hätte nicht gedacht, dass ihr uns dermaßen misstraut, sagte er zu dem Sergeanten. Wir sind unbestechlich, Ihre Knarre können Sie behalten, damit Sie Ihre Pflicht erfüllen können. Haben Sie schon was beschlagnahmt? Nicht mal ein Taschenmesser. Sie beendeten die Durchsuchung des Jetta, und er fuhr weiter.

Miroslava kam um halb sechs. Gealtert, ausdruckslose Augen, schlicht gekleidet. Möchtest du was?, ich kann dir die Fleischtapas empfehlen. Lieber nicht, zu viel Cholesterin. Fleisch wurde freigesprochen, kannst du gefahrlos essen. Wirklich? Klar, außerdem ist es so gut, dass einem Haare nachwachsen. Das heißt, dass wir bald auch wieder Schweinefleisch essen dürfen, ich liebe Schweinefleisch. Bis dahin müssen wir mit dem vorliebnehmen, was es gibt. Rudy brachte Mendieta den dritten und dem Mädchen den ersten Kaffee, den sie ablehnte. Sonst kann ich nicht schlafen. Sie wollte ein Bier.

Mayra habe ich nicht gut gekannt, Yolanda etwas besser. Sie war aus Cosoleacaque, Veracruz, und mochte ihren Job, aber ihre Zeit war eigentlich vorbei. Mendieta ließ die Namen der Hauptverdächtigen fallen, aber sie sprang nicht darauf an, sagte nur, dass es gute Kunden waren. Haben Sie schon mit Kid Yoreme gesprochen? Noch nicht. Er war verrückt nach Mayra, ein undurchsichtiger Typ, hab ihn zweimal sagen hören, tot wäre sie ihm lieber als in den Armen eines anderen Mannes. Wo wohnt der Kerl? Weiß ich nicht, woher auch?, gestern habe ich ihn nicht gesehen, sonst kommt er jeden Tag. Weißt du, was er beruflich macht? Er ist Boxer oder war mal Boxer. Kennst du jemanden, der privat was mit ihr hatte? Das gibt keine von uns zu; aber wir haben alle solche Kunden, oft verdienen wir damit mehr als mit Tabledance. Die Tapas wurden gebracht. Worum hast du Mayra beneidet? Sie dachte nach: Um ihre Jugend, um ihren Sexappeal, ihr Glück, ihre Schönheit, reicht das? Und Yolanda? Ach, Yoli, die Ärmste, sie hatte ein weiches Herz; nein, sie hat den Männern nicht so sehr den Kopf verdreht. Heiraten wollte sie, hat sie gesagt, ein Töchterchen kriegen, das dann mal Königin aller Tabletänzerinnen werden sollte, sie lächelte. Eine, die noch besser tanzt als Roxana. Wieso nicht Polizistin? Gott bewahre, ich begreif nicht, was Frauen in einem so gefährlichen Beruf machen. Magst du die Atmosphäre im Alexa? Ist ganz erträglich, der Geschäftsführer ist ein guter Kerl, hat sich am Anfang ein bisschen schwergetan, aber das hat sich gelegt, ich meine, ich war schon da, als er kam, vor gut einem Jahr, auch Fantasma und Escamilla sind okay; Elisa hält uns ganz schön auf Trab, und wehe, man macht Privatgeschäfte, dann kann sie richtig fuchsig werden; die Mädchen sind Konkurrentinnen, ja, aber nicht so, dass sie sich gegenseitig umbringen. Ist Rivera mit jemandem zusammen? Hätte ich beinahe vergessen, armer Kerl, in letzter Zeit wollte er bei Yhajaira landen, und anscheinend hat sie ihn erhört. Die Kunden, die euch privat aufsuchen, gehen die trotzdem ins Alexa? Wozu? Die meisten zeigen sich nicht gern in der Öffentlichkeit, und hinterher darf man nicht mal gemeinsam aufbrechen, sie nahm einen Bissen. Ich sage dir jetzt mal, was du von Camila Naranjo hältst: dass sie eine Schlampe ist, eine blöde Kuh, eine schlechte Freundin und eine noch schlechtere Kollegin. Miroslava hielt mit dem Kauen inne und machte den Mund auf. Woher wissen Sie das?

Gespräch mit Camila Naranjo, Zeitpunkt: vierzehn Uhr siebenundvierzig, Ort: Polizeipräsidium. Dann erzähl uns mal, wer dir die Pistole verkauft hat, mit der du Mayra Cabral de Melo und Yolanda Estrada ermordet hast. Ihre Augen wurden feucht, ihr Gesicht lief rot an, sie weinte. Stimmt, ich wollte sie umbringen. Gris Toledo vom Morddezernat, die routinemäßig jede Reaktion beobachtete, war jetzt hellwach. Mist. Sie machte zwei Rekorder an. Aber ich war's nicht, ich hab mehrmals daran gedacht, das gebe ich zu, aber ich konnte mich nicht dazu durchringen, vermutlich muss man dafür geboren sein, und ich ...

Mendieta, die Ruhe nach dem Sturm, also, du wolltest sie kaltmachen, richtig? Hab ich aber nicht; falls Sie das denken sollten; ich konnte sie nicht ausstehen, ja, vor allem die Brasilianerin nicht, aber ich war's nicht. Was hatten Mayra und du auf diesem Acker verloren? Was für ein Acker? Wie viele wart ihr? Ich hab sie nicht auf dem Gewissen, jemand anders ist mir zuvorgekommen, und von einem Acker weiß ich nichts, buchtet ihr Leute jetzt schon ein, nur weil sie andere lieber tot sähen?, im Alexa wünschen wir täglich jemandem den Tod, und nicht nur einem. Mendieta machte Gris ein unmerkliches Zeichen. Also, du hast uns noch nicht verraten, wer dir die Pistole verkauft hat. Niemand, Kid Yoreme hat versprochen, mir eine zu besorgen, hat er aber noch nicht gemacht, übrigens ist er verrückt nach Mayra. Woher kennst du ihn? Ist ein Stammkunde. Wie ist sein Name? Kid Yoreme. Weißt du, was er beruflich macht? Ich glaube, er ist Nachtwächter, irgendsowas. Wieso sollte er deine Kolleginnen umlegen? Er hat sie gehasst. Und das, denkst du, reicht, um jemanden umzubringen? Sie nicht? Diese verdammte Nutte hat mir meinen besten Kunden geklaut, und bei Bernal ist sie mir auch dazwischengekommen; hören Sie, ich bin auch nur ein Mensch, und ich baue bei mir im Dorf gerade ein Haus. Und Yolanda? Tja, die Freundinnen hasst man eben mit, weil man sich vor ihnen in Acht nehmen muss, außerdem liebt mich keiner, sie hatte einen Heulanfall. Wie gern hätte ich diese Schlampe abgemurkst! Du hast zu Elisa Calderón gesagt, dass sie am Sonntag von Luis Ángel Meraz abgeholt wurde, weißt du, wo die beiden hin sind? Nun komm schon, wo gehen wir Frauen mit den Männern so hin? Hast du sie aus dem Alexa kommen sehen? Ich hab sie ankommen sehen, sie ist aus einem Geländewagen gestiegen, schien erregt, hat was gesagt, was ich nicht verstanden hab, jedenfalls hat sie mit ihm gestritten, nach ein paar Minuten ist sie wieder eingestiegen. Hast du Meraz gesehen? Nein, aber es war sein Auto; er ist nämlich der Kunde, den sie mir ausgespannt hat, die blöde Nutte. Könnte es auch sein Fahrer gewesen sein? Den Geländewagen fährt nur er selbst, das weiß ich ganz genau. Wo arbeitet Yoreme? Keine Ahnung. Mendieta verließ das Büro, Gris machte allein weiter. Camila war unschuldig, was war nur los mit diesem Fall? Überall nur Unschuldige, wurde Zeit, dass der Schuldige einen Fehler beging.

Auf dem Parkplatz grüßte ihn Elisa Calderón, die gerade eine Coca-Cola trank. Kurz war er versucht, sie anzusprechen, aber dann ging er weiter, er war verwirrt: liebte er Mayra tot mehr als lebendig? Dieser Wichser, der ihr die Brustwarze abgeschnitten hat, wird dafür bezahlen, diese Scheißleere in ihm, und Parra, volltrunken in Austin; ich würde mich nie in sein Privatleben einmischen, aber er hat definitiv eine Schwäche für Bier.

Wenn Sie's genau wissen wollen, Camila war die Schlimmste: ein falsches Luder, hochmütig, intrigant, nachtragend, sie war imstande, einfach so deinen Lieblingstanga anzuziehen, ohne dich zu fragen, sie hat einem immer das Gefühl gegeben, man ist geboren, um ihr zu Diensten zu sein; sie und Mayra konnten sich nicht riechen. Hat Roxana dir von ihren Kunden erzählt? Das tut man nicht, was glauben Sie denn? Seid ihr nicht ab und zu traurig? Sicher, manchmal wäre man schon gern was anderes; aber Mayra nicht, für sie war es Berufung; ich hab sie nur einmal traurig gesehen, neulich erst: als eine Freundin von ihr gestorben war, eine, die nicht aus dem Milieu war, sie ist sogar zur Totenwache gefahren, aber man hat sie nicht reingelassen. Hat sie den Namen genannt? Anita Roy. Weißt du, was Anita beruflich gemacht hat? Gar nichts vermutlich, sie war stinkreich, Mayra hat ihr Tanzunterricht gegeben. Einer Gruppe oder nur ihr? Weiß ich nicht. Sie trank drei weitere Bier, sie ist mit Livi Leyva befreundet, der Frau des Geschäftsführers, die schaut ab und zu vorbei, angeblich, um die Mädchen zu sehen, tatsächlich, um ihrem Mann hinterherzuspionieren. Ich weiß nicht, was er an ihr findet, die Frau ist potthässlich. Der Zurdo, der von ihrer Beziehung mit Carvajal wusste, lächelte.

Am Abend würde sie ihm Kid Yoreme zeigen, vorher wollte sie noch ins Forum, Mendieta nahm einen Anruf entgegen. Hi, Chef, Sie werden's nicht glauben, noch ein Toter im San Luis, diesmal tatsächlich ein Gringo. Wenn das so weitergeht, erklären uns die Amis noch den Krieg, wir sehen uns dort.

Um exakt achtzehn Uhr fünfundvierzig betrat er das Zimmer 522. »Bitte nicht stören.« Er war zuerst da. Der Fernseher lief. Hier war ein Mörder gewesen, hatte er geklopft?, hatte er einen Schlüssel oder einen Dietrich gehabt, oder war die Tür nicht abgeschlossen gewesen? Die Leiche lag auf dem Teppich. Er inspizierte sie, roch an ihr, spekulierte. Der Mörder hat geklopft, das Opfer hat geöffnet: »Wen suchst du? Ist nicht da«, zack, schon hatte er die Kugel im Kopf. Hat er ihn gekannt, Raubmord?, wann fällt ein Gringo einem Raubmord zum Opfer?, kommt das in diesem Hotel öfter vor? Tyler war schneller gewesen als dieser Gangster, dessen Leiche natürlich noch niemand eingefordert hatte, war der hier bewaffnet gewesen? Was machte der Stadtplan auf dem Boden? Er zog seine Handschuhe an und hob ihn auf: Gemeinde Culiacán. Er sah ihn sich näher an, keine Markierungen. Das Parfüm ist anders als das von Tyler, vielleicht Roadster Cartier, und noch was anderes, ich bin mir nicht sicher, aber ich würde sagen, es ist … Hugo Boss? Dieses Scheißparfüm benutzen alle. Er schnupperte am Bett, stieß mit dem Fuß an die Leiche. Verzeihung, aber ich versuche rauszufinden, ob du vor deinem Tod noch gevögelt hast.

Er schnüffelte. Hat dich ein Mann ermordet? Oder eine Frau? Frauen sind zu allem fähig. Hatte jemand eine Chipkarte, um die Tür zu öffnen? Jemand, der im Hotel arbeitete, gab es Zimmermädchen, die Leute ermordeten? Tja, Zimmermädchen sind auch nur Menschen, wie Camila sagt, warum nicht? Die Grundbedingung, um ein Mörder zu werden, ist, ein Mensch zu sein, kriegen Hotelelektriker Türen auf? Ich denke schon. Wenn er einen Dietrich dabeihatte, ist die Sache sowieso klar. Ich habe das Gefühl, dass der Kerl ihm aufgemacht hat: im Bad tröpfelt Wasser aus dem Hahn, und diese Lampe lässt sich nicht ausknipsen, so kann ich nicht schlafen. Kann er nicht? Jetzt kannst du schlafen bis in alle Ewigkeit, Freundchen. Irgendwie kommt ein Mörder immer rein. Im Fernsehen Nachrichten auf CNN. Dich hat wohl interessiert, was in der Welt so vor sich ging, was?, sprich: du warst nicht irgendwer. Im Bad fand er ein Parfümfläschchen von Cartier, einen Deostick, eine Feuchtigkeitscreme und einen elektrischen Rasierer.

Er durchsuchte die starre Leiche. Mal sehen, was wir hier finden, Pistolenhalfter ohne Pistole: Oh, hast du's doch noch geschafft, deine Pistole zu ziehen? Der andere war schneller als du, hat dich umgepustet, bevor du dich verteidigen konntest, und danach hat er dir die Knarre abgenommen. Du bist bestimmt schon gut zehn Stunden auf Reisen, mal sehen, was Montaño sagt, wenn er nicht wieder anderweitig beschäftigt ist. Dann wollen wir mal einen Blick in die Brieftasche werfen, feines Leder, zwei Kreditkarten, zwei unterschiedliche Namen, zwei Führerscheine, genau das Gleiche. Der junge Geschäftsführer kam herein. Kann ich Ihnen irgendwie behilflich sein, Detective? Bringen Sie mir die Anmeldekarte, den Voucher, den er unterschrieben hat, und schicken Sie die Frau her, die ihn gefunden hat. Im Papierkorb entdeckte er ein Ticket von Aeroméxico. From: Los Angeles. To: Culiacán. Name: Conolly/Peter Mr. Das war's dann wohl, jetzt erklären sie uns endgültig den Krieg, es heißt, die Gringos sind nicht glücklich, wenn sie nicht irgendwo kämpfen können, und vom Mittleren Osten haben sie die Schnauze voll; wieso also nicht einen Krieg direkt vor der Haustür anzetteln? Das Handy klingelte. Chef, wo stecken Sie? Es war Gris. Ich bin bei der Leiche, wieso seid ihr noch nicht hier? Wir haben in einer Demo von Landarbeitern festgesteckt, sind gerade erst wieder rausgekommen.

Peter Conolly, Beruf: Visagist; wohnhaft in Westwood, Los Angeles County. Na so was. Mendieta betrachtete seine rauen Hände und schüttelte den Kopf. Die Frau, die ihn gefunden hatte, zitterte. Ich habe nichts angefasst, das »Bitte nicht stören«-Schild hing an der Tür, ich habe geklopft, weil keine Antwort kam und es schon spät war, habe ich aufgemacht, und da lag er. Niemand hatte etwas gesehen oder gehört; niemand war angefordert worden, kein Klempner und auch kein Elektriker. In diesem Hotel stört man die Gäste nicht. Der Geschäftsführer stand da und sah zu. Was ist nur los mit Ihren Gästen? Das wüsste ich auch gern. Wenn das so weitergeht, wird dieses Hotel noch zum Elefantenfriedhof.

In diesem Augenblick kam Gris an, sie telefonierte gerade: Nein, Rodo, kapier's endlich, verdammt, ich werde die Mutter deiner Kinder sein, aber ich will sehen, dass du's ernst meinst, es geht nicht um den Ring, es geht darum, was der Ring bedeutet, das solltest du eigentlich wissen, und diese Bedeutung hat nun mal nur der Ring, so blöd kannst du doch nicht sein, oder? Also, noch mal, ich will dich erst wiedersehen, wenn du dieser peinlichen Situation ein Ende machst. Sie hörte zu, plötzlich schrie sie: Ich habe nicht gesagt, dass ich dich nicht heiraten will, ich habe nur gesagt, dass hier ein Detail fehlt. Wütend drückte sie ihn weg. Sie atmete tief durch und bemerkte dann erst die Anwesenden, die sie betreten ansahen. Zu Ihren Diensten, Chef, sagte sie mit fester Stimme. Wartet draußen. Mendieta schickte die anderen weg. Und die Spurensicherung? Kommt gleich, auch der Rechtsmediziner.

Wir müssen rausfinden, wer er ist, kümmere dich drum, da hast du seine Personalangaben. Er gab ihr die Papiere, die er vom Geschäftsführer erhalten hatte. Irgendwo in seinem Umfeld liegt der Schlüssel zu dem Ganzen. Er hat CNN geschaut. Meiner Meinung nach war er allein; der Täter kam an, hat geklopft und ihn umgenietet. Er sah unter dem Bett nach. Nichts. Das Telefon werden sich die Techniker vornehmen. Er streifte einen Handschuh über und öffnete die Nachttischschublade. Nur die Bibel. Ich geh jetzt los, heute Abend muss ich noch mal ins Alexa, um mir Kid Yoreme anzusehen. Chef, da will ich mit. Der Zurdo sah sie an. Dich dabeizuhaben ist immer gut, aber vorher versöhnst du dich mit Rodo. Er verließ das Zimmer, bevor sie etwas erwidern konnte.

Comandante, der zweite Tote im San Luis ist ein Gringo, allerdings glaube ich nicht, dass er der ist, der er vorgibt zu sein. Mach schnell, ich muss nach Hause und kochen. Er hat angegeben, er sei Visagist, aber seine Hände sind voller Narben, ich glaube, Sie sollten mal das Konsulat in Hermosillo und die Staatsanwaltschaft anrufen. Mach ich, wir sehen uns morgen.

Er parkte das Auto neben der Lagerhalle für Saatgut und dachte nach. Keine gute Uhrzeit, um Indizien zu finden. Er zündete sich eine Zigarette an. Entweder hatte der Mörder es geplant, oder es hatte sich ihm die Gelegenheit geboten. Die Büsche leuchteten auf, wenn auf der Landstraße Autos vorbeifuhren. Sie hatte ihre Handtasche nicht bei sich, in welchen Situationen verzichtet eine Frau auf ihre Handtasche? Die Handtasche ist Teil ihrer Geschichte; das bedeutet: der Mörder hat es so entschieden; vielleicht war die Handtasche im Auto, und er hat es ihr nicht erlaubt, sie mitzunehmen. Dann ist es nicht irgendjemand; nicht Richie zum Beispiel; aber Cervantes oder Meraz kommen in Frage. Er zog die beiden Visitenkarten aus der Tasche, die er bei Mayra gefunden hatte. Vielleicht waren es die: Esteban Aguirrebere und Miguel Ángel Canela, oder irgendein anderer der unzähligen Männer, die sie begehrten, die von ihr träumten, sie sogar zu Hause besuchten. Das Schwein muss doch innerlich verfaulen vor Schuldgefühlen; eine so schreckliche Tat kann man nicht ewig verheimlichen, nicht ewig mit sich rumtragen. Er drückte die Zigarette aus und stieg aus. Wenn er ihr die Brustwarze abgeschnitten hat, als sie noch lebte, muss es höllisch wehgetan haben, laut Montaño war das Messer stumpf; der Idiot war vielleicht taub, aber blind bestimmt nicht, jeder hat seine Schwächen, aber in seinem Fach ist er der Beste, da kann niemand ihm das Wasser reichen. Vielleicht treibt ihn der Umgang mit all den Toten dazu, sich junge, lebendige Körper zu suchen, vielleicht wird man aber auch dazu geboren. Und ich, wozu bin ich geboren? Die Leere traf ihn mit voller Wucht. Ich bin ein elender Schatten.

Er stolperte auf dem dunklen Acker vorwärts und fand

keinen Sinn darin. Zu viel Gestrüpp, und das gelbe Band war verschwunden. In der Nähe einer dreißig Meter entfernten, halb errichteten Halle stand ein Mann und rauchte. Ab und zu sah er zu Mendieta hin und blies Rauch aus. Der Zurdo ging zu ihm.

Guten Abend. Sind Sie Polizist? Ja, so einer wie aus dem Fernsehen, ich ermittle in dem Fall des Mädchens, das hier tot aufgefunden wurde, sagen Sie mir, was Sie gesehen haben. Woher wollen Sie wissen, dass ich was gesehen habe? Man sieht immer mehr, als man denkt. Der Zurdo nahm eine Zigarette aus der Schachtel und bot sie dem Mann an. Ich habe den Schuss gehört und bin raus, der Typ ist in die Hocke gegangen, wieder aufgestanden und ist dann weg; hatte sein Auto hinter der Lagerhalle geparkt. Was für ein Auto? Hab ich nur undeutlich gesehen, als ich zur Straße gelaufen bin, jedenfalls ist er da langgefahren, stadtauswärts. Pick-up oder normales Auto? Normales Auto. Trug er einen Hut? Nein, er hatte helle Sachen an und war ziemlich groß, nicht dünn, nicht dick. Großes oder kleines Auto? Eher ein großes, wäre er in die andere Richtung gefahren, hätte ich es besser sehen können. Dunkel oder hell? Dunkel. Der Zurdo dachte nach. Haben Sie die beiden gesehen, bevor der Schuss fiel? Nein, ich bin erst näher ran, als der Kerl weg war, und habe dann die tote Frau gesehen. Haben Sie gleich jemanden angerufen? Nein, ich habe kein Handy, erst von zu Hause aus. Wie heißen Sie? Das werde ich Ihnen nicht sagen, und eine offizielle Aussage werde ich auch nicht machen. Verstehe ich gut, Bullen nerven nur, am besten, man hat so wenig wie möglich mit ihnen zu tun. Sie sind doch Polizist, oder etwa nicht? Wie viel Uhr war es, als Sie den Schuss gehört haben? Gegen drei Uhr morgens. Mendieta bot ihm eine weitere Zigarette an und steckte sich auch selber eine an. Ging der Mann langsam oder schnell zum Auto? Langsam, in aller Ruhe, ohne sich umzudrehen. Wirkte er jung? So jung wie Sie. Danke, halten Sie sich schön fern von den Bullen, sonst werden Sie des Mordes beschuldigt, damit der Fall zu den Akten gelegt werden kann. Er ging zurück zu seinem Auto.

Morgen schicke ich jemanden her, um die Reifenspuren zu fotografieren und abzumessen.

Hoppla, schon so spät, und ich hab noch nicht mal ein Bier getrunken. *Wir Brasilianer lieben Bier, aber mir bläht Bier den Magen auf, also ist mir was anderes lieber.* Klar, alles andere ist besser als sterben.

17

Hubschrauberlandeplatz des Jagdreviers El Continente, gleich neben dem Wohnhaus des Eigentümers, am nördlichen Ende des Flugplatzes für Kleinflugzeuge, wo auch die Büros lagen. Neun Uhr abends.

Die dunkelgrüne Zweipropellermaschine mit US-amerikanischem Kennzeichen setzte sanft in der Mitte des phosphoreszierenden Kreises auf. Ein zweiter Hubschrauber schwebte über dem Gelände. In einigen Metern Entfernung wartete der Eigentümer des Jagdreviers mit seinem Verwalter, einem mit Gewehr und Pistole bewaffneten Hünen. Unter dem gestrengen Blick des FBI kümmerten sich mehrere Angestellte um jedes Detail. Der Vater des US-Präsidenten war ein passionierter Jäger und wollte einen Tag lang in einer nahe gelegenen Lagune Enten schießen. Das Haus war hell erleuchtet und perfekt gesichert, auch wenn der illustre Gast nur einen Whisky on the rocks trinken, nach einem leichten Abendessen ins Bett gehen und bis zum frühen Morgen schlafen würde. Neben dem Hubschrauberlandeplatz erhob sich ein Maschendrahtzaun, der das Gelände vor Eindringlingen und Tieren schützte. Überall wimmelte es von gelangweilten Agenten.

Bevor General Mitchell, der Oberbefehlshaber der Schutztruppe, in Houston aufgebrochen war, hatte man ihn von der Ermordung eines Agenten der Vorhut, Donald Simak, unterrichtet, aber er hatte der Nachricht keine Beachtung geschenkt; sogar erklärt, den Mann nicht zu kennen, niemand dieses Namens habe je in Diensten der US Army gestanden. Mister B. hatte angedroht, ihn zu degradieren, sollte die Jagdexpedition ins Wasser fallen, also hatte er es nicht gewagt, den Vorfall auch nur zu erwähnen. Außerdem hatte es noch nie einen ungewöhnlichen Vorfall gegeben, wenn der Vater des Präsidenten des mächtigsten Landes der Welt Enten oder Hasen schoss. Er war ein begeisterter Jäger und guter Schütze. Mitchell versuchte nicht einmal, sich an Simak zu erinnern, der in seinen letzten Berichten erhöhte Vorsichtsmaßnahmen empfohlen hatte, als er plötzlich Schüsse hörte und sofort den alten Herrn in Militäruniform zu Boden riss, um ihn vor der Salve einer AK-47 zu schützen, während seine Leute den Angriff mit Pistolen und Sturmgewehren zurückschlugen.

Der zweite Hubschrauber, der das Areal mit Nachtsichtgeräten überwachte, machte die vier Angreifer schnell aus und durchsiebte sie. Er überflog das Gebiet so lange, bis sichergestellt war, dass in der Gegend niemand mehr auch nur atmete. Dann landete er, die Soldaten vergewisserten sich, dass alle tot waren, und stapelten die Leichen am Zaun zu einem Haufen. Alle trugen T-Shirts mit der Aufschrift: *Keine Mauer.*

Unterdessen wurde Mister B. von der Leiche General Mitchells befreit und in einen Hubschrauber gehievt, der zum Flughafen von Culiacán aufbrach, wo er ein Flugzeug besteigen und in achtundfünfzig Minuten zu Hause sein würde.

Oberst William Ellroy, der stellvertretende Befehlshaber, übernahm das Kommando. Er befahl, alle Anwesenden in einem Raum zu versammeln, um sie zu verhören. Dann zog er sich mit Adán Carrasco, dem Besitzer, ins Büro zurück. Dem Verwalter wurden die Waffen abgenommen. Ich hoffe, Sie können mir das erklären, Sie

Idiot, schrie Ellroy, der aus den Südstaaten kam und für sein aufbrausendes Wesen bekannt war. Der Vater des Präsidenten wäre beinahe draufgegangen, meinen Sie, das ist ein Spiel, Sie verdammter Stümper? Wenn sich hier jemand rechtfertigen muss, dann Sie und Ihre Witztruppe, sollten Sie nicht das Gelände säubern? Carrasco hatte vor wenigen Dingen Angst und bestimmt nicht vor diesem unverschämten, ein Meter fünfundneunzig großen Riesenbaby. Sie starrten sich an. Sie übernehmen hier meine Ranch und sind nicht in der Lage, ein paar Männlein zu entdecken, die in den Büschen sitzen, setzte Carrasco nach, der in seiner Jugend als Scharfschütze in der US-Armee gedient hatte. Woher wissen Sie, dass es nur ein paar Männlein waren? Glauben Sie, Sie sind der Einzige, der über Informanten verfügt? Wenn Sie uns eine Falle gestellt haben, sind Sie ein toter Mann. Wenn hier jemand ein toter Mann ist, dann Sie, Sie und Ihr Team aus Versagern. Ellroy stand auf, um ihm eine reinzuhauen, wofür hielt sich dieser Idiot?, glaubte der, er könnte einfach so einen Angehörigen der US Army beleidigen, nur weil er ein Freund des Präsidenten und von dessen Vater war? Elender Bastard, von dem würde er sich nicht auf der Nase rumtanzen lassen. Er hielt nur an sich, weil das Geräusch eines näherkommenden Hubschraubers ertönte. Ich bin noch nicht mit dir fertig, Carrasco. Wenn Sie mich noch einmal beschuldigen, werde ich die mexikanische Polizei einschalten. Sie gingen nach draußen, die meisten Agenten folgten. Wozu soll das gut sein? Carrasco hatte sich im Vorfeld bereiterklärt, die nationalen Behörden nicht zu informieren; was immer geschah, sie würden es intern regeln. Je weniger Leute, desto weniger pfuschten einem rein. Es war derselbe Hubschrauber, der

Mister B. hätte wegbringen sollen; kaum gelandet, war er umringt von Scharfschützen. Carrasco begrüßte ihn. Mister B., Sie sehen blendend aus! Servier mir bloß nicht dieses schottische Gesöff, Carrasco, ich will doch sehr hoffen, dass du auch was aus Kentucky da hast, und nur zwei Eiswürfel. Der Alte tat so, als wäre nichts passiert, während der zweite Hubschrauber die Gegend überflog und die Agenten jede Bewegung überwachten. Gefahr ist für Sie offenbar ein Jugendelixier. Wissen Sie, Carrasco, ich habe noch nie von zwei Attentaten auf dieselbe Person am selben Ort gehört, außerdem warten Hunderte von Enten auf mich. Und sind schon richtig ungeduldig. Oberst. Der Alte rief Ellroy herbei. Heben Sie den Alarmzustand auf, mit meinem Sohn habe ich gesprochen, alles im grünen Bereich, bringen Sie General Mitchell an Bord, und geben Sie uns Bescheid, wenn ihm die letzte Ehre erwiesen wird. Jawohl. Hören Sie, Carrasco, ich hoffe, Sie haben wieder eine kleine Überraschung für mich bereit, wie beim letzten Mal. Da ich beim letzten Mal Angst hatte, Sie könnten einen Herzinfarkt erleiden, fällt die Überraschung diesmal nicht ganz so exotisch aus. Er klopfte dem Alten auf die Schulter. Aber exotisch genug. Sie lachten.

18

Er wandte sich direkt an den Apachen. Was sagt die Fensterscheibe?, hat sie sich schon erleichtert? Sie will keine Zeichen mehr senden, mein Zurdo, das Letzte, was ich verstanden habe, war, dass die Welt aus den Fugen gerät und dass wir uns vor dem Tod in Acht nehmen sollen. Wozu?, gegen den ist eh kein Kraut gewachsen. Die Scheibe funkelte wie üblich. Schau mal, da tut sich was. Das sind nur Spiegelungen, Zurdo Mendieta, die sind immer da, was ich meine, sind Zeichen, unmissverständliche Zeichen. Kanntest du Yhajaira? So gut, dass ich sogar mal mit ihr im Bett war. Da werde ich ja richtig neidisch, erzähl. Der Gentleman genießt und schweigt, mein Zurdo. Wie ich sehe, bin ich heute der Gelackmeierte, wann war das Freudenfest? Letzte Woche, vor dem Beginn der Show. Und wie? Wie wie?, Geld regiert die Welt, mein Zurdo, oder etwa nicht?, hier genauso wie in China. War's denn gut? So lala, nach der Königin, möge sie in der Hölle schmoren, gibt es keine andere mehr, mein Zurdo, deshalb war ich auch so durch den Wind, wer mal ein Steak hatte, will keinen Hamburger mehr. Wen hättest du gern als Täter? Der Apache lächelte, seine Augen glänzten. Da fallen mir schon zwei oder drei ein, aber ob die's waren, tja. Du würdest deine Hand nicht für sie ins Feuer legen? Bestimmt nicht, ich habe nämlich rein gar nichts von einem Pyromanen. Hoffentlich erholt sich die Scheibe bald und zeigt uns, wo's langgeht. Glaube ich nicht, sie weiß nicht viel von der Welt und noch viel weniger von natürlichen Toden, sag mal, willst du mich gar nicht nach Roxana fragen? Mendieta lächelte. Mein bester

Apache, du weißt aber auch alles. War ich ein vertrauenswürdiger Informant von Sánchez, oder war ich es nicht? Dann schieß los. Eigentlich weiß ich nichts, in letzter Zeit war sie mit sehr mächtigen Leuten liiert, da drüben, da haben die SUVs und die Cheyennes sich ein Stelldichein gegeben. Narcos? Komischerweise nein, Leute mit viel Geld, nur die durften ran an die Königin. Was ist mit Richie Bernal? Das ist ein Gossenkind, dem werden die Valdés bald die Flügel stutzen, wenn sie ihn nicht schon längst entsorgt haben. Dann sind da noch der Spanier und Luis Ángel Meraz, was hältst du von denen? Vielleicht hat der Spanier sie mit der Malinche verwechselt und umgelegt. Und der andere? Der hat sie oft hier abgeholt, mit seinem Cheyenne, und hat immer eine große Show abgezogen, ist doch ganz simpel, Zurdo Mendieta: ein Mann, der alles hat, ist auch zu allem fähig. Jemand kaufte Zigaretten. Hast du's mal bei ihr versucht? Traust du mir das nicht zu? Deshalb macht mich ihr Tod ja so fertig. Du verkaufst doch nicht etwa Ecstasy? Was soll das, mein Zurdo? Ich verkaufe nichts, was du nicht sehen kannst, wenn du kleine Pillchen brauchst, musst du sie dir anderswo besorgen; falls es dich interessiert: um es einmal mit ihr krachen zu lassen, hätte ich fünftausend Tonnen Bonbons verkaufen müssen. Ganz schön viel Holz. Kannst du dich erinnern, ob du einen dunklen Wagen gesehen hast, hochgewachsener, kräftiger Typ am Steuer? Die sehen doch alle gleich aus, mein Zurdo: Autos, Klamotten, Statur; im Allgemeinen waren es reifere Männer, aber manchmal erkennt man das nicht so genau, glaubst du, dass einer davon derjenige ist? Wäre sehr wohl denkbar, aber du sprichst nur von Pick-ups. Es fuhren auch normale Autos vor, dunkle, helle. Hast du am Freitag oder

Sonntag eins gesehen? Ja, aber wen ich nicht gesehen habe, war sie. Geschrei.

Ein Mann war von Rivera und seinem Helfer unsanft nach draußen befördert worden und kullerte an ihnen vorbei: Ihr habt kein Recht, mich so zu behandeln, ich werde mich bei der Menschenrechtskommission beschweren; er sagte es wie zu sich selbst und begann zu heulen. Noch so einer, der in Roxana verliebt war, murmelte der Apache, seit sie hier ist, hat er nur noch gejammert. Und Roxana, hat sie ihn erhört? Erhört?, der Kerl ist arm wie eine Kirchenmaus, das ist Kid Yoreme, der Boxer, es heißt, er hätte Julio César Chávez ausgeknockt; ich glaube, es war eher umgekehrt und er ist seither nicht mehr aufgestanden. Armer Kerl, sagte Mendieta und spürte, dass er sich selber meinte, dann ging er zu dem Gestürzten. Alles okay, Yoreme? Ich hatte ein kleines Palmenhäuschen und ließ die Füchsin herein, und als sie drinnen war, sagte sie zu mir, hier ist kein Platz für zwei, und warf mich raus. Ich lade dich zu einem Bier ein. Er half ihm auf die Beine. Gott sei Dank habe ich eine barmherzige Seele gefunden. Der Mann ist mein Gast, erklärte er Rivera, der sich ihnen in den Weg stellte. Mir wäre es recht, wenn er draußen bleiben würde, eben hat er einen Riesenaufruhr veranstaltet. Ich verspreche, dass er sich manierlich benehmen wird. Du übernimmst die Verantwortung für ihn? Für ihn ja, für dich nicht.

Yoreme folgte ihm benommen. Carvajal, der gerade mit Miroslava sprach, kam herbei und begrüßte den Zurdo. Die Tänzerin machte eine lustlose Handbewegung. Señor Mendieta, es ist mir eine Freude, Sie hier zu sehen, was machen die Ermittlungen? Sind festgefahren, als wären die beiden Frauen an Altersschwäche gestorben.

Wenn Sie etwas brauchen, ich stehe Ihnen stets zur Verfügung. Ich weiß, vielen Dank. Erlauben Sie. Sofort eilte Fantasma herbei. Irgendein spezieller Wunsch, Detective? Es heißt, Meraz war am Sonntag hier, mit Roxana. Der Barmann bediente einige Gäste und kehrte wieder zurück. Soweit ich weiß, war er in der Hauptstadt. Find's für mich raus, sagte der Zurdo, Mexiko-Stadt ist ja nicht überall. Er folgte Escamilla zu einem Tisch abseits des Laufstegs. Hier sind Sie ungestört, ich lasse Ihnen gleich was zu trinken bringen, immerhin sind Sie beide Roxanas Witwer, geht auf mich, auf mich wohlgemerkt, nicht aufs Haus, den Teufel muss man mit dem Beelzebub austreiben, und dafür sind Sie hier genau am richtigen Ort, heute sind die Mädchen besonders heiß und willig, zweihundert Pesos das Tête-à-Tête, wer da nicht zugreift, ist selber schuld. Hör auf mit dem Gequatsche und bring uns Bier und Tequila, befahl der Detective, der sich von seinem Gast hatte anstecken lassen. Und Erdnüsse, fügte Yoreme hinzu, der offenbar Hunger hatte. Ist der Dichterspanier hier? Noch nicht. Die Getränke wurden gebracht, sie prosteten sich zu. Chávez hat mir erzählt, du hättest ihm einen gehörigen Schrecken eingejagt. Er mir, würde ich sagen, manchmal sehe ich immer noch Sternchen. Und du, was machst du beruflich? Ich bin Wrestler. Bist du nicht ein bisschen dünn dafür? Einmal musste ich gegen Santo antreten, den Mann mit der Silbermaske. War er gut? Der Beste. Wie ging's aus? Ich hab's überlebt, sie schwiegen. Was mache ich hier mit dir? Du trinkst Bier. Aber ich kenne dich doch gar nicht, du willst mich bestimmt in irgendwas reinziehen. Wofür hältst du mich! Es ist nämlich so, ich habe Roxana versprochen, hast du Roxana gekannt? Wen? Die Liebe meines Lebens, ich hab ihr versprochen, mich von fremden Leuten fernzuhalten, ich hatte ein kleines Palmenhäuschen und ließ die Füchsin herein; ich soll dir also dabei helfen, krumme Dinger zu drehen, das werde ich nicht tun, sie ist gestorben, und ich werde ab jetzt bis ans Ende meiner Tage ein guter Mensch sein. Woran ist sie gestorben? Ich weiß es nicht, ich weiß nur, dass sie gestorben ist und dass ich von jetzt an anständig sein werde. Wohl dem, der ein Ziel hat. Aber in den Ring zurückkehren werde ich nicht, du bist also Don King, José Sulaimán oder Bob Arum und hast einen Vertrag dabei, damit ich gegen den Golden Boy, Manny Pacquiao oder noch mal gegen Chávez boxe, das kannst du vergessen, ich werd nicht unterschreiben, ich hab die Schnauze voll von dieser sinnlosen Prügelei und dem ganzen Training. Weinend zog auch das Kaninchen von dannen. Der Kellner blieb noch eine Weile stehen und betrachtete die beiden, dann schüttelte er bekümmert den Kopf, bestellte beim Barmann etwas, um sie aufzumuntern, und stellte die zwei Gläser unauffällig auf den Tisch. Die beiden bemerkten den Unterschied nicht und tranken einfach aus. Der Kellner schenkte nach. Zwei Stunden später. Weißt du, was mein größter Traum ist?, fragte der Boxer mit belegter Stimme, aber breitem Grinsen. Du würdest gern noch mal gegen Chávez antreten, riet Mendieta. Du willst mich wohl beleidigen, würdest du noch mal gegen Santo kämpfen wollen? Nicht mal in einem nächsten Leben, an dem Abend wäre ich zum ersten und einzigen Mal am liebsten tot gewesen. Schweigen. Eine dicke Träne rann über Yoremes Wange, der plötzlich ganz still war. Das ist genau der Punkt, mein Freund, entschuldige, aber ich habe deinen Namen vergessen. Cavernario Galindo. Das ist also der Punkt, mein

Cáver: der Tod, ich hatte ein kleines Palmenhäuschen. Roxana ist tot, es heißt, sie wurde in Mazatlán umgebracht, und da will ich hin, um sie zu sehen. Mendieta fühlte auf einmal Bitterkeit in sich aufsteigen, er sah Pfarrer Bardominos vor sich wie einen schmutzigen Fleck, er schüttelte den Kopf, kippte seinen Drink, machte Escamilla ein Zeichen, dass er noch eine Runde bringen sollte, dann wandte er sich wieder dem Mann zu, der da heulend vor ihm saß. Dieser Typ hat sie geliebt, ich bin traurig wegen ihr, ja, aber dieser Typ hat sie wirklich geliebt, und damit hat er jeden Respekt verdient; gut, dass er nichts von der Brustwarze weiß. An welchen Tagen hast du mit ihr geschlafen?, fragte er plötzlich. Yoreme reagierte unerwartet heftig. Was soll das, du Arsch? Es gibt Männer, die müssen nicht mit einer Frau schlafen, um sie für den Rest ihres Lebens zu lieben, man merkt, dass du keine Ahnung hast, wer Roxana war. Er wurde von einem Heulkrampf geschüttelt. Wenn ich den Kerl erwische, reiße ich ihn in Stücke; ich hatte ein kleines Palmenhäuschen. Mendieta fühlte sich jetzt noch elender. Mir geht's zwar beschissen, aber dieser Typ hat recht. *Bist du ein Bulle? Siehst gar nicht wie einer aus, und du bist Linkshänder, wie ich.* Der Kellner brachte weitere Drinks. Sag Carvajal, er soll's aufschreiben, bat Mendieta. Und das Trinkgeld? Er zog einen Schein heraus und gab ihn ihm. Auf die Eiswürfel soll er's aufschreiben. Señor Carvajal hat bestimmt Verständnis. Wo ist eigentlich Miroslava? In einem Séparée, mit ihrem besten Kunden. Und Camila Naranjo? Hat sich krank gemeldet, aber Penélope ist hier, soll ich sie zu Ihnen schicken? Eine Spanierin, die alle Körpersäfte in Wallung bringt. Sag dem Geschäftsführer, dass ich später bei ihm vorbeischaue. Okay, Chef. Dann wandte er sich wieder seinem Leidensgenossen zu. Kid Yoreme, wir gehen jetzt dahin, wo man uns wie Menschen behandelt.

Gemeinsam schwankten sie zum Ausgang.

Sie stiegen in den Jetta. Weißt du, wo ich dich jetzt hinbringen werde? In eine Kneipe, wo's was zu essen gibt. Irrtum, mein Bester, ich bringe dich nach Mazatlán. Yoreme verstummte, der Alkohol sagte: sei fröhlich, seine innere Stimme das Gegenteil. Cavernario, murmelte er, du bist ein echter Freund, ich wünsche mir nichts sehnlicher, als Roxana zu sehen, Totenwache für sie zu halten, für sie zu beten, ihr Grab zu sehen. Mann, ich hätte nie gedacht, dass ihr Wrestler ein so großes Herz habt, verzeih mir, Cavernario, weinend zog auch das Kaninchen von dannen, möge Gott dich nach deinem Tod direkt in den Himmel holen, Roxana hätte dich gemocht, wenn sie dich gekannt hätte. Mendieta verdrückte eine Träne, Yoreme machte ihm was vor, dachte er, aber er wusste, dass es nicht so war.

Er bog auf die Straße ein, die ihn dorthin zurückführte, von wo er gekommen war.

Geschlafen hast du also nie mit ... Schon wieder? Wie hätte ich mit ihr schlafen können, wenn sie dauernd umschwärmt war, wenn sie immer in den Armen dieser geifernden Lüstlinge gelegen hat? Ich habe ihr Lächeln geliebt, ihre bunten Augen, ihren Duft, ich wohnte in einem kleinen Palmenhäuschen, da kam mich die Füchsin besuchen. Man verliebt sich wider Willen, eines Abends geht man einen trinken, weil man festgestellt hat, dass Boxen keinen Sinn hat, aber man weiß nicht, was man stattdessen tun soll, also bestellt man ein Bier, und plötzlich erscheint die Göttin, alle halten die Luft an, alle Blicke richten sich auf sie. So war es, mein Herz hat einen Sprung getan. Hättest du sie gekannt, hättest du das Wrestling aufgegeben, Cavernario, ich dachte: wenn ich sie heirate, wird sie nicht wollen, dass ich boxe, also muss ich die Boxhandschuhe an den Nagel hängen, bevor sie mich darum bittet, sie soll mich für schlau halten, für einen, der die Sekundarschule geschafft hat.

Mendieta hielt an einem illegalen Kiosk, kaufte ein Sixpack Tecate und eine Flasche Tequila Viva Villa, der nach sechsundneunzigprozentigem Alkohol schmeckte. Yoreme, wir werden uns jetzt richtig besaufen, der Schmerz, den du in dir trägst, ist so groß, dass er einen ansteckt, ich bin selber schon ganz down, mein Bester. Mein Cáver, du bist ein echter Freund, schade, dass du den Santo nicht aufs Kreuz gelegt hast, ich hätte dir applaudiert wie ein Irrer. Und ich dir, wenn du Julio César ausgeknockt hättest. Stimmt es eigentlich, dass der schottische König so heißt? Meinst du? Lass uns lieber anstoßen, ist das hier Mazatlán oder Culiacán? Das ist Guadalajara in einer Ebene. Sie nahmen die Colegio-Militar-Straße, die raus aus der Stadt Richtung Großmarkt führte, und dann die mautfreie Landstraße zum Hafen. Du schleichst ja, Cavernícola, drück auf die Tube. Warum faselst du ständig was von einem Palmenhäuschen? Yoreme brach in Tränen aus, dann sagte er: Wenn du mein Freund bist, frag mich das nie wieder. Mendieta machte eine beschwichtigende Geste und drehte die Stereoanlage auf: *Have You Ever Seen the Rain?* CCR. Was ist denn das für ein Mist, Cáver, hast du nichts von den Tucanes? Ich kann Bands mit Tiernamen nicht ausstehen. Warum? Frag mich das bitte nie wieder. Alle Freunde haben Geheimnisse, aber wir beide haben zu viele, je geheimnisvoller, desto besser, hat sie immer gesagt. Auch zu Mendieta hatte sie das gesagt, mit dieser Stimme, die jede noch so absurde Behauptung in eine unumstößliche Wahrheit verwandelte. Wie ich sehe, hast du des Öfteren mit ihr geplaudert. Yoreme nahm einen Schluck, seine Tränen flossen, als wäre eine alte Kriegswunde aufgerissen, leise sagte er: Sie hat es nicht zu mir gesagt, in Wirklichkeit hab ich nie mit ihr gesprochen, ich ließ die Füchsin herein, sie hat es zu einem dieser Schweine gesagt, mit denen sie ausging, einem dieser Typen, denen das Geld zu den Ohren rauskam. Ein Politiker? An dem Abend bin ich ihnen gefolgt: die beiden im Pick-up; ich auf dem Fahrrad; er hat sie nicht in ein Hotel gebracht, sondern zu einer eleganten Villa, ganz in der Nähe vom Alexa. Einige Minuten später kam er wieder raus, allein. Das heißt, er hat sie bei jemandem abgeliefert. Dachte ich auch, aber es war nicht so, auch sie kam noch mal raus, um ihr Handy zu holen und jemanden anzurufen, weinend zog auch das Kaninchen von dannen. Hast du mitgekriegt, wen sie angerufen hat? Wie denn? Sie war ja zwanzig Meter entfernt. Die Villa, war die weiß oder blau? Ein Prachtbau war das, mit gelben Türen, das werde ich nie vergessen. Prost, mein Freund. Prost, ich weiß nicht, was ich ohne dich machen würde, du bist mein Bruder, der Einzige, der mir sagt, was ich mit meinem Leben anfangen soll; ich soll mit dem Boxen aufhören, hast du mir geraten, und ich habe aufgehört, ich soll arbeiten, und ich maloche wie ein Blöder, ich soll die Finger von den Drogen lassen, und ich geb mir alle Mühe, aber du siehst ja, wie schwierig das ist. He, schenk ein, Yoreme, meine Kehle ist schon ganz trocken. Du schleichst ja immer noch, Cavernario, gib der Karre Zunder, sonst taugt sie nichts. Sie taugt auch so nichts, mein Yoreme; genauso wenig wie du. Woher willst du das wissen? Julio César hat dich besiegt. Und der Santo dich. Nur weil ich ihm eine Chance gegeben habe, erst habe ich ihm einen Kniestoß in die Eier verpasst, dann mit zwei Fingern ins Auge gestochen, und als er auf der Matte lag, hat er mich angefleht, ihn gewinnen zu lassen, um der Jungfrau von Guadalupe willen, würdest du dich gegen die Jungfrau stellen? Scheißsituation. Genau. Mir ist das Gleiche passiert, ich ließ die Füchsin herein. Hat Julio dich gebeten, ihn gewinnen zu lassen?, das glaub ich dir nicht. Auf den Knien hat er mich angefleht. Was!, jetzt übertreibst du aber, Yoreme. Wieso? Der Typ war ja nicht Superman. Chávez ist der Meister aller Gewichtsklassen, der beste Boxer, den Mexiko je hatte, und nicht irgendein Schlappschwanz. Ich auch nicht. Deiner hängt in der Hose. Yoreme fing wieder an zu heulen. Beruhig dich, Yoreme, sei kein Weichei. Ich muss halt an sie denken, Bruder, an ihre fleischigen Lippen, weinend zog auch das Kaninchen von dannen. Mendieta schwieg, erinnerte sich: wenn sie ernst wurde, waren ihre Lippen wie Alice im Wunderland; und an ihre Tätowierung, du hast sie nicht gekannt, Cáver, auf ihrem schönen Bauch hatte sie eine Tätowierung, die man nicht übersehen konnte, wenn sie tanzte, drehte sie sich um ihren Körper herum, und manchmal war sie wie an ihrem Hintern festgeklebt. Beweg dich, verdammtes Tattoo, kleb nicht da fest, ich hatte ein kleines Palmenhäuschen. *Beeindruckt? Ist ein Tattoo wie jedes andere. Oder?*

Sie fuhren an der Lagerhalle für Saatgut vorbei, aber

der Zurdo hielt nicht an. Am Autobahnkreuz El Trébol bog er in Richtung El Dorado ab. An einem kleinen Rastplatz, auf dem zwei Lastwagen standen, hielten sie an, um zu pinkeln. Vereint ließen sie es plätschern. Das Maisfeld vor ihnen glänzte im Mondlicht. Die Luft war kühl. Bevor wir zu Roxanas Totenwache fahren, würde ich gern den Ort sehen, an dem sie gestorben ist, und ihr ein Kreuz hinstellen. Wer hat dir gesagt, dass eine Totenwache für sie abgehalten wird? Sie hatten vier Dosen Bier und eine halbe Flasche Tequila intus. Keine Totenwache?, wir fahren nicht zur Totenwache? Ich hab dich nur gefragt, wer dir das gesagt hat. Wenn wir nicht zur Totenwache fahren, wo zum Teufel fahren wir dann hin, Cavernícola? Werd nicht gleich sauer, ganz ruhig. Von wegen ruhig, da scheiß ich drauf, du Arsch. Er nahm Boxhaltung an und fuhr seine Rechte aus, brachte den Detective ins Taumeln. Lass gut sein. Der Zurdo wich zurück, aber Yoreme setzte nach, verpasste ihm eine Gerade auf die Nase, einen Haken auf die Leber und zum Abschluss einen Uppercut aufs Kinn, der ihn zu Boden schickte. Du elender Lügner. Er durchsuchte ihn, zog die Brieftasche heraus, nahm das Geld an sich und schmiss den Rest weg, das Handy warf er ins Maisfeld. Dann stieg er ins Auto und fuhr los. Als Erstes machte er den CD-Spieler aus, von dem gerade *In-A-Gadda-Da-Vida* von Iron Butterfly ertönte, und suchte im Radio einen Sender mit Folklore aus dem Norden.

Sekunden später kam Mendieta wieder zu sich. Ihm drehte sich alles. Er sah die weggeworfene Brieftasche, tastete sich ab, kein Handy. Er verfluchte erst Yoreme, dann sich selbst. Wie konnte ich nur so blöd sein, mich auf so was einzulassen? Er sah zu den Trucks, sammelte seine Sachen zusammen und stand auf. Seine Pistole lag wohlverwahrt im Handschuhfach.

Er klopfte an die Fahrertür. Nichts. Er klopfte stärker, hinter der Scheibe erschien der Umriss eines Kopfes, was er wolle, hörte er den Trucker fragen. Kurbeln Sie die Scheibe runter, sagte der Detective. Der Trucker zögerte, gab aber nach. Was ist passiert? Ich wurde überfallen und ausgeraubt. Was geht mich das an, ruf die Polizei. Ich habe keine Handy, und hier ist nirgends ein öffentliches Telefon. Und da hast du keinen besseren Trottel gefunden als mich, der ich von Hermosillo hierher durchgefahren bin? Hören Sie, ich habe einen Freund unter den Truckern, ich weiß nicht, ob Sie ihn kennen, er heißt Teófilo, aber alle nennen ihn Teo. Der Typ sah ihn prüfend an. Hab schon von ihm gehört, woher kennst du ihn? Aus meinem Viertel. Welchem Viertel? Col Pop in Culiacán. Aha, und du siehst ihn öfters? Ehrlich gesagt, kann ich mich kaum noch an ihn erinnern. Du kannst dich nicht mehr an ihn erinnern und sagst, er wäre ein Freund von dir? Eigentlich ist er ein Freund von meinem Bruder, ein Kumpel aus Jugendtagen. Wer ist dein Bruder? Hören Sie, ich bitte Sie doch nur um einen kleinen Gefallen, wie gesagt, ich bin überfallen worden, mein Auto wurde geklaut, mein Geld, mein Handy. Und du kannst mir nicht sagen, wer dein Bruder ist? Er heißt Enrique, aber er kann mir jetzt nicht den Arsch retten, dafür lebt er zu weit weg, wissen Sie was?, wenn Sie mir nicht helfen wollen, dann können Sie mich mal. He, nicht so hitzig. Waren Sie schon mal verliebt? Und ob, er zeigte in Richtung Schlafkoje. Ihre Frau hat man bestimmt nicht ins Jenseits befördert, oder? So viel Glück hatte ich nicht. Was ist nun?, helfen Sie mir jetzt oder nicht? Das heißt, du warst verliebt, und dann wurde dein Mädchen umgelegt? So in etwa. Und der Mörder hat dir dann auch noch das Auto geklaut? Ich seh schon, Sie wollen mir nicht helfen, dann versuch ich's eben bei dem anderen Trucker. Der Zurdo ging weg. Okay, was kann ich für dich tun? Der Zurdo kam zurück. Entweder Sie leihen mir Ihr Handy, oder Sie fahren mich zur nächsten Mautstelle, dort gibt es bestimmt ein Telefon. Du bist genauso aufbrausend wie dein Bruderherz. Beleidigen Sie ja meinen Bruder nicht, Alter. Ich bin Teo, und du musst der Rotzlöffel sein. Ich war nie ein Rotzlöffel. Dann eben der Kleine, das Kind, der Jüngere von beiden, ich glaube, du warst Linkshänder, jedenfalls nannten dich alle so: Zurdo. Sie sind Teo? Das, was von ihm übrig ist. Entschuldigen Sie meine Wortwahl; im Viertel hört man nur Gutes von Ihnen. Vor gut einem Jahr habe ich deinen Bruder in Las Vegas getroffen, er hat ganz schön zugelegt; hör mal, falls es dich interessiert, ich war dabei an dem Abend, als dein Bruder verschwinden musste. Ach, ja? Ich weiß bis heute nicht, warum er wegmusste. Weil er ein Idiot ist, warum sonst? Also, steigst du nun ein, oder sollen wir weiterhin ein Ferngespräch führen, hier, mein Handy, ich werde mal die Maschine hier anwerfen, eine Runde pinkeln, und dann geht's los. Der Zurdo stieg ein. Warten Sie, bis ich angerufen habe, vielleicht bekomme ich meine Kollegen ja dazu, mich abzuholen. Und du schau nicht nach hinten zur Schlafkoje, das wäre meinem Mädchen peinlich. Sagen Sie bloß, Sie kriegen ihn noch hoch? Ich sag's ja, genau wie dein Bruder.

Er rief Ortega an. Nichts. Gris nahm beim zweiten Klingeln ab. Weißt du, wie spät es ist? Je später der Abend, desto schöner die Anrufe. Wieso bist du so spät noch wach? Rodo ist gerade gegangen. Alles okay? Ich weiß nicht, was für Sie »alles okay« bedeutet, mir scheint eher, dass wir uns gezofft haben. Ganz schön kratzbürstig, Kollegin. Wieso, ich bin doch die Ruhe selbst, wie kann ich Ihnen helfen? Er erzählte ihr, was vorgefallen war. Der Typ hat Ihnen tatsächlich den Jetta geklaut? Auch mein Geld, mein Handy und meinen Wunsch, ein guter Mensch zu sein. Was nun? Ruf die Verkehrspolizei an, die sollen ihn an der Mautstelle oder auf der Landstraße stoppen, er ist unterwegs nach Mazatlán und hasst Tempolimits, und wenn es dir keine allzu großen Umstände macht, könntest du mich abholen. Er gab ihr seinen Standort durch.

Yoreme kam zur Mautstelle, wo ihn zwei Verkehrspolizisten anhielten. Er bot ihnen Geld an. Als sie es zurückwiesen, brach er in Tränen aus. Wenn mich doch nur einer verstehen würde, ich hatte ein kleines Palmenhäuschen und ließ die Füchsin herein. Die Beamten waren gerührt und wollten wissen, was ihm so schwer auf der Seele lag. Meine Freundin ist ermordet worden, dann weinte er wieder. Wann? Gestern, in Mazatlán. Doch nicht etwa die, die in der Zona Dorada erwürgt wurde? Genau die, ich will an ihrem Grab ein Kreuz aufstellen. Warum hat man uns angewiesen, dich festzunehmen? Wer? Die Bundespolizei. Das muss ein Irrtum sein, ich hab kein Verbrechen begangen, ein Freund hat mir sein Auto und ein bisschen Geld geliehen, damit ich die Totenwache halten kann. Einer der Beamten öffnete die Tür des Jetta, suchte im Handschuhfach nach den Papieren und entdeckte die Pistole. Was ist denn das? Weiß ich nicht, das Auto gehört einem Freund von mir. Und was macht dein Freund beruflich? Er ist Wrestler, hat gegen Santo gekämpft, den Mann mit der Silbermaske, hätte der ihn nicht so angewinselt, hätte er ihn fertiggemacht. Die Beamten wechselten einen Blick, zückten ihre Handschellen und traten auf ihn zu. Yoreme, der nach wie vor weinte, rammte dem ersten Polizisten seine Linke in den Bauch, bevor er ihn mit einem Kinnhaken k. o. schlug. Während der zweite Polizist tatenlos zusah, stieg er in den Streifenwagen und raste Richtung Culiacán davon. Dann zog der Polizist doch noch seine Waffe, schoss aber nicht. Yoreme weinte, als er die Tachonadel bis auf hundertneunzig trieb.

Teo und Mendieta schwelgten in Erinnerungen an Col Pop, worin Susana Luján mindestens eine Viertelstunde einnahm. In dem Stadtteil kann man richtig Kohle machen, stimmt's? Und ob. Wieso leben dort dann so viele knausrige Bullen wie du, wenn ich es richtig verstanden habe, fährst du mit einem uralten Jetta durch die Gegend. Weil wir für unsere Rente sparen, Strand, Häuschen, Palmen und so weiter, du verstehst; sag mal, was hat mein Bruder eigentlich angestellt, dass er für immer nach drüben musste? Das musst du schon selber rausfinden, du bist doch Bulle, oder nicht? Stimmt es, dass ihr Guerilleros wart? Ich habe Subcomandante Marcos trainiert. Deshalb also. Deshalb was? Deshalb ist er so nett. Nettsein ist nur eine andere Form des Widerstands. Ihr müsst ja ganz schön was ausgefressen haben, dass mein Bruder nie wieder nach Culiacán zurückgekommen ist. Einmal schon.

Wann? Als eure Mutter starb. Im Ernst?, und warum habe ich ihn nicht gesehen? Weil er verkleidet war und es ihm keine gute Idee zu sein schien, mit dir zu plaudern; auf der Beerdigung haben sich nämlich auch ein paar schwarze Schafe rumgetrieben. So ein Hurensohn. Das weißt du besser als ich, schließlich habt ihr die gleiche Mutter. Sie schwiegen einen Moment, weil Mendieta sich die Totenwache ins Gedächtnis rief. Nichts, niemand der seinem Bruder ähnlich gesehen hätte. Als was hatte er sich verkleidet? Als Frau. Und du? Ich habe im Wagen gewartet, hatte auch meine Gründe, warum ich lieber nicht gesehen werden wollte. Ihr hattet ja einen ganz schönen Knall damals.

Ein Streifenpolizist, der sieben Kilometer weiter in Richtung Stadt vor sich hin gedöst hatte, wurde von seinen Kollegen alarmiert, nahm sein Gewehr und ging hinter seinem Wagen, der an der Autobahn stand, in Deckung. Drei Minuten später raste ein Streifenwagen auf ihn zu.

Mendieta und Teo zündeten sich neue Zigaretten an und schauten dem Polizeifahrzeug hinterher. Was machen die da? Die versuchen, den Schlaf zu verscheuchen. Wenn sie mal bloß nicht die Leitplanken rammen. Und wenn schon, ein Streifen mehr oder weniger juckt doch den Tiger nicht. Du willst mir also nicht sagen, was mein Bruder angestellt hat? Sehe ich aus wie ein Scheißverräter oder was? Das muss ja was Schlimmes gewesen sein. Da kannst du Gift drauf nehmen, so heimatverbunden, wie er war, und jetzt ist er schon seit einundzwanzig Jahren fort. Ich werde Nachforschungen anstellen, und wenn ich rauskriege, dass ihr gegen die Gesetze verstoßen habt, quittiere ich den Dienst. Du willst wohl so schnell wie möglich in dein Häuschen am Strand. Und deinen Bruder willst du dafür als Vorwand benutzen oder was?, die Familie mit reinziehen, wenn du es selber nicht geregelt kriegst, hast du sie noch alle? Ich werde euch beide einbuchten. Was bist du doch für ein Hitzkopf, mein Guter, du warst doch noch ein Knirps, als wir unsere große Zeit hatten; hör zu, was deinen Bruder angeht, solltest du den Ball flach halten, sonst wirst ausgerechnet du derjenige sein, der meinen Kumpel Quique in die Scheiße reitet; außerdem bist du betrunken, Edgar, und wer betrunken ist, reißt oft das Maul zu weit auf; erzähl mir lieber was von dem Mädchen, das du verloren hast. Schweigen. Neulich habe ich mal ein paar Tage in Mazatlán verbracht, und da hab ich sie kennengelernt. Richtig kennengelernt oder nur rumgevögelt? Uns wurde eine Tote gemeldet, wir sind hingefahren, und es war sie, verdammt!, hat mich total umgehauen; heute Abend wollte ich mit einem Kumpel noch mal an den Ort, an dem wir sie gefunden haben; unterwegs habe ich ein bisschen getrödelt, und da hat er mich überfallen. Dann hat er also auch was für sie empfunden. Quatsch!, der Typ hat mich nur aus Solidarität begleitet. Und dich dann überfallen; tolle Solidarität, und das einem Bullen, also, entweder bist du ein Idiot, und es lohnt sich nicht, dass ich mich mit dir abgebe, oder du verheimlichst mir was. Du hast recht, er war auch in sie verliebt. Was du nicht sagst, also wolltet ihr traut vereint eure geliebte Frau beweinen, ihr seid mir vielleicht Helden, der Typ hat dich ausgeknockt, damit du sie nicht noch mal siehst; bei der Liebe heutzutage kenne ich mich nicht mehr aus. Sie war Tänzerin. Ah, abends? Mendieta nickte. Das macht das Leben nur kompliziert, mein Zurdo, manche Weiber schaut man sich lieber nur von weitem an. Als ob du was von der Liebe verstehst, warum fragen wir nicht mal deine Begleitung? Okay, frag sie, sie müsste eigentlich wach sein. Mendieta drehte sich zu der Schlafkoje um und rief: Señorita, haben Sie mitgehört? Teo zog den Vorhang zurück. Antworte ihm ruhig, Schätzchen, das ist ein Junge aus dem Viertel, der Bruder des Typen, der dich gekauft hat. Mendieta lachte, als er die aufblasbare Puppe sah. Die hat dir Enrique geschenkt? Ja, als wir uns in Las Vegas getroffen haben, gut erzogen, die Frau, hat mir noch nie Probleme gemacht. In diesem Augenblick sahen sie den Streifenwagen 161 der Bundespolizei und Gris Toledo, die gerade ausstieg. Wenn ich spitzkriege, dass du dich an deinem Mädchen vergreifst, buchte ich dich ein, Teo, ob du nun ein Kumpel meines Bruders bist oder nicht. Sag ich doch, das gleiche Großmaul, er ließ den Motor an. Sie verabschiedeten sich.

19

Mitternacht, Hauptquartier des FBI in Los Angeles. Auf dem Bildschirm erschienen die Fotos der vier Personen, die das Attentat auf Mister B. verübt hatten. Zu dreien fand sich ein ausführlicher Bericht; zu der vierten nichts. Die drei Identifizierten waren US-Amerikaner lateinamerikanischer Herkunft: ein Mexikaner, ein Salvadorianer, ein Kolumbianer. Der Vierte ist nicht registriert, sagte David Barrymore, der Chef. Tot ist tot, meinte ein Beamter. Trotzdem, bemerkte Barrymore, es dürfen keine Fragen offenbleiben, wer garantiert uns, dass er nicht der Anführer einer Bande ist. Er betrachtete das Bild des Angreifers genauer, dann wählte er eine Nummer. Oberst Ellroy, wurden die Aufnahmen mit einem Handy gemacht? Er hörte zu. Aha, einer ist nämlich nicht bei uns registriert, der mit dem Schuss in die Brust, weiß, rundes Gesicht, schmale Lippen, kurze Haare, eher schwächlicher Statur. Schicken Sie uns andere Fotos. Wie, nein?, haben Sie denn keine Kamera? Okay, das werden Sie Ihrem Vorgesetzten erklären müssen, aber hier bleibt eine Unstimmigkeit. Er legte auf. Keine Chance, ein Bild mit höherer Auflösung zu kriegen, der, der die Fotos gemacht hat, ist bei der Aktion umgekommen, und die Leichen waren so übel zugerichtet, dass man sie in Säure aufgelöst hat; schicken Sie die Fingerabdrücke und das Foto an die mexikanische Polizei, vielleicht finden die was in ihren Computern. Meinen Sie? Ist bei denen eher unwahrscheinlich, aber wir müssen uns trotzdem vergewissern, hat Agent Harrison was rausgefunden? Eine Frau, etwas älter, schlank, ein Meter siebzig groß, weite Jeans, T-Shirt, kam hinzu: Bei uns registriert sind die drei wegen ihres Einsatzes gegen die USA und für die Einwanderer; seit bekannt gegeben wurde, dass eine Grenzmauer errichtet und die Gegend zur militärischen Zone erklärt würde, waren sie besonders aktiv. Gómez, der Mexikaner, war schon fünfmal im Gefängnis; Castellanos, der Salvadorianer, zweimal, und Barriga, der Kolumbianer, siebenmal; zwei haben in Los Angeles gelebt, Gómez in Gila Bend, Arizona. Drei üble Subjekte. Stimmt, Sir, allerdings haben die drei im Irak gekämpft und wurden mit der Ehrenmedaille ausgezeichnet. Sie können abtreten, Harrison. Sir, die Nachricht über Donald Simak hat sich bestätigt, seine Leiche wurde im Hotel San Luis in Culiacán aufgefunden, einer Stadt im Nordosten Mexikos, nicht weit von dem Ort, an dem das Attentat verübt wurde, er ist seit neun Stunden tot. Was sagen Sie da? Soweit ich weiß, hat es beim FBI nie einen Donald Simak gegeben, und ich muss ja nicht extra betonen, dass Sie sich am besten um Ihren eigenen Kram kümmern. Ja, Sir. Sie tauschten einen langen Blick, was die anderen mitbekamen, obwohl sie mit ihren Aufgaben beschäftigt waren.

Wenn der Mund trocken ist, ist Schweigen besonders beredt.

Win Harrison trat nach draußen auf eine kleine Terrasse, auf der sie rauchen konnte. Sie achtete nicht auf die erleuchtete Stadt, die sich vor ihren Augen erstreckte wie ein trojanisches Pferd. Das, was Simak passiert war, konnte schon mal passieren, aber sie fand es trotzdem ungerecht. Sie wusste auch – denn er war der einzige Mann, mit dem sie sich getraut hätte, ein Kind in die Welt zu setzen –, dass alle ihn wegen seiner permanenten Regelverstöße gehasst hatten; nur sie hatte seine andere Seite gekannt, seine Verwundbarkeit, das wiederkehrende Gefühl, ein Außenseiter zu sein. Simak war ein unglücklicher Mensch gewesen, aber mit ihm hatte sie die besten Nächte ihres Lebens verbracht; er konnte nicht kochen, nicht mal Drinks mixen oder einfach nur aus dem Fenster schauen; er war ein Meister der Einsamkeit, und er war ihr Freund gewesen. Sie hatte nie aus ihm rausgekriegt, warum er Einwanderer so verabscheute und unbedingt Waffen ins Nachbarland hatte schmuggeln wollen. Als sie ihre Zigarette zu Ende geraucht hatte, war ihre Entscheidung getroffen. Sie würde einige Tage Urlaub nehmen. Ob LH noch in Tijuana wohnte?

20

Neun Uhr morgens. Mendieta betrachtete die Jogger und Spaziergänger auf dem Uferweg Diego Valadés. Wenn Jason Meister auf der Meile ist, darf ich nicht so außer Form sein, ich muss was tun; mein Kater ist nicht gerade hilfreich, verdammter Yoreme, ich werde dich an den Eiern aufhängen. Auch die Stellen, wo der Boxer zugeschlagen hatte, taten ihm noch weh. Ich werde Montaño bitten, mich mal durchzuchecken, sonst kriege ich irgendwann einen Herzinfarkt, wieso lasse ich mich immer auf solche Sachen ein. Von den Schlägen erzähle ich ihm lieber nichts, sonst verschreibt er mir noch Iodexsalbe, und ich mach mich zum Gespött der Leute. Er nahm die Frauen mit echten Brüsten und echtem Hintern zur Kenntnis, aber er war weiterhin in Gedanken versunken. Ich überleg's mir lieber noch mal, der hat sich doch nur in Rechtsmedizin weitergebildet und kennt sich nur bei Leichen aus, und bei Frauen natürlich, aber dafür musste er wohl kaum studieren. Er hatte sich hinter dem Forum postiert, auf der Joggerstrecke, die am Fluss entlangführte, und wartete auf Luis Ángel Meraz. Mache ich das für Mayra oder für die Gesellschaft? Für die Gesellschaft natürlich, schließlich zahlt sie mein Gehalt und mein Schmiergeld. Er lächelte. Mayra war Mexikanerin, warum dieses Getue mit Brasilien? Ich muss ihre Mutter anrufen, die hat ihr jede Menge Briefe geschrieben. Ihren Ratschlägen und Bemerkungen nach zu urteilen, antwortet sie auf das, was Mayra ihr erzählt hat, was das wohl war? *Wenn ich eines Tages über all das schreiben würde, würdest du dich als meine Hauptfigur zur Verfügung stellen?* Sie war in Guadalajara geboren und hieß mit zweitem Nachnamen Palencia. Was hat der Typ mit ihrer Brustwarze gemacht? Hast du also doch noch daran nuckeln können, du Wichser, hat dich bestimmt aufgegeilt. Zum Nachdenken reichte es noch, aber nicht im Traum würde er auch nur einen Schritt zu viel machen; er hatte nicht geschlafen und einen Brummschädel, war allerdings nicht müde. Briseño wollte nicht, dass wir seinen Freund belästigen, der vielleicht der nächste Gouverneur wird, aber wir haben ihn überzeugt, dass wir ihm so weniger Gründe liefern, seine Macht spielen zu lassen. Miroslava sagt, er sei eine Seele von Mensch, sie tippt auf Richie Bernal, der sich für den Herrn der Welt hält, Licenciado Meraz hingegen sei ein Mann mit guten Manieren, die Verkörperung der Hoffnung, der Zukunft. Verdammter Parra, zieht mit seinen Quacksalberkumpeln um die Häuser, und seine Patienten gehen ihm am Arsch vorbei. Heute Nacht habe ich mit dem Hund gequatscht, der versteht mich wenigstens, mit dem Schwanz hat er gewedelt und mir in die Augen geguckt. Wie sieht's aus, Hundchen?, was machst du, wenn der Mond untergeht, wenn nur noch ein Streifen am Horizont zu sehen ist? Streng dich ein bisschen an, du Haarknäuel, weißt du, dass eine Artgenossin von dir den Mond nicht nur angestarrt hat, sondern hingeflogen ist? Laika hieß sie. Du weißt also, dass sie das erste Tier war, das die Erde umkreist hat, bist wohl zur Uni gegangen? Deshalb dieses Gesicht. Parra wird entzückt sein von dir, ihr seid mir vielleicht zwei Quatschköpfe. War der Mond weiß oder rot?, oder war es der Mars? Nein, der ist zu weit weg.

Er sah sich gerade eine Dokumentation über Soft Rock an, als Gris auf seinem Ersatzhandy anrief. Haben Sie schon geschlafen, Chef? Klar hab ich geschlafen, Kollegin, oder was, glaubst du, machen anständige Leute nachts? Entschuldigen Sie, aber ich wollte Ihnen Bescheid sagen, dass Meraz jeden Tag am Malecón Diego Valadés joggt, ich habe schon gecheckt, dass er gestern Abend zurückgekehrt ist, was halten Sie davon, ihn morgen dort abzufangen? Sie wissen ja, Comandante Briseño will unbedingt vermeiden, dass wir den Kerl ins Präsidium zitieren. Von wem weißt du das mit dem Joggen? Von einem Freund, vergessen Sie nicht, dass ich mal bei der Verkehrspolizei war, und die sehen so einiges. Ich kümmere mich drum, ruf Rodo an, und lad ihn zum Frühstück ins Puro Natural ein, vielleicht wird er bei einem Salat und einem Glas Chakira ein bisschen lockerer. Wissen Sie was, gestern hat er mir ein Ständchen gebracht; während ich Sie gerettet habe, hat er sich ins Zeug gelegt von wegen *Ich sing vor deinem Fenster, damit du weißt, dass ich dich liebe*, ein Grund mehr, um euch wieder zusammenzuraufen. Danke, Chef, wir sehen uns auf dem Präsidium. Niemand streitet so erbittert wie zwei, die sich lieben.

Ein Pärchen kam vorbei, sie sprach von einem Konzert im Dezember mit dem Maestro Patrón, was hältst du davon? Toll, eine schlanke junge Frau kam angejoggt, dahinter ein stämmiger Mann, dann eine ältere Frau mit fantastischen Beinen in strammem Tempo. Er wurde schläfrig. Ich brauche einen Kaffee, am besten ich hol mir einen im Lucerna. Falscher Zeitpunkt, Meraz näherte sich im Laufschritt, begleitet von einer jungen Frau, die der Detective schon mal in der Zeitung gesehen hatte, dort hatte sie sich zur Misshandlung von Frauen geäußert. Die beiden flirteten miteinander. Als sie beim Zurdo ankamen: Licenciado Meraz, kann ich Sie kurz sprechen?

Der Angesprochene blieb stehen, ohne dass sein Lächeln erlosch, und streckte ihm zur Begrüßung die Hand entgegen. Entschuldigen Sie, aber ich kann mich im Moment nicht an Sie erinnern, was kann ich für Sie tun, für welches Medium arbeiten Sie? Detective Edgar Mendieta von der Bundespolizei. Immer noch freundlich lächelnd. Womit kann ich Ihnen dienen, Detective? Er war um die fünfzig, angenehmes Gesicht, beginnende Glatze, großgewachsen, etwas zu dick, Turnschuhe, etwa Größe siebenundvierzig. Vor drei Tagen haben wir Mayra Cabral de Melo alias Roxana tot aufgefunden, mit der Sie wahrscheinlich auch ab und zu joggen waren. Meraz, der weiterhin lächelte, hatte ein Einsehen. Dayana, Prinzessin, ich komme gleich nach. Die Frau, die enge Shorts und ein rotes Top trug, ging langsam weiter. Omar Briseño hat mich davon unterrichtet, ich bin erschüttert, eine solche Schönheit hätte ein besseres Schicksal verdient, hören Sie, Detective, wenn Sie etwas brauchen, finanzielle Hilfe, um den Leichnam überführen zu lassen, eine schnelle Erledigung der Formalitäten, können Sie sich gern an mich wenden. Wo waren Sie Sonntag von elf Uhr abends bis sechs Uhr morgens? Meraz sah ihm in die Augen. Stehe ich unter Verdacht? Ich frage Sie, wo Sie zur Tatzeit waren. Er drehte sich zu Dayana um. Sie ist nicht mit Roxana zu vergleichen, aber trotzdem Spitzenklasse. Haben Sie Zeugen? Da steht sie, fragen Sie sie nur. Könnte ich Ihre Telefonnummer haben, für alle Fälle. Mit dem größten Vergnügen, er gab ihm eine Visitenkarte. Entschuldigen Sie die Störung, Licenciado. Kein Problem, viel Erfolg bei den Ermittlungen. Wann waren Sie zum letzten Mal in Mexiko-Stadt? Diese Woche, bin gerade erst zurückgekommen, Dayana und ich haben dort eine wunderbare Zeit verbracht. Er drehte sich wieder zu ihr um. Mir hat schier das Herz geblutet, als ich wieder zurückmusste. Noch eine Frage. Eine Frau behauptet, sie hätte gesehen, wie Sie Roxana am Sonntag im Alexa abgeholt haben, sie hätten gestritten, und dann seien Sie beide weggefahren. Ich dachte, es handelt sich hier um eine Routinebefragung, aber wie ich sehe, stehe ich tatsächlich unter Verdacht, und wo wir schon mal dabei sind, darf ich Ihnen verraten, dass Comandante Briseño mich vorgewarnt hat, Sie würden mich so oder so einem Lackmustest unterziehen. Er lächelte. Seit sie hier war, habe ich fast jeden Montag mit ihr verbracht, und wenn ich sie letzten Montag nicht sehen wollte, dann weil ich jetzt nach der Kleinen verrückt bin, die Sie da sehen, ich hoffe, ich muss nicht weiter ins Detail gehen. Offenbar sind Sie nicht verheiratet, sagte Mendieta spöttisch. Ich bin noch nicht im richtigen Alter, Detective. Entschuldigen Sie, ich will Sie nicht länger belästigen. Sie belästigen mich nicht, im Gegenteil, wir müssen den Täter unbedingt dingfest machen, wie gesagt, was immer Sie brauchen, ich stehe Ihnen zur Verfügung. Man hat ihr die Brustwarze abgeschnitten, mit einem stumpfen Messer. Das ist ja schrecklich. Kannten Sie Yhajaira? Klar kannte ich sie, ebenfalls äußerst bedauerlich, haben wir es womöglich mit einem Serienmörder zu tun, der es auf Tänzerinnen abgesehen hat? Keine Ahnung, ich weiß nur, dass beide mit einer Neun-Millimeter-Pistole erschossen wurden. Ich kenne mich da nicht aus, aber das müssen furchtbare Waffen sein. Danke für Ihre Geduld, Licenciado. Stets zu Diensten, Detective. Er ging zu Dayana. Mendieta verscheuchte alle Gedanken, damit ihm nicht der Schädel platzte, zündete sich trotz all der Jogger eine Zigarette an und schlenderte zu dem Jetta zurück, den ihm die Bundespolizei wiederbeschafft hatte, ohne nach dem Täter zu fahnden, die Beretta hatten sie sich dafür unter den Nagel gerissen. Wenn dieser Typ es in den Regierungspalast schafft, macht er daraus einen Harem, und dann weiß ich schon, wer sein Leibarzt wird.

Während er *Reflections of My Life* von den Marmalades hörte, musste er an ihre Augen denken, an ihr vollkommenes Gesicht, ihren Körper. Sie hat mir erzählt, dass sie Jorge Amado gelesen hat, und Nélida Piñón und Rubem Fonseca. Als wir im Nachtclub Valentino's waren, war sie ganz überrascht, dass ich nicht tanzen konnte. *Wie das? Die Leute aus Sinaloa, die ich kenne, können alle gut tanzen, haben den Rhythmus im Blut, und die Mädchen sind auch nicht zu verachten, ich kenne eine, die ist ein Traum.*

Nein, ich war nicht dabei gewesen, mich zu verlieben, genauso wenig wie in Susana damals, die eigentlich bald kommen müsste, sie und ihr Sohn. Andererseits bin ich nicht zum Alleinsein geboren, mitten in der Nacht mit dem Nachbarhund zu plaudern, wer macht denn so was?, gestern Nacht hat er sich doch glatt auf die Hinterpfoten gestellt und den Mond angebellt, oder waren es womöglich die UFOs, die Cervantes erwähnt hat? Ich muss den Typen ausfindig machen. Sein Handy klingelte. Ohne zu schauen, wer es war, ging er ran. Zurdo, ich erwarte dich in einer Stunde bei der Staatsanwaltschaft. Es war der Comandante. Chef, wie haben sich die Yankees gestern geschlagen? Briseño legte auf.

Mendieta dachte, dass er eigentlich lächeln sollte, aber in seinem Gesicht rührte sich nichts. Er fuhr nach Hause, um einen Kaffee zu trinken. Dieser Meraz gibt sich sehr selbstsicher, aber man merkt an seinem leeren Blick, dass er ein Arschloch ist; ist so viel Sex gut für die Gesundheit? Er rief Ortega an. Wie sieht's aus, alter Freund, hast du noch deine Tage? Lässt schon ein bisschen nach. Hör mal, gestern Abend bin ich ins Fettnäpfchen getreten. Nur gestern Abend? Er erzählte ihm von seinem Erlebnis der anderen Art, hatte aber Schwierigkeiten, Yoremes Aussehen zu beschreiben. Weißt du was? Ich ruf dich gleich noch mal an. Alles klar.

Ger, die gerade die Garage fegte und die Topfpflanzen goss, begrüßte ihn. Wo kommen Sie denn her?, haben Sie kriminelle Frühaufsteher gejagt? Ich war spazieren. Und Ihr Gesicht? Ist wie immer, nur ein bisschen ramponierter. Wo haben Sie nur die Nacht verbracht, Ihr Bett ist unberührt. Ich hab im Wohnzimmer geschlafen. Sie? Wer's glaubt, wird selig, Sie lieben die Bequemlichkeit und eine weiche Matratze, hätten Sie zu Hause übernachtet, hätten Sie sich nie und immer aufs Sofa gelegt, Sie wollen mich wohl veräppeln? Wo denkst du hin; Ger, ich muss in dreißig Minuten los. Ich habe Ihnen Spiegelei mit roter Soße und Bohnen gemacht. Ich trinke nur schnell einen Nescafé. Sie wollen ohne Frühstück aus dem Haus?, kommt nicht in die Tüte, Zurdo, ich bestehe darauf: Sie brauchen eine gute Grundlage. Ja, aber ich hab keine Zeit, der Comandante erwartet mich. Beeilen Sie sich, dann schaffen Sie es, noch schnell was zu essen, Ihre Kleidung liegt auf dem Bett, das Essen stelle ich Ihnen hin; hören Sie, beim seligen Andenken an Ihre Mutter, rasieren Sie sich, und dann diese Haare, wie kann man nur so rumlaufen. Wissen Sie denn nicht, dass anständige Frauen gepflegte Männer mögen?, was meinen Sie, warum ich mich nicht mit diesem Alex einlassen wollte? Als ich seinen verfilzten Zottelkopf gesehen habe, ist mir die Lust vergangen. Mir scheint eher, du hattest Angst vor Señora Chela. Mit der legt man sich tatsächlich lieber nicht an, aber er war derjenige, der was von mir wollte, nur ist er nicht mein Typ. Mannomann, Ger, du bist vielleicht anspruchsvoll. Man hat nur ein Leben, Zurdo, und das will richtig gelebt werden. Dann stell mir das Frühstück hin, bin in zehn Minuten fertig; noch was, kennst du Teo, einen Freund von Enrique? Klar kenne ich den, die beiden waren irgendwie anders, die haben es nicht so krachen lassen wie die anderen. Langweiler also? Gott bewahre, nein, einfach nur anders, wie soll ich sagen?, sie haben über andere Sachen geredet, ihren eigenen Kram gemacht. Wart ihr zusammen auf Partys? Teo war ein guter Tänzer, Enrique hat sich nie getraut, aber sie waren nicht immer mit dabei. Ich habe Teo neulich getroffen, er ist bis über beide Ohren verliebt. Was Besseres kann einem nicht passieren, sofern man an die Liebe glaubt. Und du glaubst nicht daran? Natürlich nicht, Zurdo, sonst wäre ich ja ständig deprimiert. Warum denkst du dann, dass ich an die Liebe glaube? Ach, Zurdo, tun Sie nicht so, Sie träumen doch von einer festen Beziehung. Er zog sich lieber an und holte sein Handy, um es ans Ladegerät zu hängen.

Büro des Vertreters der Generalstaatsanwaltschaft.

Sie haben für Ihren Chef einen Bericht über Peter Conolly angefertigt, den Gringo, der im Hotel San Luis umgebracht wurde. Felipe Montemayor kam gleich zur Sache. Mendieta nickte. Briseño wartete erst einmal ab. Außerdem haben Sie ihm vorgeschlagen, das amerikanische Konsulat in Hermosillo und die Staatsanwaltschaft anzurufen, wieso? Er hatte zwei Ausweise bei sich, was mich auf den Gedanken gebracht hat, es könnte sich um einen verdeckten Ermittler handeln. Das war der einzige Grund? Er hatte ein Allerweltsgesicht, war durchtrainiert, hatte nur einen kleinen, ordentlich gepackten Koffer dabei, und registriert hat er sich als Visagist, na ja, da hatte ich so eine Eingebung. Könnte es sich nicht um einen Firmenvertreter auf der Suche nach neuen Geschäftspartnern gehandelt haben? Möglich, aber sein Gepäck hat nicht gerade darauf hingedeutet, außerdem hatte er kein Bargeld bei sich, trug ein Schulterhalfter ohne Waffe, und auf dem Boden lag ein aufgefalteter Stadtplan von Culiacán. War darauf etwas markiert? Nein, aber es waren jede Menge Fingerabdrücke drauf, einschließlich seiner eigenen. Noch irgendwas, Briseño? Nein, wie Mendieta schon sagte, niemand kennt ihn, niemand hat ihn gesehen, ein Kellner, der ihm einige Drinks serviert hat, erinnert sich an einen niedergeschlagen wirkenden Gringo, ist sich aber nicht sicher, dass es wirklich unser Mann war; wir haben seine Telefonnummern angerufen, aber die waren alle falsch; im Konsulat ist er nicht gemeldet. Dann ist der Fall abgeschlossen. Wenn die sich nicht für ihn interessieren, tun wir's erst recht nicht.

Er reichte ihnen ein Fax mit dem Foto eines Mannes. Ich brauche Ihre Hilfe, um diesen Toten zu identifizieren. Mit ausdruckslosem Gesicht warfen Mendieta und Briseño einen Blick auf das Foto: Die Staatsanwaltschaft und ihre Anfragen gehen mir auf den Sack, dachte der Zurdo, ich wette, bei denen funktionieren nicht mal die Computer. Vielleicht ist er ja in Ihrer Datenbank, wir haben jedenfalls nichts über ihn. Wo wurde er ermordet? Ganz in der Nähe, im Jagdrevier El Continente; ein US-Amerikaner mit Verbindung zum Präsidenten wollte dort jagen, keiner weiß, wie das rausgekommen ist, jedenfalls gab es eine Protestaktion gegen die geplante Mauer, vier Personen, wurden alle erschossen, drei von ihnen waren Gringos; nur der hier konnte nicht identifiziert werden, deshalb wurden wir um Hilfe gebeten. Stille trat ein, in der Mendieta Lust auf ein Bier bekam, Briseño auf einen kleinen Happen und Montemayor darauf, diese zwei Idioten auf den Mond zu schießen. Briseño nahm die Kopie des Fax an sich. Wir werden schauen, ob wir was haben. Ich danke Ihnen für Ihre Kooperationsbereitschaft, in der Hauptstadt will man Ergebnisse sehen.

Vierzig Minuten später waren sie in Briseños Büro. Diese Blödmänner wollen, dass wir ihren Job erledigen. Hier sind Sie derjenige, der das Sagen hat. Das sagt ja genau der Richtige, wo du ja immer meine Anweisungen befolgst. Licenciado Meraz hat mir erzählt, dass du ihn des Mordes an der Tabletänzerin verdächtigst; Zurdo, häng dich da nicht rein, das sind Rumtreiberinnen, die Polizei darf ihre begrenzten Mittel nicht unnütz verschwenden, schließ den Fall ab, übergib Yolanda Estrada ihrer Familie, und lass die andere Leiche irgendwo begraben, und hör auf, Meraz zu belästigen, wie gesagt, er könnte der nächste Gouverneur werden. Meraz hat mir gesagt, er würde uns behilflich sein, die Leiche von Mayra Cabral de Melo nach Brasilien zu überführen. Offenbar ist er ein großzügiger Mensch, verpflichtet wäre er jedenfalls nicht dazu. Und Sie sollten sich nicht so viel Sorgen um sein Geld machen; laut Camila Naranjo, einem Mädchen aus dem Alexa, hat Meraz sie an ihrem Todestag im Club abgeholt, obwohl er behauptet, in Mexiko-Stadt gewesen zu sein. Das heißt noch lange nicht, dass er schuldig ist. Dass er unschuldig ist aber auch nicht, wo war er wirklich? Wir werden den Teufel tun und seine politische Karriere zerstören, haben wir uns da verstanden, Zurdo?; ich befehle dir hiermit, die Ermittlungen einzustellen und den Licenciado von deiner Liste zu streichen. Meraz' Karrierepläne gehen mir am Arsch vorbei, Comandante, wenn es Unstimmigkeiten gibt, muss er sie mir erklären. Vergiss es, es passt mir nicht in den Kram und damit basta, was ist mit dem Spanier? Wir haben bei der spanischen Bundespolizei und bei der Guardia Civil in Madrid um einen Bericht angefragt, warten aber noch auf eine Antwort; bis dahin haben wir ihn dazu verdonnert, in der Stadt zu bleiben und die letzten Rumreserven auszutrinken. Pass auf Richie Bernal auf, Pineda sagt, er ist völlig neben der Spur und hat dich auf dem Kieker, ich hab ihn gebeten, ein Auge auf ihn zu haben, sonst knallt der dich noch ab. Genervt schüttelte der Zurdo den Kopf. Chef, Sie verkehren doch mit der Crème de la Crème, wissen Sie, wer Anita Roy ist? Briseños Gesicht wurde hart. Ich hab dir gesagt, du sollst dich da raushalten, bist du taub oder was? Er schlug so heftig mit der Faust auf den Tisch, dass ein Stiftehalter umkippte. Der Zurdo stand auf. Die Frau ohne Brüste war jetzt ebenfalls sein Fall.

21

Richie Bernal, am Steuer, und zwei seiner Leute parkten in der Nähe der Cobaes-25-Schule, hörten in voller Lautstärke Corridos und warteten auf ein Mädchen, das Richie an diesem Morgen gesehen hatte; er wollte ihr seine Liebe erklären, sie auf eine Spritztour einladen und, wenn sie ihn ranließ, vernaschen. Sie haben ja einen Frauenverschleiß, Kumpel. Sind eben scharf, unsere Mädels. Mag schon sein, aber Sie haben doch gerade erst die Liebe Ihres Lebens verloren. Die Gangster waren etwas älter als Richie und redeten ihm normalerweise nach dem Mund. Ein Keil treibt den anderen aus, guter Rafa. Außerdem gibt es nur zwei Sorten Frauen: Frauen, die vögeln, und Frauen, die tot sind. Sie rauchten. Vom Boulevard Los Álamos aus war ein Teil des La-Campiña-Parks zu sehen, wo sich einige Jogger schwitzend abmühten. Weitere Pick-ups und Luxusautos warteten aus demselben Grund wie Richie. Kurzröckige Mädchen strömten heraus und schlossen sich schnatternd ihren Verehrern an. Chalán, bist du sicher, dass sie um zehn rauskommen wollte? Hat sie mir so gesagt. Du bist ein Idiot, Rafa, geh rein und schau nach. Es sind doch noch fünf Minuten, wollen Sie nicht abwarten? Nein, will ich nicht, los jetzt, sag ihr, sie soll ihren Lehrern verklickern, dass sie sie am Arsch lecken können, die Hausaufgabenbetreuung übernehme ich, oder noch besser, ihr Pfeifen geht beide rein, da kommt wenigstens ein bisschen Grips zusammen, anschließend setzt ihr euch in den anderen Pick-up, sonst vermasselt ihr es mir noch, und wenn ich sie in ein Hotel bringe, wartet ihr draußen, mir passiert schon nichts.

Die Bodyguards stiegen gerade auf der Beifahrerseite aus, als ein Ford mit drei Auftragskillern neben ihnen hielt, die sie mit AK-47-Gewehren unter Beschuss nahmen. Rafa führte einen makabren Tanz auf und sackte neben der schweren Autotür, die er nicht mehr schließen konnte, zusammen. Chalán hatte dreißig Löcher im Körper, aus denen Blut blubberte. Drei Schüler starben, zwei Mädchen wurden verletzt. Die Umstehenden schluckten. Richie musste an seine Mutter denken, an den Fluss vor seiner Hütte, dass er zu jung war, um ... Er spürte, dass er sich in die Hosen machte, aber er konnte nichts dagegen tun, nichts war, wie es sein sollte, außerdem war er ein miserabler Schütze. Während die Kugeln die einen halben Zoll dicken Scheiben zersplitterten und die äußere Panzerung durchsiebten, ließ er den Motor an, drückte aufs Gaspedal, dass die Tür halb ins Schloss fiel, und raste davon. Hinter ihm Entsetzensschreie, kreischende Jugendliche, die sich verschanzt hatten, und Verehrer, die ebenfalls machten, dass sie wegkamen. Die Angreifer fuhren in aller Seelenruhe um den Park herum, ohne dass jemand sie beachtete. Die Jogger waren verschwunden.

Die Pistole zwischen die Beine geklemmt, fuhr Richie in Richtung Supermarkt Comercial Mexicana. Als er sah, dass sie ihm nicht folgten, hielt er an, schloss die gepanzerte Tür richtig und machte die Stereoanlage aus. Dann fuhr er weiter. Er wählte eine Nummer auf seinem Handy. Diablo, wo bist du? In Colinas. Man hat auf mich geschossen, direkt vor der Cobaes-25-Schule, Rafa und Chalán hat's erwischt. Wer? Keine Ahnung, schick ein paar Jungs, um die Leichen einzusammeln, und komm dann zu mir. Wo bist du? Auf dem Parkplatz des Comercial Mexicana, auf der Seite, wo das Banamex ist, ist die Chefin da? Nicht dass ich wüsste.

Er parkte. Er sah die Kalaschnikows seiner Bodyguards auf dem Boden liegen, spürte die Feuchtigkeit in seiner Unterhose und hatte Angst, große Angst. Dann weinte er.

22

Gris war geknickt. Rodo hatte ihre Einladung zum Frühstück nicht angenommen und ein Treffen mit seinem Chef vorgeschützt. Der Teufel soll ihn holen. Sie hatten das Fax von *Keine Mauer* an die Wand geheftet und analysierten es. Er kam ihnen nicht bekannt vor. Glaub nicht, dass er Mexikaner ist. Geht mir genauso. Um wie viel Uhr kommt Ortega? Der ist mit den Narco-Opfern beschäftigt. Er hat die größte Erfahrung mit der Analyse von Fotos. Zurück zu Meraz, wir sollten ihm ein bisschen auf die Füße treten, sein nettes Getue überzeugt mich nicht. Heute Abend fühlen wir ihm mal auf den Zahn. Ich komme mit. Sicher?, sollten sich du und der Tiger nicht erst vertragen? Sie täuschen sich, Chef, vor allem in mir, Dienst ist Dienst und Schnaps ist Schnaps. Er lächelte. Okay, dann werden wir mal in sein Revier eindringen, also, was haben wir? Gris sah ihm in die Augen. Chef, wäre es zu viel verlangt, wenn Sie mir alles erzählen würden?, hier brodelt die Gerüchteküche von wegen, dass Sie was mit Mayra Cabral de Melo hatten, soll ich dem Gehör schenken, oder sagen Sie mir, ob was dran ist? Der Zurdo verspürte wieder diese Leere, die ihm so zusetzte. Gris war seine Kollegin, hatte sein Vertrauen verdient, dachte er, und er vertraute sich ihr an, jedenfalls so weit, wie er es für nötig hielt. Dann kehrten sie zur ursprünglichen Frage zurück: was haben wir? Eine Leiche auf einem verwilderten Grundstück, ein überraschter und dann auch wieder nicht so überraschter Geschäftsführer; eine Leiche in einem Wohnzimmer, Neun-Millimeter-Kugel in beiden Fällen. Laut dem Nachtwächter handelt es sich bei dem Täter um einen hochgewachsenen, kräftigen Mann, der in einem großen, dunklen Auto Richtung Stadt fuhr. Ah, der Terminator soll sich jemanden schnappen, Reifenspuren suchen und alles fotografieren. Im zweiten Fall haben die Nachbarn nichts gesehen und nichts gehört; ich würde gern Elisa Calderón noch mal verhören, und Sie sollten dabei sein, ich habe nämlich den Eindruck, dass sie mir etwas hätte sagen können, wenn ich die richtigen Fragen gestellt hätte. Wir könnten Miroslava und Camila Naranjo aufs Präsidium bestellen, Camila hat sich übrigens gestern Abend krank gemeldet. Ach ja? Zumindest wurde mir das im Alexa so mitgeteilt. Was gibt's Neues zu Escamilla? Rivera meinte, er hätte mit Ihnen gesprochen, haben Sie auch mit Fantasma geredet? Der sagt das Gleiche wie Escamilla, nur dass er laut eigener Aussage auch noch der Kuppler für Meraz war. Keiner der beiden ist groß und kräftig. Das mit Cervantes habe ich dir erzählt, aber der ist eher klein, und das mit Richie Bernal auch, ah, was ist eigentlich mit Kid Yoreme, hast du da was rausgefunden? Verzeihung, Chef, das hab ich völlig vergessen, wie sieht's aus in Sachen Gringo? Von dem will niemand was wissen, also halten auch wir uns raus, dafür ist das Interesse an dem da groß, er zeigte auf das Foto von *Keine Mauer*, das an der Wand hing. Wegen des ersten Toten hat sich keiner gemeldet, oder? Nicht dass ich wüsste, und Ortega raucht der Kopf vor lauter Narco-Opfern. Hat er auf der Pistole von Paty Olmedo Fingerabdrücke gefunden, die nicht von ihr sind? Hat nichts erwähnt. Also, wo fangen wir an? Am Anfang, Kollegin, schließlich tappen wir völlig im Dunkeln. Schweigen. Chef, Mayra war wunderschön. Der Zurdo sah zur Decke. Hast du die Fotos gesehen? Ich konnte nicht anders, vor allem die Tätowierung in der Schamgegend ist mir aufgefallen. *Nur um die Lust zu steigern*. Schau die Visitenkarten noch mal durch, vielleicht ist uns jemand entgangen. Er gab ihr die beiden, die er bei sich trug. Ah, und mach mir einen Termin mit diesen beiden Herren. Wird ihre Leiche nach Brasilien überführt? Wahrscheinlich, ihre Mutter wohnt in São Paulo, immer wenn ich mir vornehme, sie anzurufen, bin ich wie gelähmt. Ich dachte, sie lebt in Guadalajara? Sie wohnt sechs Monate hier und sechs Monate dort, vielleicht wird sie ja in Guadalajara begraben. Ich glaube, wir müssen nach einem Mann suchen. Warum? Eine Frau hätte nicht das Poster der Nationalmannschaft zerrissen. Gris, bei den Los Dorados spielt ein Brasilianer, fangen wir bei dem an. Was ist mit ihren Kunden in Mazatlán? Elisa sagt, dass sie oft hingefahren ist. Plötzlich spürten sie, wie ihre Energie zurückkehrte. Wissen Sie, was wir vergessen haben? Die Brust, dass man ihr eine Brustwarze abgeschnitten hat. Mendieta schwieg. Ich glaube, das ist ein wichtiges Indiz. Angelita öffnete die Tür. Chef Mendieta, Chef Briseño wünscht Sie zu sprechen, und zwar sofort. Sag mal, Angelita, wo kommt denn diese höfliche Ausdrucksweise her? Man merkt, dass ihr beide keine Soaps schaut. Natürlich schauen wir Soaps, wir geben's nur nicht zu. Und wer ist die Frau da? Mendieta und Gris starrten sich mit offenem Mund an. Komm rein, Angelita, ich gehe inzwischen zum Chef. Tatsächlich, im dämmrigen Licht des Büros sahen die feinen Gesichtszüge von *Keine Mauer* noch feiner aus, waren unverkennbar die einer Frau.

Im Büro des Comandante traf er auf einen Herrn, der sich angeregt mit Briseño unterhielt. Sie wurden einander vorgestellt. Othoniel Ramírez, der Handlungsbevollmächtigte des Alexa. Was haben wir in dem Fall?, fragte der Chef, der hoch zufrieden wirkte. Verwundert legte der Detective die Dinge noch einmal dar. So, so, kommentierte Briseño, alles noch etwas vage, mal sehen, wie sich das in den nächsten Tagen entwickelt. An Ramírez gewandt: Passen Sie auf Ihre Tabletänzerinnen auf, Licenciado, wie mir erzählt wurde, haben einige von ihnen den Tod nicht verdient. Berufsrisiko, Comandante, was soll man machen, aber ich verspreche Ihnen, dass wir Ihnen nicht mehr auf die Nerven gehen, wir werden Ihre Ratschläge befolgen und Yolandas Leiche den Familienangehörigen überstellen; die Brasilianerin kriegt ein christliches Begräbnis, und damit hat sich die Sache; und kommen Sie unbedingt mal vorbei, Sie werden es nicht bereuen, für Freunde haben wir immer eine Überraschung parat. Mendieta begriff, dass die beiden einen Deal gemacht hatten. Und haben Sie ein bisschen Geduld, ich besorge Ihnen alles, was Sie für dieses Gericht brauchen, von dem wir gesprochen haben, aber wie gesagt, es muss eine Golfina-Schildkröte sein, andere Arten schmecken auch, aber es ist nicht das Gleiche. Selbstverständlich, ich werde mich genau an Ihr Rezept halten. Geben Sie mir zwei Tage, dann beschaffe ich Ihnen ein Prachtexemplar, den Chili Habanero gibt's in jedem Supermarkt, er stand auf. Der Zurdo durchbohrte seinen Chef mit Blicken, doch der beachtete ihn gar nicht.

Ramírez hinterließ einen Geruch nach billigem Parfüm.

Deine Meinung interessiert mich nicht, sagte Briseño, noch bevor der Detective den Mund aufmachen konnte. Und ich darf dich daran erinnern: wenn du die Einladung des FBI zum Seminar in Los Angeles ausschlägst, musst du eben nach Madrid, die Stadt soll in diesem Monat ja sehr schön sein. Ich würde nie in eine Stadt fahren, die nur einen Monat lang schön ist. Das sagt man halt so, Madrid ist immer schön, berühmt für seine niedrige Verbrechensrate und seine Küche, wenn ich nicht so viel zu tun hätte, würde ich selber hinfahren und Tapas und iberischen Schinken essen. Hier wird mit Kugeln gemordet, dort mit Bomben, haben Sie den elften März schon vergessen? Das mit dem Terrorismus ist kein Spaß, da hast du recht. Wenn Sie sich zwischen Narcos und Terroristen entscheiden müssten, wer wäre Ihnen lieber? Keiner. Mendieta machte ein bissiges Gesicht. Ich habe Mayra Cabral de Melo in Mazatlán kennengelernt, sie war sympathisch, voller Träume und wunderschön; gestern habe ich mit Miroslava gesprochen, einer Freundin von ihr und Yolanda Estrada. Das waren Tabletänzerinnen, Zurdo, ihr Tod juckt keinen, wir dürfen unsere Zeit und Mittel nicht mit so was verplempern, für die Frauen war das Berufsrisiko, wir haben genug Probleme mit den Opfern des Drogenkriegs und dem Narco-Jungvolk, hast du vergessen, was uns bevorsteht? Der Präsident hat den Drogenkartellen den Krieg erklärt, demnächst werden wir genauere Anweisungen erhalten; Ramírez hat versprochen, sich um alles zu kümmern, du hast es ja selber gehört. Und meine Erbsensuppe? Ah, die. Ist doch ganz einfach, Chef, wenn sie ermordet wurden, dann weil sie jemandem ins Gehege gekommen waren oder weil ihr Tod jemandem nützt. Trotzdem, vergiss es. Briseño wandte sich den Papieren zu, die vor ihm auf dem Schreibtisch lagen, und der Zurdo erhob sich. Bevor Sie ein Gericht mit einer bedrohten Tierart kochen, lassen Sie mich die Ermittlungen weiterführen. Zurdo, für wen hältst du dich?, glaubst du, du kannst einfach machen, was du willst? Nicht mit mir. Geben Sie mir nur ein paar Tage, danach leide ich von mir aus an Gedächtnisschwund, ich sorge auch dafür, dass Ihr Name in *Wächter der Nacht* nicht fällt. Warum? Es waren Menschen, zwei wehrlose Frauen. Na und?, seit wann sind wir barmherzige Schwestern? Und wie ist das im Fall Anita Roy? Briseño öffnete den Mund, sagte aber nichts. Sehen Sie?, jeder hat so seine Prioritäten, und ich finde, die sollte man respektieren.

Er lud Gris ins Miró ein. Robles lieh ihm eine Walther P99, die er extra für ihn aufgetrieben hatte. Funktioniert die auch? Keine Ahnung, angeblich wurden mit dem Ding schon rund hundert Leute erschossen. Der Zurdo löste das Magazin, öffnete die Pistole, überprüfte die Züge, betätigte den Mechanismus, schob das Magazin wieder rein, die Waffe lag gut in der Hand, er sicherte sie und steckte sie ein. Wenn ich sie dir in einer Woche noch nicht wiedergegeben habe, habe ich's versaut.

Wie immer war das Miró voller Damen, die ihre Partys planten oder einfach das Leben in vollen Zügen genossen. Chanel, Burberry, Blablabla. Der Zurdo bestellte einen Kaffee; Gris Machaca mit Ei, Cappuccino und Orangensaft. Unterwegs hatte er sie auf den neuesten Stand gebracht. Wie du siehst, sind eine Tabletänzerin und ein Priester nicht das Gleiche wert. Ein Taxifahrer und ein Mathematiker auch nicht, aber wenn sie tot sind, sind alle wieder gleich, oder etwa nicht? Schon, nur nützen sie dann der Gesellschaft nichts mehr. Und nun? Schweigen. Sie kannten sie lebend. Nur Mayra, eine Frau, die versucht hat, glücklich zu sein. Ich erinnere mich noch, dass Sie immer gut gelaunt aus Mazatlán zurückgekommen sind. Was soll das, Kollegin? Ich mein ja nur. Sie schwiegen. Briseño wird uns nicht aufhalten, und da ist noch was, erinnerst du dich an die Frau ohne Brüste? Dass wir nicht über sie sprechen dürfen. Sie hieß Anita Roy und war eine Freundin von Mayra, bei der Totenwache hat man Mayra nicht reingelassen. Gris dachte kurz nach. Glauben Sie, dass es da einen Zusammenhang gibt? Wir könnten ihren Angehörigen mal ein bisschen auf den Zahn fühlen und bei der Gelegenheit durchscheinen lassen, dass beide an der gleichen Stelle verstümmelt wurden.

Auf der Rückfahrt, im dichten Verkehr, wechselte Mendieta die CD: *Conga* von Miami Sound Machine. Entspannungsmusik, Gris, damit du Lust aufs Tanzen kriegst. Chef, ich hätte heute Abend doch gern frei, Rodo hat angerufen, und ich hab mich mit ihm zum Essen verabredet; danach wollten wir vielleicht in einen Club. Rodo ist ein guter Kerl. Wenn ich heirate, arbeite ich trotzdem weiter. Ich sehe auch keinen Grund, warum nicht. Selbst wenn ich schwanger bin. Hast du *Fargo* gesehen? Nein. Leih dir den Film mal aus, wird dir gefallen. Wenn Rodo Sie um was bittet, hören Sie nicht auf ihn, die Zusammenarbeit mit Ihnen, das ist einfach mein Ding. Geht klar, mach dir keine Gedanken. Er meint nämlich, ein Schreibtischjob wäre besser für mich. Das soll er sich aus dem Kopf schlagen, wofür hält er sich? Ist noch nicht mal verheiratet und will schon rumkommandieren. Das hab ich ihm auch gesagt.

Kavallerie. Er sah nach, wer es war: »unterdrückt«, er ließ es klingeln.

Er dachte nach. Du warst ein so sanfter Mensch, es ist mir unbegreiflich, warum du so brutal ermordet wurdest, von einem Mann, der nichts dem Zufall überlassen hat:

wobei, irgendwas muss er hinterlassen haben außer den Reifenspuren, wir haben es nur noch nicht entdeckt. Ich muss mit Dayana reden.

Gris, bevor du dich mit Rodo triffst, mach bitte noch eine gewisse Dayana ausfindig, sie hat sich vor einigen Tagen der Presse gegenüber zu den Frauenrechten geäußert und ist mit Meraz liiert. Dann rief er Angelita an, sie gab ihm die Festnetz- und die Handynummer von Paty Olmedo durch, die er irgendwo in seinen spärlichen, aber noch nicht entsorgten Unterlagen notiert hatte.

Er bestellte sie für neunzehn Uhr ins Café Marimba.

Dann setzte er Gris beim Präsidium ab und fuhr nach Hause. Niemand da. Er legte sich hin und schlief ein. Nach einer halben Stunde wachte er wieder auf. Er duschte, machte sich einen Nescafé, legte brasilianische Musik ein: *Onde anda você* von Vinicius de Moraes und Toquinho, dann saß er einfach nur da und lauschte den Stimmen auf der Straße.

Woher wissen Sie, dass ich sie kannte? Ich hab's geträumt. Paty Olmedo trug eine durchsichtige pfirsichfarbene Bluse und eine knielange beige Hose. Sie trank Bier und hatte diese Bräune, die nie aus der Mode kommt. Mendieta entspannte sich. Angeblich warst du bei der Totenwache, durftest aber ihr Gesicht nicht sehen. Doch, durfte ich, war eine ganz normale Totenwache, ich war sogar in dem Raum, wo die Angehörigen sich versammelt hatten, weil dort auch der Freund von mir war, der Sohn der Toten; wir haben einen Kaffee getrunken. Hat er dir gesagt, dass man sie verstümmelt hat? Woher wissen Sie das schon wieder? Haben Sie das auch geträumt? Keine Angst,

Insiderwissen der Polizei. Toll, Sie sind ja noch cooler als die Bullen im Fernsehen. Könntest du mich mit diesem Freund von dir bekannt machen? Er lebt in Kanada, ist nur wegen der Totenwache gekommen, wussten Sie, dass seine Eltern geschieden sind? Seit wann? Seit sein Vater entdeckt hat, dass seine Frau ihn betrügt. Wann war das? Vor zwei Jahren etwa; Marcos ist nach Kanada gezogen, und seine Eltern sind getrennte Wege gegangen; angeblich war die Señora ein sehr lebenslustiger Mensch und hatte viele Freunde, die Verstümmelung soll ein Racheakt gewesen sein; sie hatte sich gut gehalten, durch Fitness-Studio und Tanz. Wie alt war sie denn? Dreiundvierzig, sah aber aus wie zwanzig. Genau das richtige Alter, um Folklore zu tanzen. Eher nicht, ihr Ding war eher Jazztanz und Modern Dance, sie hat sogar Kurse in einer Akademie besucht.

Sie sagte ihm, wo der Exmann lebte.

23

Wie geht's? Immer so weiter, und dir? Ziemlich im Stress, du weißt ja, wer hier ist, ich habe ihm gesagt, dass du vorbeikommen willst, was ihn sehr gefreut hat. Red nicht so einen Quatsch daher. Übrigens wäre er neulich Abend beinahe ins Jenseits befördert worden. Was? Ja, als mein erlauchter Gast hier ankam, wurde er unter Beschuss genommen von vier Typen, auf deren T-Shirt *Keine Mauer* stand, sind alle liquidiert worden. Von wem? Auf dem Gelände haben sich rund dreißig Spezialagenten getummelt und sich die Eier gekrault, und von oben hat ein Hubschrauber alles überwacht; der Alte hat keinen Kratzer abbekommen und freut sich jetzt umso mehr auf die Jagd am späten Nachmittag, wenn du also vorbeischauen willst, du bist herzlich eingeladen. Diese Unannehmlichkeit erspare ich dir lieber. Hast du gestern zu viel gesoffen oder was? Sei nicht so vulgär, Carrasco. Ich bin down, das ist was anderes. Das Alter geht nicht spurlos an einem vorüber, selbst wenn man sich davor hütet, größere Dummheiten anzustellen, als man verkraften kann. Das sage ich meinen Freunden auch immer, unter anderem dir; ich habe dich heute Morgen angerufen, ist das der Rückruf? Bingo, früher ging nicht, weil ich den ganzen Tag mit meinem Gast Enten ballern musste, so, und jetzt rück raus, was kann ich dir Gutes tun? Hör zu, ich kann nicht länger warten, der Investor will sein Geld anlegen und möchte seine Million Dollar zurück. Ich bin aber nicht flüssig, Gandhi, zumindest nicht im Augenblick; ich habe alles in das Grundstück gesteckt und die Ausgaben noch nicht wieder reingeholt, ist aber nur eine Frage der Zeit, der Besuch von Mister B. ist der Startschuss in die Saison. Das ist nicht mein Problem, Carrasco, als wir vor genau zwei Monaten und drei Tagen ins Geschäft gekommen sind, habe ich dir klipp und klar gesagt, dass das Kapital jeden Moment abgezogen werden kann, und dieser Moment ist jetzt gekommen, es führt kein Weg dran vorbei, wir haben fünf Tage, um das Geld zurückzuzahlen. Ist das dein letztes Wort? Nicht meins, für wen hältst du mich? Aber es stimmt, es ist das letzte Wort. Okay, Gandhi, schönen Tag noch.

Einige Drogenbosse und kleinere Fische parkten ihr Geld gern bei Gandhi Olmedo. Er war integer, stellte nie Fragen und war immer zufrieden mit dem, was dabei für ihn abfiel. Dafür durfte er kleinere Investitionen tätigen, und wann immer sie ein Fahrzeug brauchten, kauften sie es bei ihm.

Nach dem Essen mit McGiver hatte Olmedo beschlossen, sein Leben in Ordnung zu bringen, und weil er ein Mann der Tat war, hatte er dieses Vorhaben sofort angepackt. Dazu gehörte, dass er einige offene Darlehen zurückfordern wollte, und Adán Carrasco war der Erste auf der Liste. Keiner seiner Kunden verlangte sein Geld zurück, aber dieser Trick funktionierte immer. Jedenfalls würde das Geld in fünf Tagen wieder bei seinem Besitzer sein; die bescheidenen Zinsen konnten warten.

Er saß in seinem hell erleuchteten Wohnzimmer, hörte Filmmusik, gerade die Instrumentalversion von *Midnight Cowboy*. Wohlgefällig betrachtete er die Gitarrenteile an der Wand, besonders die von Jeff Beck, die an der einen Seite hingen; er musste an die Szene in dem Film denken: der Verstärker war ausgefallen, und Beck drosch mit seiner Gitarre darauf ein, malträtierte dann den Fußboden und warf schließlich die Trümmerteile ins Publikum. Natürlich hat sich Antonioni das nur ausgedacht, aber ich fand's großartig; was ist eigentlich mit den Engländern? Unzuverlässiges Pack, nicht mal angerufen haben sie. Dann spürte er, wie sein Gesicht erstarrte: Paty. Wollte mich mein verzogenes Töchterlein doch tatsächlich umbringen.

Im selben Moment gelangten McGiver und Dioni de la Vega zu einer Vereinbarung: eine Tonne reines Kokain, abzuholen in Huatulco, Oaxaca.

Als ihn Imelda, aufgedonnert mit einem sexy Minirock, ins Hotel brachte, erzählte sie, dass ihr die eine oder andere Bar gehörte und sie im Begriff war, eine mittelgroße Tabledancebar dazuzukaufen, in der ihr Chef des Öfteren verkehrte. Würden Sie noch was mit mir trinken?, schlug der Schmuggler vor. Ich bin mir nicht sicher, ob ich so lange den Mund halten kann. Sie lächelten. Du bist wirklich nett. Ich weiß, was du meinst, aber heute Abend lieber nicht, ein andermal. Zum Abschied warfen sie sich einen dieser Blicke zu.

24

Yoreme raste mit zweihundertfünf Sachen zurück in die Stadt, als er einen Bus sah, er stellte das Blaulicht an und ließ die Sirene ertönen. Der Bus hielt an, der Boxer lenkte den Streifenwagen ins Maisfeld. Dann rannte er zur rechten Tür und schrie: Aufmachen. Mit einem merkwürdigen Zischen ging sie auf, und er stieg ein. Gib Gas, guter Mann, der Teufel ist hinter mir her, sagte er unter Tränen. Bring mich so schnell wie möglich weg von diesem verfluchten Ort. Der Busfahrer, ein schlanker Kerl mit Schnauzbart, Weste und Fliege, fuhr los. Was ist passiert?, wenn Sie kein Polizist sind, wieso haben Sie dann diesen Streifenwagen gefahren? Den hab ich geklaut, ich hatte ein kleines Palmenhäuschen und ließ die Füchsin herein. Einer der Fahrgäste meldete sich zu Wort. Habt ihr gehört? Der Herr hat einen Streifenwagen geklaut, wir haben also einen echten Gangster an Bord. Yoreme drehte sich um und sah nach hinten, wo ihn rund ein Dutzend Personen mit Schreckensmienen und weit aufgerissenen Augen anstarrte. Guten Abend, ich will Sie nicht größer stören, in Culiacán sind Sie mich wieder los. Culiacán, wo ist das?, fragte ein Mann in der ersten Reihe. Nicht weit von hier, nach dem Maisfeld hier kommt ein Distelfeld, dann ein Tomatenfeld, dann ein Dutzend Motels, und dann sind wir da.

Yoreme stellte fest, dass er nicht nur weinte, sondern auch schwitzte, und ein Gefühl stieg in ihm auf, das so ähnlich war wie Angst. Der Boden war eine warme Wolke, die ihm bis zu den Knien reichte. Er sah, wie die Leute flüsterten, nahm aber nur ein undeutliches Murmeln wahr. Er drehte sich zum Fahrer hin, aber der Bus war plötzlich führerlos. Wo war der Kerl?, hat jemand den Fahrer gesehen? Auch die Straße war weg. Der Bus war von der Fahrbahn abgekommen und nur noch ein stinkender Haufen Schrott. Yoreme stieg aus. Er befand sich auf einem Feldweg, um ihn herum dorniges Gestrüpp. Es dämmerte.

Ein kalter Schauder erstickte sein Weinen. Dann begann es zu regnen.

Die Bundespolizei fahndete nach ihm und hoffte, ihn in den nächsten Stunden zu schnappen. Im Moment wurde er sowohl von den Guten als auch von den Bösen gesucht. Die Beamten, die vermuteten, dass er sich in die Anbaugebiete geflüchtet hatte, hatten die Cannabisproduzenten um Hilfe gebeten. Am kooperativsten hatte sich der Kellner gezeigt, der ihn mehrmals bedient hatte, doch auch er hatte nicht gewusst, wo Yoreme wohnte oder arbeitete. Der Typ kam, trank, bewunderte Roxana, seufzte, lächelte sie an, bestellte sie aber nie ins Séparée, vermutlich haben sie nie auch nur ein Wort miteinander gewechselt; er hat sie angebetet wie eine Jungfrau, aber, na ja, andererseits kennt man seine Kunden nicht wirklich. Rivera schüttelte den Kopf. Er erinnerte Mendieta daran, dass er ihn gewarnt hatte.

Yoreme irrte in den Bergen umher. Er hörte Beifall, Anschuldigungen, Drohungen, Ratschläge und reagierte entsprechend. Mal lächelte er, mal hob er triumphierend die Arme, verbeugte sich, verwandelte sein Gesicht in eine Totenmaske, ließ die Augen funkeln oder stand reglos da und schaute friedlich drein. Ab und zu trabte er, boxte dabei in die Luft, Haken zur Leber, Gerade. Er trug Jeans und ein dreckiges, feuchtes T-Shirt.

Eine Stunde später nahm ihn ein Lastwagen mit, der Milch in die Stadt brachte. Als Yoreme auf der Ladefläche saß und die vollen Kübel sah, bekam er Durst. Er öffnete einen Zwanzigliterbehälter und setzte ihn an den Mund. Der Fahrer sah es und hielt an. Hey, Kumpel, was soll das? Ich hatte ein kleines Palmenhäuschen, sagte Yoreme lächelnd. Tun Sie mir das nicht an, ich muss die Fuhre vollständig abliefern. Ich ließ die Füchsin herein, und als sie erst mal drinnen war. Wissen Sie was? Steigen Sie aus, ich kann Sie nicht weiter mitnehmen, am Ende trinken Sie mir noch die ganzen vierhundert Liter aus. Weinend zog auch das Kaninchen von dannen. Ich verstehe nicht, was Sie da brabbeln, und es interessiert mich auch nicht, entweder Sie steigen freiwillig aus, oder ich helfe nach. Bitte nicht, ich bezahle Ihnen die Milch, aber setzen Sie mich nicht hier aus. Schön, dass Sie bezahlen wollen, aber Sie dürfen trotzdem nichts trinken, die Lieferung ist so bestellt, also muss ich sie auch so abliefern, davon ernähre ich mich und meine Familie. Hören Sie, ich habe doch nur so zwei Liter getrunken, ich zahle Ihnen zwanzig, und bevor sie die Fuhre abliefern, füllen wir den Kübel einfach mit Wasser auf, dann kriegen Sie keinen Ärger. Der Bauer entspannte sich. Ich sehe schon, Sie kennen sich aus; na gut, aber steigen Sie vorne ein, und erzählen Sie mir diese Geschichte mit dem Kaninchen.

Es war halb neun Uhr morgens, als Yoreme an der Kirche Las Quintas ausstieg. Vor der Statue von Padre Cuco blieb er stehen und bat ihn, es möge alles gut ausgehen, wie er das anstellen solle, wisse er auch nicht, er sitze nämlich ganz schön in der Patsche. Padre Cuco, erinnern Sie sich noch, wie Sie mich damals rausgeworfen haben, weil ich die Kollekte geklaut hatte? Wenn alles gut ausgeht, verzeihe ich Ihnen; ich weiß, es wird nicht einfach, aber dafür sind ja Sie da, oder dachten Sie etwa, ein Heiliger zu sein wäre ein leichter Job? Ist es nicht, Sie müssen uns helfen, uns, die wir vor Hunger halb tot sind; wer ist hier tot?, was wollen Sie mir damit sagen? Ich ließ die Füchsin herein, weinend zog auch das Kaninchen von dannen.

Nach und nach erinnerte er sich an das, was am Abend zuvor passiert war. Ich wollte Roxana sehen und habe erfahren, dass sie von uns gegangen ist, wie man so sagt. Ich konnte mich nicht zusammenreißen: ich habe geheult, die Kontrolle verloren, dann bin ich bei diesem Wrestler mitgefahren, wie hieß der noch gleich? Cavernícola Galindo, in einem Auto, das ich ihm dann geklaut habe. Danach waren die Bullen hinter mir her. Am Ende habe ich den Bauern angehalten, der hat mich mitgenommen. Dieser Bauer, wie süß das geduftet hat. Das Auto haben mir die Bullen wieder abgenommen; also habe ich keine Straftat begangen, warum flüchte ich dann? Weil ich ein Idiot bin; ich gehe jetzt einfach in Ruhe nach Hause und mache ein bisschen Schattenboxen. Ich bin mit Gott und der Gesellschaft im Reinen. Jeden Sonntag bin ich in die Kirche gegangen, und deshalb wende ich mich an Sie, Sie haben mir damals den Rat gegeben, mir eine Arbeit zu suchen, was ich auch geschafft habe; und Sie haben mich gebeten, die Finger von Drogen zu lassen, woran ich noch arbeite, ist schwer, sauschwer, schwerer, als gegen Julio César Chávez zu boxen.

Auf der Juárezbrücke begegnete er Ortega, der gerade mit Mendieta telefonierte, aber Ortega kannte Yoreme nicht. Mendieta beschrieb ihn als schlitzohrig, wendig und streitsüchtig. Ortega sah, wie Yoreme auf Höhe des Kinns Geraden in die Luft schlug und hielt ihn für einen Boxer, der trainierte. Sogar Yoremes Gruß erwiderte er.

Ich ruf dich nachher noch mal an, sagte der Detective, dem klar wurde, dass ihm die Beschreibung seines Feindes misslungen war. Verdammter Yoreme.

Der Boxer ging in aller Gemütsruhe in Richtung Wissenschaftszentrum, auf dem Gehweg, der am Botanischen Garten Carlos Murillo Depraect entlangführte. Ich hatte ein kleines Palmenhäuschen. Wie ist Roxana gestorben? Wenn jemand sie umgebracht hat, mache ich ihn fertig, war es der Typ aus der Villa mit der gelben Tür?

Irgendwann war er schließlich zu Hause. Er wohnte in einem verlassenen Gebäude im Stadtviertel Villa Universidad. Aufsehen erregen, laut Musik hören, die Nachbarn stören, das war nicht seine Art. Vielmehr war er ein Schatten. Deshalb fiel er auch niemandem auf, und wenn ihn doch mal jemand bemerkte, hielt er ihn für den Nachtwächter. Mit Hilfe eines Schlossers hatte er sich einen Schlüssel für den Dienstboteneingang anfertigen lassen, so dass er kommen und gehen konnte, wann er wollte, als einziger Bewohner eines Hauses, dessen Besitzer das Weite gesucht hatten, als die Polizei ihnen auf den Fersen war.

Er legte sich auf seine Pritsche und schlief ein. Er träumte, dass er ein König war und dass sein Erster Minister fünfhundert Kuchen bringen ließ, nur für ihn. Als er aufwachte, wusste er wieder, was passiert war. Wahrscheinlich suchte ihn der Cavernario wie ein tollwütiger

Hund, ein Kampf zwischen einem Wrestler und einem Boxer war zwar merkwürdig, aber durchaus reizvoll. Wenn sie schon kämpfen würden, wovon er ausging, dann sollten sie sich einen guten Promoter suchen. Die Revolución-Arena würden sie schon vollkriegen, vielleicht sogar das Stadion der Dorados. Aber wer weiß, ob der Cavernario überhaupt will; immerhin habe ich ihn schon mal umgehauen, kann sein, dass er jetzt Muffensausen hat; außerdem hab ich sein Auto und sein Geld geklaut und sein Handy in die Büsche geschmissen, womöglich ist er jetzt so sauer, dass er sich überschätzt. Verdammter Cavernícola, was hast du nur für eine harte Kinnlade. Die Bullen. Die werden mir das nie verzeihen. Ganz schön verarscht hab ich die. Wenn ich den Cavernícola k.o. geschlagen hab, werden die auf der Matte stehen und bestimmt nichts Gutes im Schilde führen: Du bist verhaftet, Yoreme, Weltmeister hin oder her, mit uns hast du dir's verscherzt. Es gibt keinen Bullen, der nicht rachsüchtig wäre; ich hab noch nicht vergessen, wie das war, als ich den Pelón Sopipas umgehauen habe, diesen Scheißbullen, immer wenn er mich getroffen hat, hat er mich schikaniert, und ich brav wie ein Lämmchen. Ich hatte ein kleines Palmenhäuschen und ließ die Füchsin herein. Ich hab mir den Streifenwagen unter den Nagel gerissen, aber der ist heil geblieben, und wer waren diese verrückten Kerle, die mich mitgenommen haben? Die hatten alte Weiber dabei, uralte Weiber, sahen aus wie hundert, und der Fahrer, was für ein Spinner, ist einfach abgehauen und hat uns im Regen stehenlassen, war er derjenige, der geheult hat?, warum bin ich in diesem schrottreifen Bus aufgewacht? Diese Scheißrätsel, das muss ich mir nicht antun, ein netter Kerl, dieser Bauer, hat mich bis Las Quintas mitgenommen. Am gefährlichsten sind die Bullen von der Bundespolizei, soll er doch kommen, der Cavernícola, den hau ich einfach wieder um, diese Schwuchtel. Hast du noch nicht genug?, du siehst wohl gern Sternchen? Der ist kein Problem, aber diese Typen schon, die nerven, am Ende ziehen sie noch ihre Knarren. Nur gut, dass sie weit weg sind, so weit weg wie meine Königin, die Königin aller Königinnen.

Tränen rannen ihm übers Gesicht, er schnäuzte sich, holte eine Literflasche Bier aus dem kleinen Kühlschrank, in dem sie fast den ganzen Platz eingenommen hatte, und trank sie zur Hälfte aus. Ich hätte Bauer werden sollen, die wissen zu leben.

25

Wenn du dich mir anschließen willst, musst du zwei Bedingungen akzeptieren, Leo McGiver, eine große und eine kleine. Was immer Sie verlangen, Señor de la Vega, gut, dass wir Tacheles reden. Sie saßen in einer leeren Bar und tranken mit Wasser verdünnten Whisky. Die große: an dem Tag, an dem ich oder meine Leute rausfinden, vermuten oder gesteckt kriegen, dass du dich mit jemand anderem getroffen hast, siehst du das Gras von unten; wer zu Dioni de la Vega gehört, gehört zu Dioni de la Vega, vergiss das nie; du siehst mir nämlich aus wie ein ganz Schlauer, und außerdem hast du bisher mit den Valdés Geschäfte gemacht, aber damit ist jetzt Schluss. Ich schulde ihnen noch eine Waffenlieferung. Vergiss es, wer zu Dioni de la Vega gehört, gehört zu Dioni de la Vega und zu niemandem sonst; wenn du lieber sterben willst, bitte schön, der Sensenmann kennt kein Erbarmen, wenn er dich holen kommt, können wir auch nichts machen. Ich muss den Valdés das Geld zurückgeben. Du hast zwei Möglichkeiten: entweder du lässt es drauf ankommen, oder du versprichst ihnen, es später zurückzuzahlen, in kleinen Monatsraten, was ich dir empfehlen würde. Er lächelte. McGiver betrachtete den gesprenkelten Tisch und freute sich ebenfalls, sie waren die Einzigen, die Alkohol tranken; einige Meter entfernt saßen die Bodyguards vor ihren Coca-Colas mit viel Eis. Der Barmann füllte gerade den Kühlschrank mit Bier. Leise Musik. Hey, du, rief de la Vega, leg was ein, was mir Laune macht. Der Barmann wechselte die CD. Mal schauen, ob Ihnen die gefällt, Señorita Imelda hat sie mitgebracht.

Los Broncos, er drehte die Anlage etwas auf: *Ausencia eterna*. Der Schmuggler trank. Das Lied löste in ihm alle möglichen Gefühle aus. Und jetzt zu dem Mädchen, McGiver, warum hast du Sergio kaltgemacht? Er war ein vielversprechender Junge. Bitte vielmals um Entschuldigung, Señor de la Vega, man hat sofort gesehen, was für ein Potenzial in ihm steckt. Du hast den Bogen überspannt, McGiver, gehörig überspannt; man knallt doch nicht einfach so jemanden ab. Bitte nehmen Sie's mir nicht übel, aber als ich ihn da so munter mit seiner Pistole rumfuchteln sah, dachte ich, mein letztes Stündlein hätte geschlagen. Dass mir das nicht noch mal vorkommt, mach das nächste Mal die Augen auf, und schau dir genau an, wen du vor dir hast, kapiert? Was immer Sie sagen. Fahr zu seinen Eltern nach Guasave, übergib ihnen die Leiche, und steck ihnen eine Stange Geld zu, damit sie eine christliche Beerdigung bezahlen können. Die Leiche ist noch bei der Polizei. Dein Problem. Okay, geht klar. Aber zügig, wenn ich bitten darf, das ist das Mindeste, was du tun kannst. Sie tranken aus. Zurück zum Geschäft, vor ein paar Minuten wurde das Geld auf deine Konten überwiesen, damit du deine Leute aktivieren kannst; heute Morgen sind zwei meiner Männer hopsgegangen, wie du siehst, wird die Lage allmählich brenzlig, wir müssen uns verteidigen können. Sie verabredeten sich auf später.

McGiver ging zur Tür. Dort stoppte er, um nicht mit Richie Bernal zusammenzuprallen, der ein Gewehr umhängen hatte und ihn verblüfft ansah. Vier Bodyguards gesellten sich zu den anderen. He, Dioni, wie geht's, Bruder, alles klar? Könnte nicht besser sein, Richie, und bei dir?, wie ich höre, stehst du in letzter Zeit ziemlich unter Strom, ist was passiert? Allerdings, man hat mir mein

Mädchen gekillt, bin aber schon fast drüber weg. Liebe, die tötet, ist keine Liebe, Kumpel. Ich war völlig durch den Wind, aber das hat sich gelegt, Bruder, mal verliert man, mal gewinnt man nicht mehr. So gefällst du mir, nur nicht unterkriegen lassen. Sag mal, könntest du mir einen Gefallen tun? Wozu sind Freunde da. Es gibt da einen Bullen, einen gewissen Mendieta, genannt der Zurdo. Ist mir kein Begriff. Der Typ hat mich dumm angemacht, und ich kann ihn nicht umlegen, steht unter dem Schutz der Chefin. Verstehe, du kannst dich auf mich verlassen, aber setz dich erst mal, wir haben uns ja seit Ewigkeiten nicht gesehen. So um die achtzig Jahre nicht. Gibt's was Neues? Gestern wurde auf mich geschossen. Dieser Bulle? Wer immer es war, er wird dafür büßen. McGiver brach auf. Drei Typen in einem Pick-up, haben geballert, was das Zeug hält, zwei meiner Leute sind dabei draufgegangen. Aber du bist ihnen entwischt, Richie, bist eben ein Teufelskerl, darauf stoßen wir an. Prost.

26

Er kam früh an in Los Álamos, einem der exklusivsten Viertel der Stadt. José Antonio Lagarde, der Exmann von Anita Roy, hatte ihn für acht Uhr bestellt. Die Nacht zuvor hatte er kaum geschlafen, er war im Alexa gewesen und hatte von Escamilla erfahren, in welcher Beziehung Yoreme zu Roxana gestanden hatte: der Boxer hat sie angebetet wie eine Jungfrau. Er solle ihn anrufen, wenn Yoreme im Alexa auftauche, das Gleiche gelte für Miguel de Cervantes. Auch Rivera bat er darum. Der Apache empfahl ihm, woanders zu suchen: Die Stadt ist klein, Zurdo Mendieta, irgendwo muss er ja stecken.

Lagarde war Eigentümer einer Import-Export-Firma und sauber. Er bot ihm nicht einmal ein Glas Wasser an, was nur bedeuten konnte, dass er das Treffen so schnell wie möglich hinter sich bringen wollte. Merkwürdig, dass Sie mich in dieser Sache befragen, Detective, ich verstehe nicht, wie Sie da auf mich kommen. Mendieta beschloss, ihm richtig einzuheizen. Wenn Sie nicht verstehen, wie ich auf Sie komme, warum haben Sie dann Ihre Beziehungen spielen lassen, damit die Ermittlungen eingestellt werden? Blasses, seltsam verzerrtes Gesicht. Ich muss schon von Amts wegen ermitteln, das müssten Sie eigentlich wissen. Ich wollte meinen Sohn schützen, er sollte nicht erfahren, was mit seiner Mutter passiert ist, und außerdem kann ich tun und lassen, was ich will, ich verstehe einfach nicht, warum Sie der Fall noch interessiert. Es gibt da jemanden, der das ganz genau versteht: der, der Ihre Exfrau verstümmelt hat; Mayra Cabral de Melo wurde ermordet und ebenfalls verstümmelt, an der gleichen

Stelle. Wieder ein leichtes Zittern der Lippen. Und Sie müssten eigentlich wissen, dass die beiden sich kannten. Ich habe diese Freundschaft nie gebilligt, keine ihrer Freundschaften, auch noch, als wir längst getrennt waren. Warum haben Sie Mayra verboten, ihre Freundin bei der Beerdigung ein letztes Mal zu sehen? Das konnte ich nicht dulden, um keinen Preis, schließlich waren dort Familienangehörige versammelt, Freunde, und sie war aufgedonnert, als wollte sie gleich auftreten. Schweigen. Warum, glauben Sie, wurde sie ermordet? Gerötetes Gesicht, der Drang aufzuspringen, zitternde Lippen. Wir waren geschieden, ja, aber getötet wurde sie wegen ihres zügellosen Lebenswandels, mit jedem ist sie ins Bett gegangen, mit jedem, soll ich noch deutlicher werden? Sie war eine Nutte. Schweigen, das der Zurdo respektierte. Und diese Tänzerin genauso. Er stand auf. Er war großgewachsen, etwas zu korpulent, italienische Schuhe. Wenn die beiden ermordet wurden, hatten sie es auch verdient; Anita war ein hoffnungsloser Fall, sie hat es mit meinen Freunden getrieben, mit den Männern ihrer Freundinnen, Sie können sich gar nicht vorstellen, wie viele Ehekrisen sie verursacht hat. Mendieta blieb sitzen. Mehr habe ich nicht zu sagen. Im Fall Anita Roy wurde nie ermittelt, wissen Sie, welche Waffe benutzt wurde? Woher soll ich das wissen? Sie wurde in einer Wohnung im Zentrum aufgefunden, mit einem Schuss im Kopf und abgeschnittenen Brüsten. Wie lautet die Adresse? Keine Ahnung, es war die Wohnung dieses brasilianischen Flittchens, das sie auf Abwege gebracht hat. Mendieta saß immer noch ruhig da, er war kein Freund von Puzzlespielen, aber genau damit hatte er es hier zu tun, zwei, vielleicht drei Teile hatten gerade gepasst. Lagarde setzte sich wieder, verzerrtes Gesicht, Blick starr zum Boden gerichtet. Sammeln Sie Waffen? Ich habe noch nie eine benutzt. Genau wie Meraz und Cervantes, erinnerte sich der Zurdo. Und was ist mit den Leuten, mit denen Anita Roy was hatte? Lagarde dachte einen Augenblick nach. Weiß ich nicht. Ich will eine komplette Liste. Wie können Sie es wagen? Er ging nach drinnen und kam nach dreißig Sekunden wieder. Die Wachleute sind gleich da und holen Sie ab, und belästigen Sie mich ja nie wieder, ich will nichts mehr mit dieser Frau zu tun haben, nichts. Habe ich mich deutlich genug ausgedrückt? Der Zurdo stand auf. Ich werde es so oder so rauskriegen, und damit eines klar ist: der Hauptverdächtige in den Mordfällen an Anita Roy und Mayra Cabral de Melo sind Sie. Sein nervöses Zucken wurde heftiger. Das ist ja lächerlich, wie wollen Sie das beweisen? Indem ich Sie mit Samthandschuhen anfasse, haben Ihre mächtigen Freunde Ihnen nicht gesagt, wie die Polizei arbeitet? Als der Zurdo zu seinem Jetta ging, trafen die Wachleute ein, in einem Jeep. Lagarde gab ihnen mit einer Geste zu verstehen, dass sich das Problem erledigt hatte.

Mendieta machte erst den Motor an, dann die Stereoanlage. Es lief eine Schnulze von Lobo, die letzten Takte: *I'd Love You To Want Me*. Er suchte einen anderen Sender. Balladen, Corridos, Werbung, schließlich Quiroz, der dick auftrug: Keine Fortschritte im Fall der ermordeten Frauen, herrschen bei uns auch bald Zustände wie in Ciudad Juárez, wo mysteriöse Verbrecher schöne Mädchen ermorden? Comandante Omar Briseño erklärte gestern Nachmittag, dass er keine weiteren Informationen preisgeben könne, weil er sonst die Ermittlungen behindere; andererseits, seit der Präsident den Drogenbanden den

Krieg erklärt hat, steigt die Zahl der Toten, gestern Abend wurde am Malecón Niños Héroes gegenüber dem Constitución-Park eine Schießerei gemeldet, die etwa zwölf Minuten andauerte, ohne dass Opfer bekannt wurden. Daniel Quiroz für *Wächter der Nacht*. Es folgte ein Spot der Regierung, in dem vom Kampf gegen das organisierte Verbrechen palavert wurde. Er machte das Radio aus, wartete eine Weile, dann machte er es wieder an: *Mi corazón es un gitano* von Nicola di Bari. Er wählte die Nummer von Patricia Olmedo, aber sie ging nicht ran. Die Dame schläft wohl noch.

Dayana Ortiz empfing ihn in einem großen Büro. Sie war Publizistin. Er hatte sich nicht anmelden lassen, damit sie sich nicht vorher mit Meraz in Verbindung setzte. Luis Ángel hat mir schon gesagt, wie hartnäckig Sie sind und dass Sie kommen würden, ich soll im Zweifel von meinem Recht Gebrauch machen und die Aussage verweigern. Sie lächelte. Sie war ganz in Weiß gekleidet, elegant, sexy. Wir ermitteln im Mord an einer Frau, zu der Meraz eine sexuelle Beziehung hatte; laut einer Zeugenaussage wurde er am Sonntagabend mit ihr gesehen. Das kann nicht sein, er war mit mir in Mexiko-Stadt. Wie lange sind Sie schon zusammen? Na ja, kennengelernt haben wir uns schon vor Jahren, aber vor einem Monat etwa sind wir Partner in dieser Agentur geworden, und seit zwei Wochen sehen wir uns täglich. Dann werden Sie wohl First Lady? Drücken Sie mir die Daumen. Olivfarbene Augen. Welche Automarke fährt Meraz? Er hat zwei BMW und einen Pick-up, in den er ganz vernarrt ist. Welches Auto gefällt Ihnen am besten? Der weiße BMW, ist zwar nicht der allerneuste, aber der bequemste. Sonst noch ein Grund? Ich mag keine dunklen Autos. Schwarze schon gar nicht. Der zweite BMW ist zwar nicht schwarz, aber trotzdem schrecklich. Spannung in der Luft. Ich weiß, dass Meraz auf schöne Hintern steht, aber ich frage mich, ob er auch eine Schwäche für Brüste hat. Ich weiß nicht, worauf Sie hinauswollen, Detective, aber zu Ihrer Information: Luis Ángel ist ein Experte in Sachen erogene Zonen und sehr intuitiv; ein vielseitig interessierter Mensch also. Sie lächelte. Er ging lieber.

Er besitzt also einen dunklen, aber nicht schwarzen BMW; die Brustwarze, warum hat er ihr die Brustwarze abgeschnitten?, warum nur eine?, warum hat er sie zu diesem Grundstück gebracht? Hat er Dayana bedroht, damit sie zu seinen Gunsten aussagt? Und was ist mit Estrada?, wer hat Yolanda Estrada ermordet?

Am Nachmittag saß der Geschäftsführer des Alexa mit Gris im Verhörraum. Sie warteten lang auf Licenciado Ramírez, aber er kam nicht, und wenn sie bei ihm anrief, war immer nur die Mailbox dran. Ist Tabledance ein gutes Geschäft, Señor Carvajal? Geht so; weil die Leute sich lieber amüsieren, als gut zu essen oder sich zu bilden, können wir uns einigermaßen halten; bei allem Respekt, ohne Licenciado Ramírez würde ich ungern fortfahren. Wir haben zwei Leichen und einen Zeugen, der ausgesagt hat, dass Sie in Ihrem Etablissement das Tragen von Waffen erlauben; zwei ausgezeichnete Gründe, warum es uns einen Scheiß interessiert, ob Licenciado Ramírez hier ist oder nicht. Der Fall wurde zu den Akten gelegt, Señorita, Ramírez hat mit Ihrem Chef gesprochen. Das kümmert mich einen feuchten Kehricht, Carvajal, wann ein Fall beendet ist und wann nicht, bestimmen immer noch wir. Ich sage kein Wort mehr, bis Ramírez eintrifft, der, nebenbei gesagt, vielleicht nicht mal in der Stadt ist. Ach ja?, was Sie nicht sagen. Sie stand auf. Öffnete die Tür: Camello, sag dem Gori, er soll herkommen. Sie können mich nicht einfach so unter Druck setzen wie Ihr Kollege neulich. Ist auch nicht nötig, Hortigosa pflegt einen ganz anderen Stil; Sie haben doch in der letzten Legislaturperiode bei der Staatsanwaltschaft gearbeitet, da wissen Sie ja, wie anständig wir Polizisten sind, dass wir die Bürgerrechte achten, selbst wenn diese Bürger Beweise zurückhalten und lieber ihre Beziehungen spielen lassen, als der Gerechtigkeit Genüge zu tun. Sie schwiegen. Der Gori trat ein, ganz in Schwarz, mit einem elektrischen Knüppel, der deutlich zu sehen war. Er ging direkt zum Geschäftsführer, fesselte ihn an den Stuhl und bearbeitete, durch die Hose hindurch, die Genitalien, die Reaktion kam prompt. Okay, okay, fragen Sie, was Sie wollen. Gori, tut mir leid, bei solchen Leuten ist deine Kunst vom Aussterben bedroht. Sagen Sie so was nicht, gute Gris, wo ich mir doch so viel Mühe geben musste, um dieses Niveau zu erreichen. Grinsend ging er wieder. Der Mann ist sehr überzeugend, sagte der Geschäftsführer schwitzend. Sie ahnen gar nicht, wie überzeugend er sein kann, wie kommt's, dass die Besitzer des Alexa in der Politik mitmischen? In der letzten Legislaturperiode haben die Spitzenbeamten in zwei Branchen investiert: Tankstellen und Clubs, das Alexa ist im Besitz einer Gruppe, die von Othoniel Ramírez vertreten wird, dazu gehören, wie gesagt, Bernardo Almada, Luis Ángel Meraz und Rodrigo Cabrera, den ich Ihnen wohl kaum vorstellen muss. Der ehemalige Staatsanwalt. Der Mann, der die Kriminalitätsrate halbiert hat, aber das wissen Sie sicher besser als ich. Das waren nur Presseerklärungen; den Berichten nach waren Sie sein Einkaufschef, und José Rivera war Ihr Bodyguard, wie kam Meraz eigentlich auf die Idee, Mayra Cabral de Melo nach Mazatlán zu schicken? Carvajal schwitzte, hob den Blick zur Decke. Auf Einladung eines Freundes; Joaquín Lizárraga, der Gemeindepräsident, war der Verbindungsmann; Roxana war sehr diskret, sie hat nur gesagt, dass die Bezahlung gut war, und darum gebeten, den Job weiterhin machen zu dürfen. Wie oft ist Yolanda Estrada hingefahren? Nie, und wenn ich ehrlich bin, ist mir schleierhaft, warum sie ermordet wurde, sie war ein ganz normales Mädchen, hat sich mit niemandem angelegt und wollte sich bald aus dem Geschäft zurückziehen. Wie häufig haben die Gesellschafter die Mädchen angefordert? Wieder schwieg er. Diese Frage habe ich Ihnen schon beantwortet. Dann tun Sie's noch mal. Man wird mich dafür büßen lassen, Señorita. Wer war der Gierigste? Licenciado Meraz, drei- oder viermal die Woche. Wieso glauben Sie, dass alle Mädchen, die er bestellt hat, immer für ihn bestimmt waren? Weil er eine große Schwäche für Frauen hat, ob er sie mit anderen geteilt hat, weiß ich nicht. Auch für Yolanda Estrada? Die hat er nie angefordert, seine Favoritin war Roxana, manchmal auch Camila, die tanzen kann wie Doris Day und übrigens einen Nervenzusammenbruch hatte, seither habe ich sie nicht mehr gesehen. Und die anderen? In den vierzehn Monaten, die ich den Club leite, hat Cabrera sich das Vergnügen vielleicht sechs- oder siebenmal gegönnt, und Almada nie, der wohnt ja auch drüben. Und Sie? Ich verstehe mich einfach nur gut mit den Mädchen. Was ist mit

Miroslava? Gut, zwei-, dreimal, mehr nicht. Nie mit Mayra oder Yolanda? Nein, man darf die Ware nicht verderben. Warum geht Ihre Frau so oft ins Alexa? Carvajal zögerte, schwitzte wieder. Sie ist eifersüchtig. Gris sah ihm in die Augen. Wir glauben, dass Roxana noch andere Kunden hatte. Hören Sie, ich will die Ermittlungen nicht behindern, wirklich nicht, aber ich weiß nichts von anderen Klienten, ich kenne nur die, die ich Ihnen genannt habe; wenn ich im Alexa rausfliege, sagen Sie Ihrem Chef, er darf mir gern hier einen Posten anbieten. Wofür halten Sie uns: einen Tabledanceclub? Wo denken Sie hin, Señorita. Ich wette, dass Othoniel Ramírez den größten Frauenverschleiß hat. Carvajal stand auf, ging auf Gris zu und flüsterte ihr ins Ohr: Stimmt, und meistens kriege ich's nicht mal mit. Geht es Camila wirklich so schlecht? Ich glaube nicht, dass sie in den nächsten Tagen arbeiten kann. Sie können gehen, und sagen Sie Ramírez, dass wir noch ein, zwei Fragen an ihn haben.

Im Büro überreichte ihr Angelita ein Fax des Boxverbands, den Lebenslauf von Kid Yoreme. Er hat tatsächlich Julio César ausgeknockt, ist das nicht unglaublich? Und den Chef Mendieta. Was? Du hast richtig gehört. Der hat ja richtig was drauf. Das kannst du laut sagen. An der Wand hing immer noch das Foto von *Keine Mauer*. Angelita, ich geh jetzt los; wenn der Chef kommt, sag ihm, ich bin zum Tatort gefahren. Du siehst ziemlich mitgenommen aus, Gris, als würdest du nicht genug schlafen. Könnte was dran sein, also, bis morgen.

Im Büro von Agrarbetriebe San Esteban verteilte Esteban Aguirrebere gerade Tüten mit Gemüse an die weiblichen

Mitarbeiter, der Detective hörte seinen Ausführungen zu. Sie war eine Sexbombe, haben Sie sie nicht gekannt? Eine Frau, die einem den Verstand geraubt hat; die man an Ort und Stelle vernaschen wollte; die Frauen hier in Sinaloa sind sehr sexy, kein Zweifel, aber Mayra war ein anderes Kaliber; leider hat sie mich nie rangelassen, traurig, dass sie sterben musste; ich habe schnell begriffen, dass ich bei ihr keine Chance hatte, sie hat sich lieber die dicken Fische geangelt. Die Nacht von Sonntag auf Montag hatte er mit seiner Familie im Hotel Meliá de Cabo San Lucas verbracht, seine Sekretärin brachte die Rechnung, damit war die Sache klar. Wirklich schade um sie, Detective. Kavallerie, Mendieta sah die Nummer und drückte den Anruf weg, er stand auf. Danke, Señor Aguirrebere. Nehmen Sie ein paar Tomaten mit, beste Qualität. Er reichte ihm eine Kiste, die der Größe nach zu dem Abdruck passte, den er bei Mayra entdeckt hatte. Das würde er überprüfen. Jetzt, wo die Gemüseernte in Florida in die Grütze gegangen ist, werden wir vielleicht bald das Weiße Haus beliefern. Ich werde mir eine Salsa Mexicana kochen. Was auch immer Sie daraus machen, Sie werden begeistert sein, und nicht vergessen, frittiert sind sie ein hochwirksames Mittel gegen Prostatakrebs.

Nichts. Auch bei Miguel Ángel Canela nicht, der nervös wurde und darum bat, dass seine Frau nichts davon erfahren sollte, er hatte mit ihr das Wochenende zu Hause verbracht. Als er beim Jetta ankam, klingelte wieder das Handy, es war dieselbe Nummer. Mendieta. Ich bin's, Rodo, Detective. Hey, Rodo, wie geht's? Ich hab da ein kleines Problem, ich weiß nicht, ob Sie mitgekriegt haben, dass Gris und ich ein bisschen Zoff haben. Wie das? Eure Beziehung war doch immer wie in Stein gemeißelt.

Eine Lappalie, sie wirft mir vor, dass ich ihr noch keinen Verlobungsring geschenkt habe. Wollt ihr heiraten? Nächstes Jahr, aber, na ja, bis dahin muss noch einiges passieren, ich schaue mich gerade nach einem Häuschen um. Glückwunsch, Rodo, Gris ist eine tolle Frau. Aber sie ist stinksauer auf mich, gestern ist sie bis spät in die Nacht auf diesem blöden Ring rumgeritten, dabei habe ich ihr neulich Abend sogar ein Ständchen gebracht, hat aber nicht viel genützt, und gestern hat sie mich dann zum Frühstück eingeladen, weil ich ja von selbst nie auf so eine Idee kommen würde, und da haben wir uns schon wieder gefetzt, ich weiß einfach nicht mehr, was ich machen soll. Jemanden zu lieben heißt, dem anderen Träume zu erfüllen, guter Rodo, tauch doch mal mit einem Strauß Blumen im Präsidium auf, das wirkt Wunder, und mit dem Ring natürlich, da kommst du nicht mehr drum rum, und dann habe ich mir auch noch einen kleinen Trick überlegt, wir arbeiten gerade an einem Fall, und eine Spur führt nach Mazatlán, wo ich sie am Freitag hinschicken werde; nimm du dir den Tag frei, es gibt keinen besseren Ort, um sich wieder zu versöhnen; Pazifikküste, verstehst du, da wird sie garantiert schwach. Meinen Sie wirklich, Zurdo? Wer nicht will, der hat schon. Na gut.

Im Jetta wieder Quiroz: Die Gewalt greift weiter um sich. Allein heute wurden zwei brutale Schießereien gemeldet, eine in Tierra Blanca, auf der Avenida Universitaria, und eine auf der Avenida Obregón, in der Nähe der Lomitakirche. Die Bilanz: drei Tote bei der ersten, zwei bei der zweiten Schießerei; dazu kommen noch die vier Opfer im Drogenkrieg, die Comandante Pineda in einem Kanal am Stadtrand von Costa Rica entdeckt hat. Mehr dazu heute Abend in *Wächter der Nacht*, der Sendung von Raúl Mercado.

Diesmal ging Paty ran. Nach der Begrüßung: Paty, könntest du mir einen Gefallen tun? Sicher, Señor Mendieta, schießen Sie los. Ruf deinen Freund Marcos an und frag ihn, ob sein Vater Waffen besitzt. Waffen, Don José Antonio? Glaub ich nicht. Ich auch nicht, ein so anständiger Mensch. Und so religiös, Marcos hat sich immer beschwert, dass er mit in die Kirche musste, beichten und so, steht er denn unter Verdacht? Wo denkst du hin, wir sammeln Waffen für ein Museum, weißt du was, Paty?, du hast recht, Marcos anzurufen ist keine gute Idee, sag ihm lieber, dass er einen vorbildlichen Vater hat, der mit deinem in nichts zu vergleichen ist, hast du den Freund von dir getroffen, der dir die Pistole geschenkt hat? Nein, und selbst wenn, glaub ich nicht, dass ich ihn wiedererkennen würde. Okay, entschuldige die Störung. Kein Problem, Señor Mendieta, Sie können mich jederzeit anrufen, wenn Sie mal wieder einen meiner Freunde verdächtigen. Darauf komme ich gern zurück, an manchen Tagen produziere ich Verdächtige wie am Fließband, weißt du übrigens, ob dein Vater mal in einem Tabledanceschuppen war? Mein Vater? Kann ich mir nicht vorstellen, das wär ihm viel zu langweilig. Vielleicht mit Lagarde. Eher nicht, jedenfalls ist das kein Freund von ihm. Frag mal Marcos, womöglich weiß er da mehr als du.

Er betrat das Quijote auf der Suche nach sich selbst. An seinem Lieblingsplatz saß Gris und plauderte mit der Cocha, die ein zerknirschtes Gesicht machte. Er wartete. Nach einigen Minuten entdeckte sie ihn und winkte ihn heran. Gris hatte das Essen nicht angerührt, aber schon sieben kleine Gläser Pacífico-Bier intus. Kollegin Toledo, was feiern wir? Das Ende der Welt, Chef, das Ende von allem. Ist eine entsprechende Anzeige eingegangen? Ich habe die Anzeige selbst gestellt und selbst aufgenommen, sie zog eine Grimasse. Dieser Grillteller sieht köstlich aus, warum hast du nicht davon probiert? Leise: Um die Cococha auf die Palme zu bringen, sie sagt, er sei unvergleichlich. Der Kellner brachte ein Bier. Cococha, bring mir auch so einen Grillteller, ich will rausfinden, ob er wirklich der beste der Welt ist. Aber Gris scheint er nicht geschmeckt zu haben. Stimmt das, Kollegin? Gris probierte. Köstlich, Cococha, wirklich, der leckerste Grillteller, den ich je gegessen habe. Na also. Bring mir auch so einen und noch ein Bier, der Zurdo trank das Bier, das er in der Hand hielt, in einem Zug aus. Das Lokal platzte fast aus den Nähten vor zufriedenen Stammgästen.

Kollegin Toledo, mach dich bereit, morgen beantragst du Reisespesen, fährst nach Mazatlán und verhörst Joaquín Lizárraga, hier leben nämlich nur Unschuldslämmer. Hat Meraz Sie zu dieser Überzeugung gebracht? Nein, aber Briseño hat mir verklickert, dass der Fall ein Selbstmordkommando ist, und jetzt, wo er weiß, dass der Exstaatsanwalt einer der Mitinhaber ist, wird er noch weniger wollen, dass wir ihm auf den Zahn fühlen; also, noch ein letztes Bier und dann ab ins Bett. Und die Verkehrspolizei? Die ziehe ich persönlich aus dem Verkehr. Kavallerie. Chef, haben Sie Gris gesehen? Ich geb sie dir. Angelita, was gibt's? Rodo war hier mit einem Strauß Rosen. Wenn er noch da ist, sag ihm, er kann ihn sich sonst wo hinstecken. Ach, Gris, er ist schon wieder weg, du hättest mal sehen sollen, wie traurig er war. Von wegen traurig, ein Scheiß ist er, unzuverlässig, wie alle Männer. Sind schöne Blumen, und gut riechen tun sie auch. Wenn er sie sich nirgends hinstecken kann, soll er sie doch seiner Mutter schenken. Jetzt hör aber auf, Gris!, ihr seid doch so ein schönes Paar, er sagt, er hat dich angerufen, aber es springt immer nur die Mailbox an. Ich hab's verloren, und er soll aufhören zu nerven, von mir aus kann er verschimmeln. Gris, was sind denn das für hässliche Ausdrücke? Wir sehen uns morgen, Angelita, und lass dich bloß nicht einlullen von so einem Arschloch wie dem, Männer sind Schweine, ohne Ausnahme. Sie gab Mendieta das Handy zurück und begann zu weinen. Die Cocochha brachte ihr Servietten. Entschuldigung, Chef, ich liebe diesen Mistkerl mehr als mein Leben. Ist ja gut, mein Schätzchen, gab die Cocochha ihren Senf dazu. So sind sie eben, die Männer, Elefanten im Porzellanladen, und wir dürfen hinterher die Scherben aufsammeln.

In dieser Nacht konnte der Zurdo nicht einschlafen. Wer hat Anita Roy ermordet?, wusste Mayra, wer der Mörder war? Nicht mal der Hund bellte, nur er wälzte sich von einer Seite auf die andere. Vielleicht hatte Yolanda es gewusst. Um zwei Uhr morgens hatte er die Nase voll. Ich hoffe, diesem Arsch von Mick Jagger geht's noch beschissener als mir, wie wurde er zu dem, der er ist?, nur durch seine Songs? Musste Yolanda sterben, weil sie den Mörder kannte?; wenn wir wüssten, mit welcher Waffe Anita Roy erschossen wurde, würde uns das vielleicht ein Stück weiterbringen. Er nahm das Buch von Ribeiro zur Hand: »Offensichtlich ist das Wichtigste, das Allerwichtigste, der Besitzer des Schwanzes. Wenn er klein ist, sagen die Frauen trotzdem nicht nein, wobei er dann wenigstens schön lang sein sollte; das ist befriedigender, aus einem oder mehreren Gründen.« Er schlug das Buch zu und erinnerte sich. *Er ist Teil deines Körpers, sei stolz auf ihn. Wenn er am Anschlag ist, zeugt er von deiner Manneskraft, und als du gepinkelt hast, habe ich gesehen, dass du Linkshänder bist.* Ich kriege dich, du perverses Schwein, ich krieg dich so oder so; wenn er die Brustwarze noch hat, was machen wir dann mit ihr? Verdammter Yoreme, mal sehen, was deine Eltern mir so erzählen.

27

Die Villa der Valdés gab sich eindrucksvoll: hohe Mauer, dezent beleuchtete Kuppeln mit violetten und gelben Kacheln, zwei Ficusbäume und ein mit Blumen übersäter Garten.

Es war vier Uhr morgens, nichts rührte sich.

Die Wächter verrichteten ihre Aufgabe, ohne auf die Uhr zu sehen. Sie wussten, dass jede kleine Unaufmerksamkeit zuerst sie das Leben kosten konnte und dann Marcelo Valdés, der im Frieden seines Hauses ruhte, in irgendeinem der Zimmer. In welchem, konnte niemand mit Sicherheit sagen, denn keiner hatte je einen Fuß über die Türschwelle gesetzt. Schlief er in einem mit Sauerstoff angereicherten Zimmer? Seit Jahren ging dieses Gerücht um, aber niemand hatte es je gesehen, nur davon gehört.

Es war vier Uhr zwölf, als ein markerschütternder Schrei die dicken Mauern überwand.

Der Capo Valdés, der am Abend noch ein köstliches Rinderfiletsteak mit Guacamole, Salsa Mexicana, Perlzwiebeln und einem halben Liter Bier verspeist hatte, war friedlich in seinem Bett gestorben.

In Mariana Kellys Wohnung am Boulevard Valadés klingelte das Handy von Samantha, der Erbin von Marcelo Valdés. Dreißig Sekunden später gingen die Lichter an. Kurzes Weinen. Bewegung. Beklemmung. Luigi, Marianas Hund, beobachtete die Frauen und wedelte nicht mit dem Schwanz: er spürte, dass etwas Schlimmes passiert war.

Fünfundzwanzig Minuten später wurden die Motoren zweier schwarzer Pick-ups angelassen, die vor dem Gebäude standen. Der von Gaucho gesteuerte Cadillac XT verließ mit den beiden Frauen den Parkplatz. Dunkle Brillen, förmliche Kleidung, dezentes Make-up. Samanthas Sohn war am Morgen zuvor nach Vancouver geflogen, wo er seit dem vergangenen Sommer Englisch lernte.

Ein Pick-up vor dem Cadillac, einer dahinter.

Samantha ging noch einmal alle Punkte durch, die sie sich überlegt hatte. Sie würde eine schlichte Totenwache abhalten, ohne Pomp, ohne Aufsehen. Am Nachmittag würde sie ihren Vater in die Familiengruft überführen lassen, musikalisch umrahmt, so wie er selbst es ihr vor Jahren vorgeschlagen hatte, als er sich noch für unsterblich hielt, auch wenn er es in letzter Zeit nicht mehr erwähnt hatte. Nach dem Friedhof würde sie die Anwesenheit aller Chefs für eine Versammlung nutzen. Sie würde dic vereinbarte Aufteilung beibehalten, zumindest so lange, bis sie das Terrain sondiert hatte. Der Drogenkrieg der Regierung würde alles durcheinanderwirbeln, und die Gelegenheit musste man beim Schopf packen. Vor allem das Kartell aus den USA musste verschwinden, das stand schon mal fest, die Leute, die ihren Mann liquidiert hatten.

Nicht dass ich den Schwachkopf vermissen würde, aber hier geht es ums Prinzip, ich muss meine Autorität durchsetzen. Ihre Freundin stimmte ihr zu. Dass Samantha jetzt die Nummer eins war, erschreckte sie ein wenig, aber das würde sie nie laut sagen.

Ihre Mutter war in Tränen aufgelöst. Sie umarmten sich und weinten gemeinsam. Mariana nahm beide in den

Arm. Was machen wir jetzt, wo die tragende Säule nicht mehr steht?

Im Wohnzimmer traf sie sich mit Max Garcés, dem Chef der Bodyguards, und Eloy Quintana, dem mächtigsten Bandenführer von Sonora, der sich eher im Hintergrund hielt, dafür aber umso effizienter arbeitete und großen Respekt genoss. Garcés war um die vierzig, Quintana siebzig. Samantha legte ihnen ihren Plan dar, bat Eloy, seinen Leuten Bescheid zu sagen, und Garcés, ein Einsatzkommando zusammenzustellen, damit alles reibungslos über die Bühne gehen konnte.

Die Angestellten des Bestattungsunternehmens trugen die Leiche heraus. Minerva überreichte ihrer Tochter ein Kästchen mit Schmuck, der dem Toten mit auf den Weg gegeben werden sollte.

Vier schwarze Pick-ups schlossen sich dem Trauerzug an.

Die Einbalsamierer zündeten sich Zigaretten an, tuschelten, gaben sich ganz locker. So werdet ihr nicht mit ihm umgehen, ihr Scheißkerle, blaffte Samantha sie an, wisst ihr, wer das ist? Die Männer schüttelten verblüfft die Köpfe. Das hier ist Marcelo Valdés, und ich will, dass ihr ihn als das behandelt, was er war: ein großer Mann; es gibt nur einen, den ihr noch besser behandeln würdet: Gott selbst. Sie holte eine Handvoll Dollars hervor und steckte sie ihnen zu. Dann überreichte sie ihnen das Kästchen. Hier ist sein Schmuck, wehe, es kommt auch nur ein Stück abhanden, sie öffnete es. Mineralisches Leuchten: ein Rosenkranz aus Smaragden, mit Edelsteinen übersäte Ringe und Armreife. Die Männer machten ihre

Zigaretten aus. Entschuldigen Sie, Señora, keine Sorge, Don Marcelo war das Größte, was diese Erde je hervorgebracht hat, wir wissen, was wir ihm schuldig sind. Das will ich euch auch geraten haben. Sie verließ den Raum. Der Erste, dem sie begegnete, war ein kleinlauter Richie Bernal, sie sah ihn durchdringend an. Geh mir aus den Augen, du Trottel, mit dir habe ich noch ein Hühnchen zu rupfen. Bernal senkte den Kopf und trat beiseite. Festen Schrittes ging sie weiter. Max Garcés, der wie ihr Vater aus Badiraguato stammte, war ihr Schatten.

In diesem Moment des anbrechenden Tages fuhr ein dunkles Auto langsam an der Saatguthalle vorbei. Der Fahrer hielt nicht an. Er sah auch nicht die brennende Zigarette, die in dem angrenzenden Gebäude etwas länger glühte als gewöhnlich.

28

Von Roxana kenne ich mindestens drei Düfte. Er stand auf dem Parkplatz der Rechtsmedizin und konnte sich nicht dazu durchringen, ihre Leiche anzusehen. Was ist nur los mit mir?, bin ich plötzlich eine Memme?, will ich ihren Mörder finden oder nicht?, hat er auch Anita Roy umgebracht? Der Schreck, den ich Lagarde eingejagt habe, hat nichts genützt. Was soll es bringen, dass ich sie mir ansehe? Vielleicht weiß Rivera was. Gris hat recht, es war ein Mann, der das Poster der Seleção zerrissen hat, ein Schwein, das sie zu Hause aufgesucht hat, das mit ihr geschlafen hat in diesem Meer ihrer selbst. Und er hat eine vierzig mal vierzig Zentimeter große Kiste mitgenommen, der Abdruck auf dem Teppichboden ist deutlich zu sehen. Außerdem hat er ihr eine Brustwarze abgeschnitten. Er rief im Präsidium an. Angelita, ist Gris da? Nein, noch nicht. Wie das?, es ist elf. Sie hat heute früh angerufen, offenbar hat sie gestern einen über den Durst getrunken, das mit den Spesen für Mazatlán hat sie mir aber gesagt. Der Terminator und Camello sollen bei mir zu Hause eine Kiste abholen, Ger weiß Bescheid.

Hat sie Anita Roy gelegentlich ihr Bett überlassen? Gut möglich, und wenn der Besitzer der Kiste ein Freund von Anita war?, und wenn es ein und derselbe ist?, kannten Aguirrebere oder Canela Anita? Paty Olmedo hat mir ein Foto mitgebracht, wirklich eine schöne Frau; hat gut daran getan, sich von Lagarde zu trennen, so ein fader Typ; wenn sie vorher ein ganz normales Leben geführt hat, woher kam dann plötzlich diese Lust auf Sex? Vielleicht war sie schon immer so gewesen; sie muss Yhajaira gekannt haben, bestimmt, sie hat ja ihren Geburtstag dort gefeiert, und Rivera war auch dabei; ich muss noch mal mit ihm reden, wahrscheinlich weiß er mehr, als er zugegeben hat, was hat er überhaupt zugegeben? Nichts. Ob Yolanda mir irgendeinen Hinweis geben kann?

Neben ihm standen ein Leichenwagen des San-Chelín-Bestattungsunternehmens und zwei typische Narco-Schlitten. Leo McGiver kam aus dem Gebäude, gefolgt von zwei bedrückt aussehenden Leuten mittleren Alters, typischen Campesinos. Es waren die Eltern des Muerto, McGiver erfüllte gerade sein Versprechen, ihnen die sterblichen Überreste zu übergeben. Mendieta beobachtete, wie die Mitarbeiter des Beerdigungsinstituts die Leiche heraustrugen, und eine Ahnung überfiel ihn. Er stieg aus. Moment mal, Jungs, wen habt ihr da? Ohne die Antwort abzuwarten, hob er das Laken hoch und erkannte das Gesicht, sie zeigten ihm die Sterbeurkunde und die Genehmigung, die Leiche abholen zu dürfen. Die Eltern kamen hinzu. Kann ich Ihnen helfen, Señor? Edgar Mendieta von der Bundespolizei, sind Sie die Eltern von Sergio Carillo? Ja, Señor. Was hat Ihr Sohn beruflich gemacht? Die Eltern sahen sich erst gegenseitig an, dann McGiver, der neben einem grauen BMW wartete. Man hat ihn mir umgebracht, sagte die Frau nüchtern, dabei war er so ein guter Junge. McGiver kam näher. Gibt es ein Problem? Ich fragte gerade, was der Junge beruflich gemacht hat. Der Herr ist von der Polizei, stammelte der Vater. Ah, sehr erfreut, Leo McGiver, der Junge hat als Angestellter gearbeitet. Bei wem? Dem Schmuggler wurde klar, dass er aus der Nummer nicht so leicht rauskommen würde. Darf ich Sie kurz unter vier Augen sprechen, Señor ... Detective Mendieta. Die beiden sind in tiefer

Trauer, und ich möchte ihnen nur ungern noch mehr zumuten. Sie traten beiseite. Mendieta fühlte sich unbehaglich. Warum interessieren Sie sich für den Jungen, Detective Mendieta? Ich habe ihn im Hotel San Luis tot aufgefunden. McGiver musterte ihn und wusste, dass er nicht um den heißen Brei herumreden durfte. Er war einer von Dioni de la Vegas Leuten, Dioni hat mich gebeten, den Eltern die Leiche zu übergeben; soweit ich weiß, liegt keine Anzeige gegen ihn vor, und die Eltern wünschen sich schlicht und einfach ein christliches Begräbnis. Sind Sie Anwalt? So was Ähnliches. Dann wissen Sie ja, dass ein Mord von Amts wegen untersucht werden muss. McGiver zog eine Grimasse, die besagen sollte, dass manche Dinge überflüssig waren. Wissen Sie, was der Junge in dem Hotel wollte? Hat man mir nicht gesagt, und ich habe auch nicht gefragt. Wo leben die Eltern? In Guasave, dort soll er auch begraben werden. Hat man ihn El Guasave genannt? Moment bitte. McGiver erkundigte sich bei den Eltern und kam wieder zurück. Irgendwas stimmte hier nicht, aber er konnte es nicht benennen. Sie wissen es nicht, tja, so sind die Leute manchmal. Haben Sie eine Visitenkarte? Natürlich, sind Sie zufällig aus Col Pop? Der Zurdo bemerkte McGivers Grinsen, und es passte ihm nicht. Misstrauisch nahm er das Kärtchen entgegen. Nein, Sie? Sagen wir so, ich hatte mal einen Freund, der hieß genau so wie Sie. Was Sie nicht sagen. Und ein anderer Freund von mir kennt Sie. Wer? Fabián Olmedo. Aha. Sein Handy, Gris auf dem Display. Sie können ihn mitnehmen, sagte der Zurdo zu McGiver, der sich sofort den Eltern zuwandte. Er roch nach Chloroform. Danke, Detective, übrigens, seien Sie auf der Hut, die nächsten Tage könnten turbulent für Sie werden.

Chef, ich habe den Fußballer hier, Marcelino Freire. War dir nicht sterbenselend zumute? Ach was, kaum hatte ich mit Angelita telefoniert, stand Rodo mit Blumen vor der Tür und hat mich ausgeführt, zum Meeresfrüchteessen: erst eine Aguachile und dann eine Campechana, und schon war ich wie neugeboren. Wo seid ihr hin? Zu Puye, kennen Sie das? Ist direkt am Rondell La Canasta, wenn ich mich nicht irre. Genau, eine Frage, könnte Rodo mit nach Mazatlán? Sag mal, Kollegin, du sollst arbeiten, nicht Urlaub machen. Seien Sie nicht so, er freut sich drauf, ich verspreche Ihnen, mich besonders ins Zeug zu legen; muss ich mich bei Noriega melden? Allerdings, und deshalb scheint es mir auch keine gute Idee, deinen Verlobten mitzunehmen, seid ihr denn nicht mehr verkracht? Wir sind dabei, uns wieder zu versöhnen, und da kämen uns ein paar Tage in Mazatlán gerade recht. Von mir aus, Gris, aber wenn das rauskommt, kriegen wir Ärger, was ist mit Freire? Netter Typ, soll ich auf Sie warten? Ich fahre jetzt los ins Präsidium, er dachte: wozu die Leiche ansehen?

Er rief Noriega an. Mensch, Zurdo, ist ja ewig her! Warst du in der Zwischenzeit schön brav? Wie geht's meiner Braut? Bildhübsch, rosiger Teint, schmachtend. Schick Sie her, Kumpel, diese Frau verdient es, glücklich gemacht zu werden; man lebt nur einmal, und unser Job ist knallhart, wenn wir uns nicht ab und zu entspannen, enden wir alle in der Klapse. Deswegen rufe ich an, wir haben hier zwei ermordete Tänzerinnen, eine davon, Mayra Cabral de Melo, hatte Kunden in Mazatlán, engagiert wurde sie von einem gewissen Joaquín Lizárraga, der sein Büro neben der Buchhandlung La Casa del Caracol hat. Ah, ich weiß schon, die Inhaberin heißt Laura und ist so lala. Wir wollen wissen, für wen Mayra getanzt hat; morgen kommt Gris Toledo, wenn du vorher noch die Namen rauskriegst und die Betreffenden befragst, habt ihr mehr Zeit füreinander. Super Idee, hör mal, das mit dem Krieg ist eine schöne Scheiße, oder? Heute sind sieben Leichen aufgefunden worden, an der Straße zum Flughafen. Ja, als wäre die Schonzeit aufgehoben.

Der Fußballer hatte nicht gewusst, dass Mayra tot war, aber er kannte ihre Geschichte: sie war Mexikanerin, ihr Vater ein Brasilianer, kennengelernt hatte er Mayras Mutter während der Fußball-WM '86; aufgewachsen in São Paulo, wo ihre Mutter einen Imbiss betreibt, mexikanisches Essen und Bier; traurig, wirklich traurig, dass sie tot ist. Der Fußballer trug Sportkleidung und sah eher nichtssagend aus. Wann hast du sie kennengelernt? Vor anderthalb Monaten. Bevor oder nachdem du den Elfmeter verschossen hast? Freire sah sie an. Vorher. Bist du jeden Abend ins Alexa gegangen? Nein, nur wenn wir was zu feiern hatten, aber ihr wisst ja selbst, dass es nicht rund läuft bei der Mannschaft. Sie hat dich bestimmt bei sich zu Hause empfangen, schaltete sich der Zurdo ein. Nein, nie, es ging über den Club, eine Frau dort hat das alles geregelt. Was müsste passieren, damit du ein Foto der Seleção zerreißt? Ich? Das würde ich niemals tun, die Nationalmannschaft ist heilig, das wäre ein Sakrileg. Sie unterhielten sich rund zwanzig Minuten lang, ohne dass so etwas wie ein Schuldgefühl erkennbar wurde, dann sagten sie auch ihm, dass er die Stadt nicht verlassen dürfe, erteilten ihm aber eine Sondererlaubnis für das Auswärtsspiel in Léon, Guanajuato.

Bevor Sie gehen, schauen Sie sich bitte noch die Akte von Kid Yoreme an. Alles klar; wir müssen auch noch

Othoniel Ramírez befragen, der Typ weicht uns aus. Schick einen Streifenwagen zu ihm, bevor Briseño uns einen Riegel vorschiebt. Wir haben jetzt die Fotos der Reifenspuren, was sollen wir mit der Kiste machen, die wir bei Ihnen abgeholt haben? Fahrt mit ihr zu Mayras Wohnung, neben dem Fenster ist ein Abdruck auf dem Teppich, überprüft mal, ob die Größe passt.

Er schlug die Mappe mit Kid Yoremes Lebenslauf auf.

Name: José Ángel Camacho Arenas

Geburtsort: Culiacán, Sinaloa

Kampf über drei Runden im Revo. Wir waren damals Rotzlöffel. Ich hatte zwanzig Siege auf dem Konto, durch meine Spezialität, den Uppercut. Julio hatte ebenfalls zwanzig, durch diese Hammerschläge, die ihm keiner nachmacht, wir waren also beide noch ungeschlagen. Vor dem Kampf kommt er an und sagt: Yoreme, ich glaub nicht, dass ich dich heute packe, deine Schläge sind wie Maultiertritte, und ich hab die ganze Nacht mit einer scharfen Braut gevögelt, kein Auge hab ich zugetan, stehe völlig neben mir. Dann hat er sich hingekniet und sich fallen lassen, als hätte ich ihn ausgeknockt. Wie benommen war er, als er wieder auf den Beinen war, und hat weiter auf mich eingequatscht. Ich will Weltmeister werden, das Zeug dazu habe ich und den Ehrgeiz auch, aber heute Abend hast du mich in der Hand. Er hat mir sogar die Bandagen geküsst. Mann, wie konnte ich da nein sagen, er hätte fast geheult, plötzlich kommt sein Manager rein. Was machst du hier? Ich hab ja gleich gesagt, dass dieser Prol nichts taugt. Geh zurück in deine Umkleide. Du lässt ihn heute gewinnen, kapiert?, hat er zu mir gesagt, niemand wird Julio aufhalten, weder du noch der Azabache Martínez, also komm uns ja nicht in die Quere.

Okay. Erst hab ich es bereut und geheult. Später habe ich eingesehen, dass der Typ ein wahrer Champion war, dass ich zwar ebenfalls das Zeug dazu hatte, wie er es ausdrückte, aber nicht den nötigen Ehrgeiz; ich hab all seine Kämpfe verfolgt, all seine Erklärungen, sogar den Film von Diego Luna hab ich mir angeguckt. Immerhin komme ich auch drin vor.

Im Los Mochis habe ich auch mal geboxt, aber da lief's nicht gut, also wollte ich nie wieder hin. Im Revo ist mein Stern aufgegangen, und im Revo ist er wieder erloschen, wie eine Rakete kurz vorm Aufprall.

Yoremes Eltern wohnten im Stadtteil Libertad, der Zurdo fuhr hin.

Ein alter Mann mit dunklem ledernem Teint saß in einem Schaukelstuhl auf der Veranda und trank Kaffee. Guten Abend, riecht gut. Hilft gegen Albträume, Sie sind nicht von hier, oder? Und Sie sind Don Miguel Camacho, richtig? Zu Diensten. Frau, bring dem Herrn einen Kaffee. Kommen Sie, setzen Sie sich. Er deutete auf einen metallenen Schaukelstuhl. Eine ebenso dunkle Frau brachte eine Tasse, lächelte kurz und ging wieder. Mendieta probierte den Kaffee. Unauffällig beobachtete der Mann alle seine Bewegungen. Komisch, Sie scheinen mich erwartet zu haben, sagte er mit einem Lächeln, der Blick des Alten war wie aus Stahl. Man zeugt sie, und dann schaffen sie sich von ganz allein ihre Dämonen, wobei das in diesem Fall gar nicht stimmt, manchmal lässt das Leben auch nicht mehr zu. Wissen Sie, wo er ist? Nein, das habe ich neulich auch dem Licenciado gesagt, das letzte Mal gesehen habe ich ihn vor drei Monaten. Frau!, rief er. Die Señora kam wieder heraus. Wann haben wir José Ángel das letzte Mal gesehen? Vor drei Monaten und sieben Tagen. Ist gut. Die Frau verschwand wieder. Mütter führen immer Buch über so was, ich weiß nicht, ob er tot oder lebendig ist, habe ich dem Licenciado gesagt, quicklebendig ist er, hat er gemeint, und ich darauf, wir wüssten nicht mal, dass er in der Gegend ist, ich dachte, er wäre irgendwo im Norden, wie dem auch sei, was hat er jetzt wieder ausgefressen? So gefragt war er noch nie, nicht mal damals, als er noch geboxt hat. Der Zurdo nahm einen Schluck und dachte nach. Der Kaffee ist ausgezeichnet. Ist mir ein Vergnügen, aber ich wäre Ihnen dankbar, wenn Sie meine Frage beantworten würden, der Licenciado hat gesagt, er hätte nichts verbrochen, aber dann kann ich mir nicht erklären, warum so viele Leute hinter ihm her sind. In welchem Kampf hat er Julio César Chávez k.o. geschlagen? Wie kommen Sie darauf, dass er ihn k.o. geschlagen hat?; mein Sohn hat noch nie was zustande gebracht; er hat geboxt, ja, aber nur hier im Viertel, bedeutungslose Kämpfe, wer hat bloß dieses Gerücht in die Welt gesetzt? Hat der Licenciado gesagt, warum er ihn sucht? Es ging um Arbeit, mein Sohn hat kleine Reparaturen für ihn erledigt, Handwerkerjobs, einmal auch in einem dieser Schuppen, in dem Mädchen nackig tanzen. Heißt dieser Schuppen zufällig Alexa? Weiß ich nicht, jedenfalls heißt der Licenciado Othoniel Ramírez, daran kann ich mich genau erinnern, weil ein Kumpel von mir auch so heißt. Wann war das? Letzte Woche, am Freitag. Danke, Señor Camacho, ich bin von der Bundespolizei, aber keine Angst, gegen Ihren Sohn liegt nichts vor, ich will ihm nur ein paar Fragen stellen.

Es wäre gar nicht so schlecht, wenn Sie ihn verhaften würden, dann wüssten wir wenigstens, wo er ist. Wollen wir hoffen, dass es nicht so weit kommt, hier ist meine

Handynummer; wenn er auftaucht, sagen Sie ihm, er soll mich anrufen. In Ordnung, hat Ihnen der Kaffee wirklich geschmeckt? Sehr sogar, hoffentlich meldet sich Ihr Sohn bald bei mir, damit ich noch mal in den Genuss komme. Schauen Sie vorbei, wann immer Sie wollen, es wird mir ein Vergnügen sein, Ihnen eine Tasse anzubieten. Er musste an seine Mutter denken. Manche Menschen haben ihre Eltern nicht verdient.

Es war neun Uhr, als er im Club Sinaloa eintraf. Auf dem angrenzenden Parkplatz fielen die vielen dunklen Fahrzeuge ins Auge. Diese Tür hatte er noch nie durchschritten, noch nie diese aufwändig beleuchteten Gärten gesehen. Er berauschte sich an den Blumendüften, an dem Platschern der Brunnen. Plötzlich fiel ihm etwas ein: McGiver, er hatte merkwürdig gerochen, nach Chloroform, aber auch nach ... Hugo Boss?; so hatte es auch in dem Zimmer gerochen, in dem man den Muerto aufgefunden hatte; ein Allerweltsparfüm? An der Tür stellte sich ihm ein Mann im Anzug in den Weg. Er zeigte seinen Polizeiausweis. Licenciado Meraz hat uns angefordert, wir sollen uns immer in seiner Nähe halten. Augenblick. Er führte ein internes Telefonat. Sie können rein, die Jungs warten im Nachbarzimmer auf ihre Chefs, erlaubt sind nur Kaffee und Softdrinks.

Durch eine angelehnte Tür erhaschte er einen Blick auf die nervösen Bodyguards; offensichtlich litten sie darunter, dort nicht rauchen zu dürfen. Das nächste Zimmer. Er öffnete die Tür einen Spalt breit: hohe Tiere, die rauchten, tranken, aßen und plauderten. An einem Tisch in der Nähe des Eingangs unterhielten sich Meraz, der Exstaatsanwalt Cabrera, Fabián Olmedo, Adán Carrasco und der Abgeordnete Vinicio de la Vega, der Bruder von Dioni. Carrasco kannte der Zurdo nicht.

Er bemerkte, dass er ziemlich neben der Spur war, nicht mal eine Pistole oder Handschellen hatte er dabei. Plötzlich fühlte er sich merkwürdig: wer war er denn, um bei den mächtigsten Männern des Staates einfach so reinzuplatzen und für Aufruhr zu sorgen? Ich bin doch nur ein Bulle, und selbst da bin ich mir nicht mehr so sicher; habe ich armes Würstchen das Recht, eine Versammlung zu stören, auf der alle Spaß haben? Ich bin ein Versager, ein Idiot, der den anderen den Sauerstoff wegnimmt, was habe ich aus meinem Leben gemacht? Nichts, meinen Daumen gelutscht habe ich und den Mond angebellt. Ein Typ, der nicht wählen geht, der keine Gehaltserhöhung fordert, der keine Briefe schreibt, der keine E-Mail-Adresse hat, der nicht gereist ist, der weder an Gott noch die Kirche glaubt, ja nicht mal an Scheißufos, die den Mond rot färben. Ein Typ, der immer alle im Stich lässt, der auf der Beerdigung seiner Mutter seinen einzigen Bruder nicht erkannt hat, ein Trottel, der keine Frau hat und schon nicht mehr weiß, wie man vögelt. Habe ich wirklich das Recht, da reinzugehen und zu Meraz zu sagen: Jetzt bist du dran, du Wichser? Neben diesen Leuten bin ich doch eine Null vor dem Komma, ich werd nie so lachen können wie die, nie die Welt so sehen wie die, eine Stimme holte ihn zurück: Detective, warum stehen Sie denn vor der Tür? Ah, Señor Aguirrebere, ich wollte mich bei Ihnen für die Tomaten bedanken, sind wirklich köstlich. Wollen Sie nicht reinkommen? Nein, danke, ich wollte gerade gehen; eine Frage, kannten Sie Anita Roy? Der Unternehmer machte ein schelmisches Gesicht und flüsterte ihm ins Ohr: Sie war eine Granate, dann öffnete er die Tür und trat ein. Meraz erstarb das Lächeln, als er den Zurdo sah; er stand auf und ging. Guten Abend,

Licenciado. Sagen Sie bloß, Sie sind meinetwegen hier. An dem Tag, an dem ich Ihretwegen komme, werden Sie es nicht mitkriegen. Wieso so streitsüchtig, Detective? Überlegen Sie doch mal, wieso hätte ich Roxana umbringen sollen, wo wir doch so viel Spaß miteinander hatten? Und wie kommen Sie darauf, dass ich gegen Sie ermittle? Gegen wen dann? Ich kann mir nicht vorstellen, dass einer der Anwesenden Stammkunde bei Roxana war. Wenn der Mörder hier ist, bin ich hinter ihm her, wenn nicht, habe ich mich nur hierher verirrt. Dayana hat mir von ihrer Begegnung mit Ihnen berichtet, wollen Sie was trinken? Vielen Dank, aber ich muss los. Und nicht vergessen, mein Angebot, Roxanas Leiche zu überführen, steht nach wie vor, sogar die Freunde aus Mazatlán haben gespendet. Wie großzügig, sagte der Zurdo, während er dachte: Der Typ will mich einwickeln, aber das kann er sich abschminken. Trotzdem war er ganz durcheinander, als er zum Ausgang ging.

Er fuhr zum Alexa, um noch einmal mit dem Apachen zu sprechen. Mein Zurdo, ich verstehe nicht mehr, was die Scheibe mir sagen will, wenn es darauf weiter so drunter und drüber geht, wird sie noch bersten. Soll sie doch; dann bestellen wir eine neue, eine, deren Botschaften klarer sind. Du redest schon wie der Chef vom Alexa, Zurdo Mendieta; apropos Sonntag, er betrachtete seinen linken Arm, ich habe mit Doris gesprochen, sie hat mir erzählt, dass sie den Betreffenden mit ihr gesehen hat, aber das glaube ich nicht, der Pick-up hatte die gleiche Farbe, weiß, und es war die gleiche Marke, aber ein anderes Modell, und außerdem war das Nummernschild nicht aus Sinaloa. Sie ist ausgestiegen, stimmt's? Ja, aber er nicht, und dann ist Roxana wieder eingestiegen, und sie sind weggefahren. Wie viel Uhr etwa? Er hatte es sich auf den Arm notiert. Gegen elf. Warum hast du mir das nicht schon früher gesagt? Ich habe Gedächtnislücken, mein Zurdo, als es mir wieder einfiel, habe ich es hier draufgeschrieben. Mendieta warf einen Blick auf das Gekritzel. Wie oft wurde sie in diesem Pick-up abgeholt? Hm ... ich weiß nur, dass der, der sie gebracht hat, es sich anders überlegt hat. Wie war Roxana angezogen? Sexy, knappes Blüschen, Minirock; mein Zurdo, lass mich jetzt bitte allein. Der Apache richtete seine ganze Aufmerksamkeit auf die Scheibe, presste die Lippen aufeinander, kniff die Augen zusammen. Da ist sie, die Hure, diese Nutte, diese ... ich kann dich einfach nicht vergessen. Der Zurdo sah nicht, was der Apache sah, und zog sich zurück.

Sie hatte diese Sachen also auch noch an, als sie ermordet wurde, wann ist sie dann in das andere Auto gestiegen?, zum selben Mann oder zu einem anderen? Wenn es nicht Meraz war, wer war es dann?, wer saß in dem Wagen?, was für ein Auto fährt Miguel de Cervantes? Escamilla hatte ihm gesagt, dass der Spanier nicht wieder aufgetaucht war, dafür Kid Yoreme, und der hatte nach ihm gefragt, war nach zwei Gläsern Bier aber wieder gegangen. Komisch, dass er mich sucht. Und Rivera? Ist noch nicht hier, ich habe ihn gerade angerufen, seine Frau sagt, er sei seit heute Morgen unterwegs. Ich habe das Gefühl, dass er ziemlich durchhängt, woher nimmt er eigentlich das Geld für seine teuren Parfüms? Der Kellner zuckte die Achseln. Wie gesagt: ich höre nichts, sehe nichts, sage nichts. So, so, sei froh, dass ich nicht beim Drogendezernat arbeite, kannst du dich an die Adresse des Dichterspaniers erinnern? Nichts leichter als das. Er nannte ihm Straße und Hausnummer. Es ist ein weißes Haus mit kleinen

Fenstern. Woher weißt du das so genau? Ich habe Roxana mal hingebracht. Wer hat dir die Adresse gegeben, Elisa oder Roxana? Roxana, aber das ist Schnee von gestern, sagen Sie bloß Elisa nichts davon, sie ist ziemlich rachsüchtig; an dem Abend wollte sie weder mit Meraz noch mit Richie mitgehen. Die standen beide gleichzeitig auf der Matte? Unglaublich, nicht? Mitgehen wollte sie mit dem, der nicht da war, Frauen sind schon merkwürdige Geschöpfe.

Das Haus war dunkel. Er drückte die Klingel. Nichts. Die Türklinke, auch nichts. Leere Garage. Die kleine Terrasse, wo er das Fußballspiel und den Gärtner gesehen hatte, fiel ihm ein. Er ging um das Haus herum, da war sie, ein gemütlicher Ort, mit zwei bequemen Ledersesseln vor einem riesigen Fernseher. Dazwischen, auf einem kleinen Tisch, eine Fernbedienung, eine leere Brandyflasche und ein Glas. Er schnupperte an dem Glas, aber es roch nach nichts. Weiter hinten war ein Fahrradweg, auf dem gerade drei Frauen auf einem Quad entlangröhrten; dahinter ein Kanal, in dem das Wasser nur spärlich floss. Er versuchte es an einer Glastür: verschlossen. In seiner Brieftasche suchte er nach der Visitenkarte von Cervantes, rief an, aber er hörte nirgends ein Klingeln. Wahrscheinlich komme ich auch hier nicht rein, wahrscheinlich ist das alles nur sinnlose Beschäftigungstherapie, wahrscheinlich mache ich mich hier nur lächerlich; wie meine Vorfahren, die von den Spaniern nach Strich und Faden verarscht wurden; aber das waren wenigstens echte Kerle, während ich nur ein Idiot bin, und Parra wie vom Erdboden verschluckt.

Er sah den Gärtner, der gerade einen Schlauch an einen Rasensprenger anschloss. Rauchen Sie? Hab vor Jahren aufgehört. Hören Sie, ich suche einen Kumpel, der hier wohnt, wissen Sie, wo er ist? Gesehen habe ich ihn zum letzten Mal am Montagabend, da hat er Fußball geschaut. Seither nicht mehr? Der Gärtner sah ihn lange an. Keine Angst, ich bin gestern aus Madrid gekommen und habe ein Geschenk seiner Frau für ihn. Heutzutage weiß man nie; sind Sie Spanier? Mexikaner. Nein, seither habe ich ihn nicht mehr gesehen. Und vorher? Sind Sie wirklich kein Polizist? Wollen Sie mich beleidigen?, ich hasse Bullen. Ich auch, die haben meinen Sohn verhaftet, vor Jahren schon, und seitdem hab ich nichts mehr von ihm gehört. War bestimmt ein guter Junge. Studentenführer war er, ich habe nie verstanden, was daran falsch gewesen sein soll, er hat doch nur von einer besseren Welt geträumt. Mein großer Bruder musste auch flüchten und kann bis heute nicht zurück. War er auch ein Studentenführer? Guerillero. Wenn Ihnen nach einer Zigarette ist, mein Kollege raucht, dafür müssten wir allerdings nach San Agustín fahren, das ist das Viertel gleich an der Autobahnabfahrt. Machen Sie sich keine Umstände, der Mann, den ich suche, ist nicht da, Sie haben ihn am Montag zum letzten Mal gesehen, also werde ich einfach seiner Frau eine Nachricht schicken. Am Sonntag war er auch da; ist ein großer Fußballfan und lässt sich kein Spiel entgehen; und gesungen hat er, in einer merkwürdigen Sprache. Ach, das Spiel habe ich auch gesehen, die Partie um halb elf, oder? Genau. Ging spät zu Ende, weil es im Stadion zu Randale kam und sie erst warten mussten, bis die Leute sich beruhigt hatten, so gegen ein Uhr morgens. Da war er nicht mehr hier; ich bin nämlich auch Nachtwächter, um diese Uhrzeit habe ich meine Runde gedreht. Vielleicht ist er wegen der Randale ins Bett gegangen. Kann sein, aber er schläft eigentlich wenig, oft ist er hinterher noch auf dem Fahrradweg spazieren gegangen, manchmal hat er auch auf dem Handy telefoniert. Abgesehen davon, dass ich ihm ein Geschenk übergeben soll, hätte ich mir gern mal seinen Wagen angesehen, ich glaube, er will ihn verkaufen. Schönes Gefährt. Bisschen dunkel, die Farbe, oder? Wirkt nur nachts so, eigentlich ist es ein helles Grün.

Der Zurdo dankte dem Mann und brach auf. Nur gut, dass du dich an ihre Burstwarzen erinnert hast, du Arsch, und auch dass du ihr eine abgeschnippelt hast; aber ich werde dich kriegen, früher oder später werde ich dich kriegen.

29

Win Harrison rief LH an, mit einem normalen Handy, das abgehört wurde, aber so viel Geräusche machte, dass die Techniker die Lautstärke runterdrehten und das Gespräch nicht meldeten. Es war Mitternacht, die Überwachung der Agenten war eine Routineangelegenheit und verlief ohne besondere Vorkommnisse. Was für eine Überraschung. Geht's dir gut? Besser denn je. Hör mal, ich habe mich in Edgar Mendieta verliebt, aber er will partout nicht nach Los Angeles kommen. Was sagst du da?, ausgerechnet in diesen Blödmann, wo ich doch so hübsch und verfügbar bin und außerdem gleich um die Ecke wohne? Gottes Wege sind unergründlich. Siehst du, warum man am Ende immer schlecht über die Frauen denkt? Frauen können sich einfach nicht richtig verlieben. Männer auch nicht, und Edgar ist noch dazu schüchtern, er hat Angst, sich mit mir zu treffen, sagst du ihm Bescheid, dass ich komme? Ich kann doch keinen Idioten anrufen, den ich noch dazu hasse, wie kannst du es wagen, so was von mir zu verlangen? Er legte auf. Win lächelte, zog sich etwas Bequemes an, verband einen Multiple-Voice-Anrufbeantworter mit ihrem Handy und Festnetztelefon und platzierte beide nebeneinander; dann vergewisserte sie sich, dass auf ihrem Laptop ein Foto der Attentäter war, das nicht in den Medien auftauchen würde, machte sich ein Sandwich mit Schinken, Käse, Mayonnaise und Essiggurken; sie steckte genügend Geld und einen Satz Visitenkarten auf den Namen Jean Pynchon ein und verließ das Gebäude über die Feuertreppe. Sie hoffte herauszufinden, warum Donald Simak Mexiko so sehr gehasst hatte, wo es doch ein so schönes und geheimnisvolles Land war. Zumindest schien ihr das so, sie hatte sich schon zweimal in der Sonorawüste und einmal in Mexiko-Stadt verirrt; aber Simak hatte kein Erbarmen gekannt: Dieses Land ist unerträglich, nichts als korrupte, faule, verlogene, aufgeblasene Emporkömmlinge. Wo bitte schön ist das anders? Wenn die Mexikaner ihn getötet hatten, würde sie ihnen das nie verzeihen, aber sie hatte so ihre Zweifel; sie fuhr nicht nur nach Mexiko, um den Mörder zu finden, vielmehr wollte sie das Knäuel entwirren, den Anfang des Fadens finden, und dafür konnte sie nicht auf den Apparat des FBI zurückgreifen, denn dort hatte man alle Beweise über eine Verbindung zu Simak gelöscht, wieso eigentlich? Das kam schon mal vor, aber normalerweise ging es nicht so schnell, und dass Barrymore dahintersteckte, schien ihr unwahrscheinlich. Während sie mit ihrem Rucksack bepackt nach draußen ging, gestand sie sich ein, dass sie persönliche Gründe hatte, und spürte einen Schauder. Sie nahm ein Taxi zum Busbahnhof. Sie hatte Zeit, morgen früh würde sie in Tijuana ein Flugzeug nach Culiacán nehmen. Zwar kannte sie den Zurdo nicht, aber dass er ein Freund von LH war, sprach für ihn, außerdem deutete seine Akte darauf hin, dass sie ihm vielleicht vertrauen konnte.

30

Sieben Uhr morgens, er rief Gris an, bevor sie nach Mazatlán aufbrach. Blöde Spanacken, immer noch keine Antwort, wahrscheinlich gucken die rund um die Uhr Fußball. Auf meinem Schreibtisch liegt die E-Mail-Adresse, an die ich meine Anfrage geschickt habe. Ich schick sie einfach noch mal; gute Fahrt, seid nett zueinander. Danke, Chef, Rodo kommt gleich. Er trank seinen Nescafé aus und fuhr ins Präsidium. Dann sandte er das Foto noch einmal an das Innenministerium, Nationalpolizei, erbitten Information zu Miguel Cervantes, möglicherweise doppelter Frauenmörder. Dringend. In diesem Moment kam er auf die Idee, die Einladung zu dem Kurs in Madrid anzunehmen, und bat um mehr Informationen. Ich bin sehr interessiert.

Na, du Zwerg, bist du auch brav? Wer spricht da? Mendieta, was glaubst du denn. Ah, Zurdo, wie geht's? Wie am Krückstock. Sag mal, der Diablo hat mir erzählt, dass du neulich einen spektakulären Auftritt hattest. Du weißt ja, passiert schon mal, wenn man die Bürger vor Bösewichten schützt. Das mit dem Krieg ist der Hammer, oder? Die Typen von der Regierung haben keinen blassen Schimmer, was für ein Gemetzel sie damit anrichten. Was muss ich da hören, mein Chapo?, sprechen Sie nicht so von unserem Herrn Präsidenten. Von dem Knallkopf?, hast du ihn nicht gehört? Der Kerl zettelt mit Gott und der Welt Streit an, man merkt, dass er als Kind nie eins auf die Nase gekriegt hat. Señor Abitia, wenn Sie weiterhin die höchste Autorität dieses Landes beleidigen, buchte ich Sie ein. Du hast recht, ich Schwätzer sollte lieber meine Klappe halten. Hör mal, Chapo, du könntest mir einen Gefallen tun, erinnerst du dich an Kid Yoreme? Na klar, hat ein paar gute Kämpfe im Revo abgeliefert, ist dann aber den Drogen verfallen. Ich muss wissen, wo er wohnt und wo er arbeitet. Ich glaube, er ist Handwerker, hör mal, mein Zurdo, ich bin nicht mehr so ganz im Bilde. Wie das? Verkaufst du nicht mehr Urin an der Landstraße? Damit ist Schluss, mein Zurdo, hab gerade noch rechtzeitig die Kurve gekriegt; der Diablo und Begoña haben mich da rausgeholt, wenn du mich mal besuchen willst, wir wohnen jetzt in Las Quintas, nicht mehr im Lombardoviertel: in einem richtigen Prachthaus. Sack Zement noch mal, bester Chapo, jetzt hast du mir den ganzen Tag versaut. Es geht eben immer bergauf, bester Zurdo, das ist das Gesetz des Lebens. Aber keine Angst, diesen Kerl werde ich schon aufspüren, noch habe so meine Beziehungen.

Dann höre ich von dir, ja?

Er rief Noriega an. Wie sieht's aus? Ich habe mit Joaquín Lizárraga gesprochen, er sagt, Roxana sei eine Schönheit gewesen und das Fest im Unternehmerclub ein Erfolg. Einer der Männer hat sich schwer in sie verknallt, Juan Osuna Roth, aber angeblich hat er sich seit einem Monat nicht mehr mit ihr getroffen, er hat nämlich ähnliche Vorlieben wie ich: er nuckelt gern an Titten, und sie hat ihn nie rangelassen. Hätte nur noch gefehlt, dass er wieder gestillt werden will. Dieser Osasuna ist ein ziemliches Arschloch, er hat eine Modelagentur, aber das weißt du wahrscheinlich schon. Mayra ist immer wieder nach Mazatlán gefahren, sieht so aus, als hätte sie auch diese Woche einen Job dort gehabt. Lizárraga glaubt, dass sie nach dem ersten Mal auf eigene Rechnung gearbeitet hat, hör mal, um wie viel Uhr kommt eigentlich mein Mädchen? Ist schon unterwegs, sie meldet sich dann bei dir. Hat sie mal erwähnt, welche Art Kondome sie am liebsten mag? Gar keine, sie sagt, Sex mit Gummi ist wie verpackte Bonbons lutschen. Sag bloß, und was ist mit Krankheiten, einschließlich der, die neun Monate dauert? Um keine Probleme zu haben, hat sie sich die Eileiter entfernen lassen. Wie modern. Du wirst die Zeit deines Lebens haben, bester Noriega, die Frau kann ihre Muschimuskeln zucken lassen und hat multiple Orgasmen. Dann naschen wir am gleichen Honig? Nein, mich hat sie nie rangelassen, sie sagt, ich bin nicht ihr Typ. Ich kann's kaum noch erwarten. Hör mal, finde doch mal raus, was für Freunde Luis Ángel Meraz hat. Ist das unser Mann? In Havanna.

Ich liebe Mazatlán, das ist schon das zweite Mal in vierzehn Tagen, dass ich hier bin. An diesem Nachmittag war sie ganz sie selbst mit ihren heiteren Augen, bicolor ist ja nicht bipolar, oder? Er beschwor ihre allumfassenden, langen, sanften, speichelfreien Küsse herauf. *Ich finde es wunderbar, dass du mir nicht die Zunge reinsteckst*, und er wollte schon antworten, dass alle Frauen das sagen und er ihr am liebsten was ganz anderes reinstecken würde, aber er lächelte nur, wie ein Mann, der gerade eine fatale Schwäche für eine Frau überwunden hat und noch nicht weiß, wie er sich jetzt verhalten soll.

Er rief bei Foreman Castelo an; seine Frau holte ihn an den Apparat. Was willst du, du Nervensäge? Wie sieht's aus, mein Foreman, wie laufen die Geschäfte? Von Tag zu Tag besser, sag mal, du alter Quälgeist, welcher Religion gehörst du an, dass du so früh schon nervst? Du weißt doch: du bist mein einziger wahrer Freund. Verflucht sei der Tag, an dem ich dich kennengelernt habe, und jetzt rück raus mit der Sprache, was willst du? Leo McGiver, er behauptet, er gehört zu den Leuten von Dioni de la Vega. Ein Gringo? Glaube ich nicht, ist weiß, spricht aber ohne Akzent. Kommt mir nicht bekannt vor. Dachte ich mir schon, langsam wirst du vor Dummheit taub, aber du hast ja gute Kumpel. Und du kannst dich gern selber ficken, meine Freunde werde ich für dich jedenfalls nicht belästigen. Diese Hausaufgabe drücke ich dir trotzdem aufs Auge. Er beendete das Gespräch.

Kaum hatte er das Handy angeschaltet, klingelte es, es war LH. Ich bin im Apostolis, vor mir ein Filetstückchen mit Soße des Hauses und gegrilltem Spargel, verspeist habe ich bereits ein Aalcarpaccio, dazu Schwarzbrot mit Olivenöl und Balsamico, die Flasche Pasión de San Rafael ist halb geleert. Und ich hab mich direkt über ein Filet Mignon in feinem Kräutermantel mit Weizentortillas hergemacht und bin schon bei der zweiten Flasche Vino de Piedra 1996. So, so, schlimm, die Krise, oder? Unter der Krise leiden nur die Reichen, mein Freund, für uns ändert sich nichts, von nun an bis in alle Ewigkeit. In einem werden wir bald die Nase vorn haben: der Zahl der Todesopfer. Da habe ich so meine Zweifel, hier spritzt das Blut nur so. Meinst du, hier nicht? Sieht so aus, als hätten sie nur auf den Startschuss gewartet. Da hat wohl einer dein Handy gehört, klingelt bei dir immer noch diese Kavalleriefanfare wie auf der Pferderennbahn? Na klar, da werden Erinnerungen wach. Hör mal, eine Gringa vom FBI ist zu euch unterwegs, eine Freundin von mir, wäre schön, wenn du ihr ein bisschen unter die Arme greifen könntest. Wie weit? So weit, wie sie dich lässt. Sie lachten. Du weißt doch, mein Lieber, deine Freundinnen sind auch meine Freundinnen. Geh aber nicht zu weit, ja? Lass mich erst mal einen Blick auf sie werfen, wann kommt sie an? Heute Nachmittag, sie ruft dich dann an. Okay, Prost.

Er schlug noch einmal die Mappe mit Kid Yoremes Lebenslauf auf.

Name: José Ángel Camacho Arenas

Geburtsort: Culiacán, Sinaloa

Die Hände in Handschellen auf dem Rücken. Zum ersten Mal gesehen habe ich sie, als ich die Séparées in Ordnung gebracht habe. Ich war total hin und weg. Du gibst kein gutes Bild ab, wenn du heulst, Yoreme, siehst aus wie eine Schwuchtel. Unterbrich mich nicht, verdammter Cavernario, ich hatte ein kleines Palmenhäuschen. Ich heiße Mendieta, Mann, das sage ich dir jetzt zum letzten Mal. Warum hast du dich dann als Cavernario Galindo ausgegeben? Das geht dich nichts an. Lass mich weiter Cavernario zu dir sagen, ich habe dich als Cavernario kennengelernt, also nenne ich dich weiterhin Cavernario, auch wenn dir das nicht passt, ich ließ die Füchsin herein; ein Kampf zwischen uns wäre eine super Show: ein Wrestler gegen einen Boxer, würde dich das nicht reizen? Weinend zog auch das Kaninchen von dannen. Halt die Klappe, Yoreme, es reicht, ich bin Bulle, kapiert, und bevor du dich mir auch nur einen Zentimeter näherst, reiß ich dir den Arsch auf, du Scheißschwuchtel, hast du Mayra Cabral de Melo alias Roxana kennengelernt, als du in den Séparées rumgebastelt hast oder als du ein Bier getrunken hast?

Yoreme weinte immer stärker. Ich hatte ein kleines Palmenhäuschen und ließ die Füchsin herein. Mendieta packte ihn am Hals und drückte zu. Sei endlich ruhig und hör auf zu heulen, Mann, zwing mich nicht dazu, dir aus Revanche die Fresse zu polieren.

Er traf einen überarbeiteten Ortega an. Wie sieht's aus, Nervensäge, hast du dich endlich erleichtert? Geht so, jetzt habe ich eine Erektion, die einfach nicht nachlassen will, hast du was für mich? War ein ordentliches Mädchen, Kleidung schön im Schrank aufgehängt, sauber, Schminkzeug, wo es hingehört, wir haben mehrere ungeöffnete Cremedosen von Estée Lauder gefunden, ihre Konten waren in Ordnung, ein hübsches Sümmchen für jemanden ihres Alters und aus ihrer Branche; neunundvierzig Briefe von Elena Palencia Cabral de Melo, aufgegeben in São Paulo; wir haben ein paar davon gelesen, deutet alles darauf hin, dass es sich um ihre Mutter handelt, gibt ihr gute Ratschläge, sie soll sich mit niemandem einlassen, sie soll vorsichtig sein mit ihren Kunden, ihnen nicht den Kopf verdrehen; mehr haben wir nicht. Er saß an seinem mit Papieren und Krimskrams übersäten Schreibtisch, zündete sich eine Zigarette an. Nennt sie Namen? Nein. Fingerabdrücke? Jack the Ripper allerorten; bei dem anderen Mädchen dagegen herrschte eine geradezu natürliche Ordnung, Schrank inklusive, wir haben eine Stromrechnung gefunden und eine von Telcel, aber nicht ihr Handy, wie du siehst, nichts Weltbewegendes. Muss schlimm sein, zu nichts nütze zu sein. Was willst du?, dass ich den Fall für dich löse? Du und ich, wir kriegen gleich Ärger, mein Freund. Stimmt es eigentlich, dass du einen Laden mit feinen Überdecken aufmachen willst? Du hast den Typ doch selber gehört, die Lage verschärft sich immer mehr, wenn es in dem Tempo weitergeht, haben wir bald den ganzen Keller voll, als hätten sie einen Schwur abgelegt, sich gegenseitig zu massakrieren, manche Leichen tragen sogar eine Botschaft. Er schlug eine Mappe auf. Hier zum Beispiel: »Feräter müßen büsen«, und deine Kollegin? Ist in Mazatlán, die Cabral hatte dort Kunden, denen soll sie mal bisschen auf den Zahn fühlen; erinnerst du dich an die Leiche aus dem San Luis?, gestern wurde sie diesem Kerl hier übergeben, könntest du nachschauen, ob er schon mal auffällig geworden ist? Er gab ihm die Visitenkarte. Die Telefonnummern existieren nicht. Und jetzt? Eigentlich hatte Mendieta ihn nicht darum bitten wollen, aber der Gedanke hatte sich in ihm festgefressen. Ich hab da so eine Ahnung. Übertreib's nicht, wir versinken hier in Arbeit, meinst du, dieses ganze Trockenfleisch hier sind Kinkerlitzchen? Euch Bullen geht das alles am Arsch vorbei, ihr trampelt am Tatort rum wie Rinder und zerstört Beweise, je mehr, desto besser; ich bin jedes Mal stinksauer; außerdem haben wir im San Luis nur Fingerabdrücke von Jack gefunden, ich glaube, auf dem Telefon. Er schlug die Mappe auf und zeigte sie ihm. Die hier zum Beispiel, sind deutlich, aber nicht registriert, jedenfalls sind sie nicht vom Muerto. Vergleich sie mal mit denen auf der Visitenkarte, ist doch schnell erledigt?, übrigens, schon lange her, dass wir beide uns ein paar kühle Bierchen gegönnt haben, wir wär's, wenn wir mal wieder unserem Instinkt folgen? Vergiss es, Alter, ich kann froh sein, wenn ich keinen Herzinfarkt kriege. Dann zieh dir doch ein Gramm rein. Hab ich schon, gestern, zwei sogar. Aber ich will eigentlich nicht, war schwer genug, von dem Zeug loszukommen, einen Rückfall könnte ich gar nicht gebrauchen. Lass gut sein, aber untersuch das Ding hier, Ortega, kann doch nicht lange dauern. Leo McGiver, hast du gesagt? Dreizehn Minuten später kam er zurück. Ist sauber. Red keinen Stuss, wie willst du das so schnell rausgekriegt haben? Du wirst es nicht glauben, die Fingerabdrücke auf der Visitenkarte stimmen mit denen auf dem Telefon überein. Ah, geht doch, das heißt also? Im Computer ist er nicht. Hör mal, wenn du Zeit hast, schau mal in unserem Kabuff vorbei, wir haben das Foto eines Mädchens, wird dir gefallen. Nackt? Wie Gott sie schuf.

Er ging in sein Büro. Also, der Kerl war in dem Zimmer, in dem der Muerto erschossen wurde, er hat die Leiche seinen Eltern übergeben, hat er ihn getötet?, warum nicht? Und das Motiv? Scheint ein knallharter Typ zu sein, arbeitet für Dioni de la Vega, aber auf der Visitenkarte ist keine Adresse: schöne Scheiße. Kavallerie. Es war Noriega. Zurdo, du bist vielleicht ein Wichser, Mann. Was ist los, Alter? Wieso hast du mir nicht gesagt, dass die Kleine einen Ring am Finger hat? Was? Du hast richtig gehört, und ihren Verlobten hat sie gleich mitgebracht, ein Dickerchen mit Arschgesicht. Dieses Früchtchen, das verstößt eindeutig gegen die Regeln. Und das Schlimmste ist, dass ich die beiden jetzt auch noch zum Essen ausführen muss, der Typ will was gegen seinen Kater unternehmen. Ah, dann habt ihr euch also schon angefreundet. Von wegen angefreundet, was würdest du an meiner Stelle tun?, keine Chance, den Kerl irgendwie einzubuchten. Scheißsituation, hör mal, was für Freunde hat denn nun Meraz? Alle Welt ist mit Meraz befreundet, die ganze Stadt. Alles, was kreucht und fleucht? Und keiner spricht schlecht von ihm. Noriega meckerte noch ein bisschen, Gris sei schöner denn je und so weiter. Was mache ich jetzt mit den Kondomen? Ich hab dir doch gesagt, dass sie keine Kondome mag. Ich hab trotzdem welche gekauft. Schenk sie ihrem Freund, bevor du sie wegwirfst ... Mensch, Zurdo, was für ein Reinfall. Er legte auf.

Er hat mich gefragt, ob ich aus Col Pop bin, er hätte da

mal einen Freund gehabt, ob er Enrique meint?, gibt es außer uns noch andere Mendietas in Col Pop? Scheiß Mendietas, sogar in den USA leben welche. Er rief seinen Bruder an, aber der nahm nicht ab.

Angelita sah zur Tür herein. Sie haben Besuch. Was?

Win Harrison trat ein. Hallo. Sie stellte sich vor, sah kurz zu dem Foto von *Keine Mauer* und setzte sich dann auf den Schreibtisch von Gris. Angelita überreichte ihm ein Fax. Chef, aus Spanien. Mindestens zwei Dutzend Seiten. Briseño trat ein, wandte sich an Win: Würden Sie uns bitte einen Moment allein lassen? Gern. Angelita und sie verließen das Büro.

Edgar, ich habe dir klipp und klar gesagt, dass du im Fall Anita Roy nicht mehr ermitteln sollst, in welcher Sprache soll ich es dir noch sagen, damit es endlich in deinen Schädel geht? Tratschtante, dachte der Zurdo. Warum hast du Lagarde gesagt, er sei verdächtig? Um ihm auf den Sack zu gehen. Wie kommst du dazu, einen unbescholtenen Bürger zu beschuldigen? Ich sagte doch, ich war nervös, und da ist mir der Kragen geplatzt. Mit vollem Erfolg, kann man da nur sagen, der Mann ist nach Kanada abgehauen. Mendieta erinnerte sich, dass dort der Sohn studierte, erwähnte es aber nicht. Wenn er unschuldig ist, warum hat er sich dann abgesetzt? Du hast ihm einen Schrecken eingejagt. Ganz schön schreckhaft, der Mann. Dass er der Täter ist, stimmt allerdings. Briseño warf einen kurzen Blick auf *Keine Mauer*, bevor er fortfuhr: Er hat seine Exfrau getötet, in einem Anfall von Eifersucht; er konnte sie einfach nicht vergessen und hat ihren Lebenswandel nicht verkraftet. Mendieta sah Briseño mit aufgerissenen Augen an. Er war bei mir und hat alles gestanden, fix und fertig war er. Der Zurdo zündete sich eine Zigarette an. Warum hat er ihr die Brüste abgeschnitten? Briseño winkte erst ab, antwortete dann aber doch. Weil sie hochempfindlich waren, man musste sie nur berühren, schon ging sie voll ab, hat er mir gesagt; allein der Gedanke, dass andere Hände sie berühren, hat ihn verrückt gemacht. Mendieta blies eine Rauchwolke in die Luft. Sind Sie mit ihm befreundet? Seit zweiundzwanzig Jahren, er hat mir und meiner Familie sehr geholfen, mehr, als du dir vorstellen kannst; übrigens, wenn er etwas mit dem Tod deiner Freundin zu tun hätte, hätte er es mir gesagt; er meinte, du wolltest ihm auch das noch in die Schuhe schieben. Mendieta, Mayra war längst nicht mehr nur Tabletänzerin, er nahm wahr, dass sein Chef einen sanfteren Ton angeschlagen hatte. Hat er gesagt, wie und wo er sie getötet hat? Kopfschuss, bei sich zu Hause. Was für eine Waffe hat er benutzt? Das ist doch unwichtig, Zurdo, lass einfach gut sein. Wenn es eine Neun-Millimeter war, müssen Sie mir das sagen. War es nicht. Sie sahen sich einige Sekunden lang an. Dann sind Sie also damit einverstanden, dass ich weiter ermittle? Bis zum bitteren Ende; sag mal, wer ist eigentlich diese Blondine? Mit der geh ich gleich ins Kino. Glückwunsch, ist genau deine Kragenweite; halt mich auf dem Laufenden. Er ging zur Tür. Chef, wieso haben Sie mir das verraten? Damit du weiterkommst in deinem Fall. Er ging. Der Zurdo wusste, dass es gelogen war, wollte er Meraz aus der Schusslinie nehmen? Dann hätte er einfach Lagarde auch diesen Mord anhängen können.

Win kam wieder herein. LH hat mich geschickt, darf ich Sie duzen? Warum nicht? Aufmerksam musterte der Zurdo die schlanke Frau mit den kurzen, hellen Haaren und dem harten Gesicht, er spürte, dass er jemanden mit wundem Herzen vor sich hatte. Das war also das gefürchtete FBI? Was für ein Witz, sie trug eine blaue Bluse und klassische Jeans. Ich weiß, dass du zu dem Ermittlerteam gehörst, das Peter Conollys Leiche gefunden hat, und darüber würde ich gern mit dir sprechen. Aha, dabei hat mein Chef extra im US-Konsulat angerufen und erfahren, dass man ihn dort nicht kennt und nichts von ihm wissen will, wir sollen seine Familienangehörigen kontaktieren, was wir auch getan haben, nur waren alle Telefonnummern falsch; womöglich liegt die Leiche längst in einem Massengrab. So schnell? Im Augenblick haben wir mehr Tote, als wir verkraften, aber wir können ja mal in der Rechtsmedizin anrufen und nachfragen. Hast du schon einen Verdacht? Selbstmord. Mit einem Schuss in der Stirn? Warum nicht? Wir hatten schon Selbstmörder, die hatten zwei Genickschüsse. Sie grinsten. Du bist noch besser, als es in deiner Akte steht. Wohingegen mir dein Kommen nicht angekündigt wurde. Lässt du mich mal einen Blick auf dieses Fax werfen? Gern. Dann hat Lagarde also seine Frau getötet: hat der Comandante wirklich nicht nach der Waffe gefragt? Merkwürdig, oder?

Mendietas Interesse an dem Fax verflüchtigte sich schnell. Diese Volltrottel. Er zerriss die Blätter und warf sie in den Papierkorb. Dann wandte er sich wieder Win zu. Wir haben einen Verdächtigen namens Miguel de Cervantes, also bitte ich Madrid um Informationen über ihn, mit dem Ergebnis, dass sie mir alles zum Autor des Don Quijote faxen, weißt du, wer Don Quijote ist? Ein Zeitgenosse von Hamlet, hast du ihnen nur den Namen geschickt? Und ein Handyfoto. Vielleicht ist es nicht angekommen oder wenn, in miserabler Qualität, wie bei dem Mann da zum Beispiel, ist auch ein Handyfoto, man kann kaum was erkennen, beide sahen zu *Keine Mauer*. Ist er in eurer Kartei? Nein, aber es ist kein Mann, sondern eine Frau. Win stand auf und ging zur Wand. Interessant, meinen Respekt, Mendieta. Der gebührt Angelita, sie war diejenige, die es entdeckt hat. Angelita, ist das deine Freundin, jedenfalls weiß ich, dass du eine hast. Nein, das ist unsere Sekretärin, die du außerdem schon kennst. Mein Gott, diese Frau hat wirklich ein gutes Auge; lass uns was probieren, gib mir mal dein Handy mit dem Foto von dem Dichter. Der Zurdo reichte es ihr. Win schickte das Foto auf ihren iPod. Schau mal, perfekt, schick's noch mal, dann müsste es eigentlich klappen; niemand rückt Informationen raus, wenn er nicht sicher ist, wofür sie gebraucht werden; die spanischen Kollegen sind einfach nur vorsichtig, ist ganz normal. Du hast recht, warum sollten sie mir geben, was ich brauche? Er wählte eine Nummer, aber es ging niemand ran.

31

Die Villa der Valdés lag still da. Nur wenige Menschen wussten, dass dort die Totenwache für einen der mächtigsten Drogenbosse abgehalten wurde. Kurz nach Mittag war als Letzter der Chef aus Ciudad Juárez eingetroffen. Er war in einem gepanzerten Wagen angereist, weil Samantha von Hubschraubern im Garten oder in der Nähe der Villa nichts hatte wissen wollen. Besser, wir wecken keine Neugier, sonst werden die Leute noch unruhig.

Einer der wenigen, die etwas argwöhnten, war Daniel Quiroz, der mehrmals an der Villa vorbeigefahren war, ohne sich dem Eingangstor zu nähern. Sein Instinkt sagte ihm, dass er dranbleiben sollte, trotz der Warnung vieler Kollegen, darunter die des lokalen Fernsehsenders von Mexiko-Stadt, die sich zwei Stunden vor dem Anwesen herumgetrieben hatten. Als er den Hummer des Chefs von Ciudad Juárez eintreffen sah, entschloss er sich zu handeln. Quiroz von *Wächter der Nacht*, stotterte er dem Killer entgegen, der das Autofenster runterließ. Hören Sie auf, vor der Villa hin und her zu fahren, mein Freund, wenn ich Sie noch mal sehe, puste ich Sie um. Dann machte er das Fenster wieder zu. Den Journalisten befiel ein Gefühl von Ohnmacht, dann von Angst, und er verzog sich lieber. Er rief Mendieta an, aber der ging nicht ran. Scheißfreunde, die ich da habe.

Drinnen ging alles ruhig seinen Gang. Samantha Valdés und ihre Mutter Minerva nahmen die Beileidsbekundungen entgegen. Der offene Sarg stand in der Mitte des Raumes. Auf zusätzlichen Stühlen und den Sofas saßen Gäste und unterhielten sich leise, tranken und aßen Häppchen. Der Sarg ist aus Silber, eine Spezialanfertigung aus Taxco, außerdem trägt er Schmuck im Wert von fünf Millionen Dollar am Leib, ich habe ihn schon mal in diesem Anzug gesehen, als er nach Ojinaga kam, ganz schön abgebrüht, Samantha, oder?, wär's dir anders lieber? Um ein Uhr wurden an im Garten verteilten Tischen Suppen serviert: Menudo und Pozole. Auch an Whisky, Bier und Mineralwasser fehlte es nicht.

Perfekt geschminkt und mit seinem prachtvollen Schmuck am Leib verabschiedete sich Marcelo Valdés würdevoll von dieser Welt. Um vier Uhr hielt ein alter Pfarrer aus Badiraguato die Totenmesse an einem tragbaren Altar aus dem Besitz der Valdés, und um fünf brach der Tross in Richtung Friedhof Jardines del Humaya auf. Ein Schwall von Luxuskarossen und Pick-ups mit getönten Scheiben. Mendieta, der gerade aus dem Hotel San Luis kam, wohin er Win begleitet hatte, krampfte sich der Magen zusammen angesichts dieser Zurschaustellung von Macht.

Der Reporter war untergetaucht.

Um siebzehn Uhr achtunddreißig betraten sie das Pantheon. Unter den Trauergästen befanden sich neben den Chefs des Pazifischen Kartells auch zwei Generäle der Präsidentengarde, ein hoher Offizier der Marine und ein Vertreter der Staatsanwaltschaft. In Zivil gekleidet, erwiesen sie dem Capo diskret die letzte Ehre. Samantha beobachtete alles mit Argusaugen und dachte, dass jemand mit einer einzigen Bombe das ganze Kartell auslöschen könnte. Sie hatte ein komisches Gefühl im Bauch. Eine Folkloreband spielte auf.

Die Gruft der Valdés war acht mal acht Meter groß, in

Hellblau gestrichen und hatte eine Glastür mit dem Bildnis Jesu Christi im Basrelief, Säulen aus Marmor und eine golden gekachelte Kuppel. Es war die bei weitem höchste und größte Gruft. Zwei Hubschrauber kreisten über dem Friedhof.

Der Sarg wurde noch einmal geöffnet, damit die Trauergäste endgültig Abschied nehmen konnten. Samantha legte die Arme um ihre Mutter, der Tränen über die Wangen liefen. Dann wurde der Sarg in die Nische gesenkt und mit Rosen bedeckt. Die unzähligen Blumenarrangements wurden an den Wänden gestapelt.

Ein Abend in Sepia. Feucht.

Anschließend fuhren alle zur Villa zurück. Die Versammlung würde in einer Stunde stattfinden, damit die Teilnehmer sich so gut und schnell wie möglich wieder in alle Winde zerstreuen konnten. Die neue Chefin wusste, wo sie Druck ausüben musste, und sie würde nicht lange fackeln.

Das Pazifische Kartell bestand aus sechs mexikanischen, einem kolumbianischen und vier US-amerikanischen Chefs. Alle befanden sich nun in dem Gartenzimmer und hörten sich an, was Samantha Valdés, der neue Kopf des Kartells, zu sagen hatte. Sie tranken Kaffee und Whisky pur. Am nächsten Tag würden vier von ihnen beim Verlassen des Staates ihr Leben verlieren, aber das wussten nur Max Garcés und die Chefin, wie er sie bereits nannte. Die anderen waren ihr treu ergeben.

Wir behalten die von meinem Vater bestimmte Aufteilung bei und respektieren gegenseitig das jeweilige Territorium; Aggressionen von außen treten wir gemeinsam entgegen; wir müssen unsere Beziehungen zum Staat pflegen, vor allem jetzt, wo der Präsident den Krieg erklärt und uns lächerliche Minderheiten genannt hat. Um ihn kümmern wir uns persönlich, vielleicht müssen wir unsere Gehaltsliste um ein paar Namen erweitern, Gleiches gilt für die Amtsträger von Mexiko-Stadt. Die DEA fällt in deinen Bereich. Sie zeigte auf einen der Gringos. Jeder muss dafür sorgen, dass er in seinem Staat die Kontrolle behält, jeder muss sich an die Vereinbarungen halten. Wir müssen verhindern, dass die Menschen die Auswirkungen allzu sehr zu spüren bekommen, denn wir werden eine Welle von Überfällen, Entführungen und unschuldigen Todesopfern erleben, deshalb müssen wir dafür sorgen, dass unsere Gebiete weitgehend verschont bleiben. Wir wissen, dass es nicht leicht sein wird, vor allem in Ciudad Juárez nicht, aber wir müssen es wenigstens versuchen. Wir werden ein Spezialkommando bilden, die Waffen dafür haben wir bereits bestellt, sie treffen nächste Woche ein. Ich danke Ihnen allen für Ihre Anwesenheit; insbesondere Gaviria, der extra aus Miami angereist ist, und Eloy Quintana für seinen ausgezeichneten Job in der Wüste.

Sie erhob sich, die anderen taten es ihr nach. Alle umarmten sie, versicherten ihr die Treue, sprachen von Wachstum und traten zufrieden die Heimreise an, einschließlich derer, die eliminiert werden würden.

32

In einem schwarzen Cheyenne, neuestes Modell, fuhren sie ins Farallón. Sie bestellten Filete Culichi, frische Garnelen und Bier. Win wollte den Tatort sehen. Willst du wissen, wen ich suche? Sag mir nur, was du für nötig hältst; wir haben zwei Ausweise gefunden, du könntest also mit dem richtigen Namen anfangen, es ist immer besser, man sucht eine reale Person. Wie Miguel de Cervantes? Er nahm einen Schluck. Ich meine, Don Quijote hätte ich nie gesucht und Hamlet auch nicht. Win dachte nach: Wenn Donald bei uns nicht existiert, kann ich einem Fremden ruhig seinen Namen nennen, auch wenn es gegen die Regeln verstößt. Donald Simak, er war Spezialagent. Was macht ein Spezialagent der US-amerikanischen Regierung in Culiacán? Vor kurzem hat der Vater des Präsidenten hier in der Nähe Enten gejagt, und er war einer derjenigen, die das Terrain sondieren sollten. Der Vater des US-amerikanischen Präsidenten hat hier Enten gejagt? Du hast richtig gehört. Harrison, tiefdunkle Augen, milchweiße Haut, steckte sich eine Garnele in den Mund. Dann ist das Rätsel gelöst, es könnte jeder gewesen sein. Es war aber nicht irgendjemand. Ah, jetzt weiß ich's, Terroristen. Win sah ihm fest in die Augen. Ich lasse nicht zu, dass du dich lustig machst, Mendieta, das hier ist kein Spiel; bestimmt weißt du es noch nicht, deshalb sage ich es dir jetzt: auf den Vater des Präsidenten wurde ein Attentat verübt, als er auf der Ranch eintraf, wo er des Öfteren jagen geht; er ist unverletzt, die Angreifer sind tot, darunter auch die Frau, deren Bild in deinem Büro hängt; wir müssen klären, ob es zwischen diesen beiden

Vorfällen eine Verbindung gibt, deshalb bin ich hier; und nur damit du's weißt, du hast beim FBI nicht gerade den besten Ruf. Wie furchtbar, dabei geht all mein Trachten dahin, vom FBI gemocht zu werden, es gibt nichts Schöneres, als mit diesen Profis zusammenzuarbeiten. Sie musterten sich mit hartem Blick. Ich weiß, was du von uns denkst, aber es interessiert mich einen feuchten Dreck; ich will wissen, wer den Befehl gegeben hat, Simak zu töten, mehr kann ich sowieso nicht tun. Hör zu, du bist mit einem meiner besten Freunde befreundet, also werde ich tun, worum du mich bittest, kein Grund also, so kratzbürstig zu werden. Danke, wenn alles gutgeht, kann sich in vierundzwanzig Stunden jeder wieder um seinen eigenen Kram kümmern.

Zum Nachtisch aßen sie Guajavenkuchen und tranken einen Kaffee.

Im Zimmer des San Luis wurde Mendieta klar, dass sie noch etwas anderes suchte, vielleicht einen Hinweis, um jemandem einen letzten Wunsch zu erfüllen, der Liebe ihres Lebens?, warum nicht?, gibt es jemanden auf dieser Welt, der keine Liebe seines Lebens hat? Nur ihn, und selbst da war er sich nicht so sicher. Er nutzte die Gelegenheit, sich noch einmal umzusehen. Sie zitterte, ihre Augen begannen zu glänzen, ein Hinweis darauf, dass es ihr um Rache ging? Mich würde sein Gepäck interessieren, seine Kleidung, seine Pistole. Mendieta rief Ortega an, der erst einwandte, dass es sich um Beweismittel handelte, und dann versprach, alles in einen Karton zu tun und zu schicken. Eine Pistole haben wir nicht gefunden, dafür einen aufgeschlagenen Stadtplan von Culiacán und Umgebung, allerdings ohne Markierungen, hast du eine Ahnung, was er suchte? Er hat mit dem Attentat gerechnet. Aber sie haben nicht auf ihn gehört, typisch. Okay, fahren wir zur Rechtsmedizin. Als sie das Hotel verließen, kam gerade der Konvoi vorüber, der Marcelo Valdés das letzte Geleit gab. Was ist das? Weiß ich nicht, aber offensichtlich hatte der Mann mächtige Freunde. Der schwarze, nagelneue Pick-up, der am Ende fuhr, war der von Richie Bernal, aber der Zurdo wusste nicht einmal, dass er vor der Cobaes-Schule unter Beschuss genommen worden war. Fahren wir zu der Ranch? Nicht wir, du, du musst mir den einen oder anderen Gefallen tun, und das ist einer davon. Na gut. In der Rechtsmedizin ging alles schnell über die Bühne: sie warf einen Blick auf die Leiche, las den rechtsmedizinischen und den ballistischen Bericht und sagte, es sei alles okay. Mendieta hätte einige Fragen gehabt, stellte sie aber nicht: er wollte sich nicht einmischen. Mayra anzusehen traute er sich nicht.

Über das GPS des Cheyenne machte Win El Continente ausfindig. Mendieta fiel ein, dass er Yoreme suchen musste, aber er verschob es auf später, außerdem hatte der Chapo Abitia noch nicht angerufen, wer war McGiver?, was hatte er im Zimmer des Muerto zu suchen gehabt?, kannte er Enrique?, was hatte er ihm sagen wollen mit: Seien Sie auf der Hut, die nächsten Tage könnten turbulent für Sie werden?, wie groß und wie kräftig war der Mörder?, ist er aus Mazatlán? Ich muss Foreman anrufen. Kein Wunder, dass Lagarde so nervös war, warum hat er gesagt, dass Anita bei Mayra umgebracht wurde? Verdammter Yoreme.

Name: José Ángel Camacho Arenas
Geburtsort: Culiacán, Sinaloa

Ich konnte nicht mehr arbeiten, Cavernícola, wie gelähmt war ich, ich ließ die Füchsin herein; ich weiß nicht, wie ich den Job überhaupt hingekriegt habe; seither war ich jeden Abend im Alexa, jeden Abend; manchmal trat sie gar nicht auf, und ich saß trotzdem da, gespannt wie ein Flitzebogen, hab auf ein Lächeln gelauert, als wollte ich ihr einen Aufwärtshaken verpassen; sie hat mich verhext, Cavernícola, ich hatte ein kleines Palmenhäuschen, ich bin ihr verfallen, ohne dass sie mich je berührt hat, schöne Scheiße, was? Es ging alles ganz schnell, ich hab sie vielleicht eine Minute gesehen, es war sehr spät für mich und sehr früh für sie. Ich bin ziemlich knapp bei Kasse, mein Cáver, und dir geht es nicht anders, das sehe ich dir an der Nasenspitze an, wir Loser haben nie mehr als das Nötigste, es steht uns ins Gesicht geschrieben, nicht mal der Tod löscht es aus, ein Idiot kann überspielen, dass er ein Idiot ist, ein Verlierer kann das nicht, uns bezahlt man immer nur so viel, dass wir nicht verhungern; also lass uns diesen Kampf auf die Beine stellen, wenn du willst, setz dir die Maske auf, Maske gegen Perücke, damit machen wir jede Menge Kohle, und hinterher setzen wir uns zusammen und erinnern uns an die Königin; was meinst du? Jammerschade, dass du sie nicht gekannt hast.

Was ist los mit dir, Zurdo?, bist du etwa nicht Manns genug? Was bist du denn für ein Weichei? *Ich glaube dir nicht, dass du Polizist bist, dafür bist du zu sanft, zu korrekt, zu gebildet; du weißt, wer Vinicius de Moraes ist, du willst nach Rio, um die Mädchen von Ipanema zu sehen; Polizisten denken nicht so, bist du korrupt? Nein, bestimmt nicht, wieso?* Er erinnerte sich an ihre samtige Stimme. Fängst du jetzt an zu heulen? Mach dich nicht lächerlich. Du hast schon wegen ganz anderer Sachen geheult, da kannst du jetzt nicht wegen so was heulen. Warum nicht? Darum, Liebe ist Gift, das einen stärker macht, verschwende diese Kraft nicht mit Heulen. Nur gut, dass Ger nicht in der Nähe ist. Landschaft. Dann hat Mister B. also einen Narren daran gefressen, hier in der Gegend auf die Jagd zu gehen, wem gehört eigentlich die Ranch? Gris Toledo unterbrach ihn. Chef, ich rufe an, um Bericht zu erstatten. Wo seid ihr abgestiegen? Im Las Flores, Suite 602, gegenüber von drei Inseln, ein Traum; wir gehen gleich mit Noriega essen, Sie sollten mal sehen, wie gut er sich mit Rodo versteht, wirklich unglaublich. Vorsicht, Gleich und Gleich gesellt sich gern. Ich werd's mir merken; jedenfalls habe ich Lizárraga befragt, angeblich hat er nach dem ersten Kontakt nie wieder was von Mayra gehört. Und ein anderer Typ, Juan Osuna Roth, hat zugegeben, eine intime Beziehung mit ihr gehabt zu haben, aber er will sie seit einem Monat nicht mehr gesehen haben. Ich bin ihm ein bisschen auf die Füße getreten, da hat er vorgeschlagen, dass ich mit Fermín de Lima sprechen könnte.

Das Gebäude war so weiß, dass es das Sonnenlicht reflektierte. Sie gingen einen mit Rosenstöcken gesäumten Gang im ersten Stock entlang, der zum Büro des Magnaten führte. Wir warten hier auf dich, sagte Noriega und schob Rodo in Richtung einer Blondine im schwarzen Bikini, die offensichtlich zum Swimmingpool unterwegs war. Toledo begriff, dass Noriega nicht direkt in die Sache verwickelt werden wollte, und obwohl sie nicht damit einverstanden war, hielt sie den Mund.

Ich möchte mit Señor de Lima sprechen. Wen darf ich melden? Gris Toledo von der Bundespolizei. Sie? Was, ich?, echauffierte sich Gris. Wir haben gerade mit Ihrem Chef gesprochen. Davon hat mir Mendieta nichts gesagt.

Mendieta?, nicht Miranda? Ah, nein, Miranda ist der Polizeichef von Mazatlán, ich hingegen bin aus Culiacán. Bitte nehmen Sie Platz. Sie sah, wie die Frau telefonierte, lächelte und sie dann herbeiwinkte. Er wird Sie in fünf Minuten empfangen, möchten Sie einen Kaffee? Haben Sie auch Coca-Cola light? Sie stand auf. Gris beobachtete ihren Gang und dachte nur: Mit einer hässlichen oder schlecht gekleideten Sekretärin können mächtige Männer nicht mächtig sein.

Fünf Minuten später wurde sie hereingebeten. Seit Carlos Slim, der selbst dann Geld verliert, wenn er sich nur bückt und einen Hundertdollarschein aufhebt, sind alle Leute wie unter Strom, kommen Sie zum Punkt, Señorita. Sie haben gespendet, damit die Leiche von Mayra Cabral de Melo überführt werden kann. Ah, das war nichts im Vergleich zu dem, was diese Frau wert war, sehen Sie, ich habe die Spende im Auftrag von mehreren Freunden getätigt, für die sie aufgetreten ist, sonst noch was? Wem hatte sie es besonders angetan? Alle waren begeistert von ihr, die einen ließen es sich mehr anmerken, die anderen weniger, aber die Begeisterung war bei allen gleich. Wer hat sie immer aus Culiacán hierhergebracht? Das weiß ich nicht genau, manchmal so ein kräftig gebauter Typ, aber meistens war sie mit Licenciado Ramírez hier. Sie wurde mit einem Kopfschuss getötet, dann wurde ihr eine Burstwarze abgeschnitten, der Unternehmer schwieg einige Sekunden lang, angespannt. Glauben Sie, dass jemand von hier dahintersteckt? Wer hat sie Ihnen vorgestellt? Der Gemeindepräsident hat mich eines Tages angerufen, um mich zu einer Privatshow einzuladen, aber wer den Kontakt hergestellt hat, das weiß ich nicht; ich dachte, sie sei von irgendeiner Agentur, so läuft das jedenfalls normalerweise bei Künstlern, nehmen Sie mir's nicht übel, aber Ihre Zeit ist abgelaufen. Wir suchen einen großgewachsenen, kräftigen Mann. Dann kann ich es schon mal nicht gewesen sein. Aber er trägt helle Sachen. De Lima gab mit einer Geste zu verstehen, dass er nicht verstand.

Chef, er hat sich verpflichtet, mir heute Abend noch mal Rede und Antwort zu stehen.

Dann ruf mich morgen wieder an.

Deine Lippen wie Rubin, das Rot wie Karmin.

Am Eingang der Ranch wurde Mendieta gestoppt.

Alles okay mit Mister B.? Der Agent, den man vorgeschickt hatte, sah ihn misstrauisch an. Das geht Sie nichts an, weisen Sie sich aus. Er zeigte seine Dienstmarke. Sie dürfen hier nicht rein, dieses Gelände fällt nicht unter Ihre Zuständigkeit. Ach nein? Mir scheint, dass du hier derjenige bist, der seine Zuständigkeit überschreitet, ich würde gern wissen, wer hier versucht, die Arbeit eines Bundespolizisten zu behindern. Gehen Sie, oder wir nehmen Sie fest, der Agent hatte den Ton verschärft. Warten Sie, Adán Carrasco, der Mister B. begleitete, kam näher. Die Jagdgesellschaft war im Begriff, zu den Lagunen aufzubrechen. Kann ich Ihnen behilflich sein? Ich bin Edgar Mendieta von der Bundespolizei, uns wurde ein Attentat gemeldet. Hinter Carrasco lag ein Parkplatz, auf dem es von Jeeps und Luxuskarossen nur so wimmelte. Wer hat Ihnen das gemeldet? Ich will nur wissen, was passiert ist. Auf wen soll ein Attentat verübt worden sein? Auf den Vater des US-Präsidenten. Falsch, der Herr erfreut sich bester Gesundheit und genießt die Jagd in vollen Zügen.

Ist er zusammen mit Ihnen und den anderen hier eingetroffen? Sie sehen doch selbst, dass es dem Gentleman gutgeht. Was ist an diesem Abend passiert? Nichts, falls nötig, rufe ich gern den Herrn Staatsanwalt an, er ist ein Freund von mir und kommt jedes Wochenende zum Jagen her. Mendieta fühlte sich unbehaglich. Er war umringt von US-amerikanischen Agenten, die ihre Waffen offen zur Schau stellten, und kam sich völlig deplatziert vor. Sie können ruhig wieder gehen, Mendieta, hier hat kein Verbrechen stattgefunden, in dem Sie ermitteln müssten, wenn Sie möchten, können Sie gern mal zum Jagen herkommen, ich garantiere Ihnen, dass Sie jede Menge Spaß haben werden. Mendieta wollte etwas erwidern, aber er warf sich auf den Boden wie alle anderen, die von der Wucht der Druckwelle erfasst wurden: der Cheyenne war explodiert, das Wrack brannte lichterloh.

33

Es hat sich ein Kampf aufgetan, Don Silvio, und ich möchte, dass Sie mich trainieren. Der Mann, achtzig, bekannt in der Stadt für seine große Boxvergangenheit, hörte Yoreme regungslos zu; es war nicht das erste Mal, dass er ihm so etwas vorschlug, aber der Kid hatte den Boden unter den Füßen verloren und zwischen den Seilen nichts mehr zu suchen. Er erinnerte sich, wie er als Vierzehnjähriger zu ihm gekommen war, er hatte ihn in den Ring geschickt und ihm eingebläut, er solle sich gut bewegen; es hatte ihm gefallen, was Don Cuyo Hernández mal gesagt hatte: Wenn jemand die Beine hat, kann was aus ihm werden; und der Junge hatte die Beine gehabt, dazu noch einen brutalen Uppercut, wenn er ihn gut trainierte, konnte er ihn aus der Armut holen. Aber er verlor. Nicht die Gegner besiegten ihn, sondern das Kokain, dieses Dreckszeug, von dem ich nicht weiß, wie es in die Stadt gekommen ist. Gegen wen wirst du kämpfen, Kid Yoreme? Gegen einen Wrestler, um ein bisschen Geld zu verdienen, Sie wissen ja, die Krise, ich werde mit den Leuten vom Revo reden und ihnen vorschlagen, fifty-fifty zu machen, ich ließ die Füchsin herein. Schon wieder diese Füchsin, dachte Silvio García, irgendwann kam er mit diesem Quatsch an und konnte nicht mehr damit aufhören. Wer ist dieser Wrestler? Wir nennen ihn Cavernícola, er hätte beinahe gegen Santo gewonnen, den Mann mit der Silbermaske. Noch so eine Nummer, dachte er, er merkte, dass Yoreme gespannt auf eine Antwort wartete, und obwohl er ihn nicht trainieren würde, beschloss er, ihm einen Gefallen zu tun. Okay, Kid, aber lass mich bloß nicht hängen, ja? Yoremes Gesicht leuchtete auf. Bestimmt nicht, Señor, wie können Sie so was denken? Ich hatte ein kleines Palmenhäuschen, ich brauche Ihre Ratschläge und Ihre Weisheit in meiner Ecke; erinnern Sie sich noch, Don Silvio? Los, Kid, setz deinen Uppercut ein, der Uppercut, das ist dein Schlag. Und dann sind sie alle umgefallen wie Säcke, ich ließ die Füchsin herein. Okay, wir müssen uns den Gegner ganz genau ansehen. Ich hab ihn schon mal umgehauen. Yoreme war wie aufgeputscht. Aber vorher heißt es Kondition bolzen, ein Boxer muss hundertprozentig fit sein und sein Idealgewicht auf die Waage bringen; morgen wirst du drei Kilometer laufen. Ich hab ein bisschen Schattenboxen geübt und bin den Fluss entlanggejoggt. Morgen drei Kilometer, übermorgen vier, dann fünf, und wenn du eine Woche lang fünf gelaufen bist, kommst du wieder, wann ist der Kampf? Wir haben Zeit. Sehr gut, dann los, und dass du mir kein Bier trinkst oder sonst irgendein Zeug einwirfst, verstanden? Ich hör mit allem auf, Don Silvio, weinend zog auch das Kaninchen von dannen, für sie, die im Himmel ist. Der Alte wollte lieber nicht wissen, von wem er sprach. Auf geht's, Kid Yoreme, jetzt heißt es joggen, die Gegner haben es in sich.

34

Zwei US-Agenten in Uniform hoben Mendieta von Carrascos Stiefeln hoch, und zwei weitere richteten ihre Waffen auf seinen Kopf. Benommen verfluchte der Zurdo den Augenblick, in dem er sich in diesen Schlamassel begeben hatte, wer war diese Win Harrison? Eine gottverfluchte Terroristen, die ihn verschaukelt hatte; verdammter LH, er würde es ihm nie verzeihen, dass er ihn da reingeritten hatte. Er sah, wie um ihn herum Leute aufstanden, darunter auch Carrasco, der seinen Hut aufhob. Wer sind Sie?, fragte er den Zurdo mit einem Killerblick. Mendieta, der sich etwas gefangen hatte, beschloss, seiner Wut freien Lauf zu lassen. Ich bin Edgar Mendieta von der Bundespolizei, und Sie, wer sind Sie, dass hier innerhalb weniger Tage zwei Attentate verübt werden? Was ist los, Carrasco? Mister B. näherte sich, mit seinem Jagdgewehr in der Hand, lässig, als wäre er bei sich im Zimmer, sofort war er von Leuten umringt. Um ihn herum herrschte Kriegszustand. Der Verwalter kam angerannt. Ein Pick-up ist explodiert, Mister B., nichts Ernstes. Lasst mich durch, befahl der Alte und ging auf den Zurdo zu, dem man Handschellen angelegt hatte. Und Sie?, fragte er. Ich war der Fahrer und bin wie durch ein Wunder davongekommen. Carrasco, wir machen weiter wie geplant, das hier überlassen wir den Experten. Sir, William Ellroy war herbeigeeilt, alles okay mit Ihnen? Sieht man das nicht? Der Agent, der zuerst mit dem Zurdo gesprochen hatte, ergriff das Wort. Oberst Ellroy, dieser Mann ist der Fahrer des Wagens, der explodiert ist. Mister B. sah ihn gelassen an. Machen Sie Ihren Job, wir machen unseren. Er nahm Carrasco beim Arm und führte ihn zu dem Fahrzeug, das sie zu den Enten bringen würde.

Mendieta wurde in ein kleines Zimmer hinterm Haus gebracht, das dem Oberst als Büro diente.

Vor ein paar Stunden hat ein Bewohner dieser Stadt, der seinen Namen nicht nennen wollte, bei uns angerufen und eine Schießerei gemeldet, die vor einigen Tagen hier stattgefunden hat, woraufhin ich beauftragt wurde, der Sache nachzugehen, irgendein Problem? Mr. B. habe ich ja gerade gesehen, er schien mir putzmunter, dabei war er doch angeblich das Opfer. Wenn es ein Problem gäbe, würden wir zuallerletzt die mexikanische Polizei um Hilfe bitten. Ellroy kam näher und schlug dem Zurdo mit der Faust ins Gesicht, der spektakulär zu Boden ging. Antworte gefälligst, du Wichser. Wer hat dir befohlen, Mister B. zu töten? Mendieta spuckte auf den Boden. Fick dich ins Knie, du Höllenhund, blaffte er, du kannst von mir aus deine eigene Mutter verprügeln, aber ich bin ein Beamter der mexikanischen Polizei und kein Illegaler, und das hier ist mein Land. Er spuckte erneut auf den Boden. Der rote Schleim traf Ellroys Schuh. Nimm mir die Handschellen ab, dann werden wir schon sehen, ob du Mumm hast, du Schwuchtel. Ellroy wischte den Speichel an Mendietas Hose ab und versetzte ihm einen Tritt, den der Zurdo zu erwidern versuchte. Er wird mich nicht kleinkriegen, dachte er, nicht mal, wenn er mich umbringt, er wird mich nicht demütigen, das ist nur ein komplexbeladener Agent, ein Idiot in Uniform, der Angst vor mir hat, der glaubt, er kann mich beeindrucken mit seinem Getue und ein paar Schlägen. Es gibt ganz andere Gringos, von denen könnte sich der da eine Scheibe abschneiden. Dazu gehört aber nicht Win Harrison, diese hinterfotzige Zicke, wo hat die mich nur reingeritten, und diesen Blödmann von LH lasse ich auch nicht so davonkommen, wie konnte er dieser Tussi nur vertrauen? Ellroy machte es sich an seinem Platz bequem, die Agenten setzten Mendieta auf einen Stuhl, er blutete, aber seine Blicke waren tödlich: dieser Schwachkopf kann mir nichts anhaben. Er kam jetzt erst richtig in Fahrt. Diese Schwuchtel kann mich am Arsch lecken. Wer hat dir von dem anderen Attentat erzählt? Deine Hure von Mutter. Ellroys Augen wurden zu zwei glühenden Kohlen. Der Pick-up, ist das deiner? Klar, sieht man doch. Den hat mir der Weihnachtsmann gebracht. Er hat nämlich keine Zulassung, keine Nummernschilder, gar nichts. Das erste Attentat wurde von vier Leuten begangen, einen davon sollen wir identifizieren, allerdings ist das Foto miserabel; ich weiß nicht, warum, aber mein Gefühl sagt mir, dass du es gemacht hast. Wer bist du? Ich wollte nur mal sehen, ob die Ranch so aussieht wie auf den Fotos. Ich sehe schon, du hast gern mit Spezialisten zu tun, kannst du haben, sie werden dir mit größtem Vergnügen die Eier rausreißen. Du und deine Spezialisten können mich kreuzweise, ich kenne da einen, von dem könntet ihr einiges lernen. Ellroy machte einem der Agenten ein Zeichen, der daraufhin die Tür öffnete. Harrison schubste ihn zurück in den Raum. Sie zeigte Ellroy ihren Ausweis. Dieser Mann gehört mir. Sie packte Mendieta am Arm und zog ihn hoch. Die Agenten richteten ihre Waffen auf sie. Sie können ihn nicht mitnehmen, er hat ein Attentat auf den Vater des Präsidenten verübt, sein Wagen ist explodiert, und das muss er uns erst mal erklären. Uns wird er das erklären, und wenn Sie das nächste Mal Fotos von den Tätern machen, benutzen Sie gefälligst eine richtige Kamera, der Terrorist, den wir nicht identifizieren konnten, ist eine Frau, entdeckt hat das dieser Mann hier, den Sie gerade misshandelt haben, und wenn der Wagen explodiert ist, will uns offenbar jemand stoppen, und wagen Sie es bloß nicht, eine Ermittlung des FBI zu behindern, Oberst William Ellroy. Rücksichtslos drängte sie die Wachen beiseite und ging mit dem Zurdo nach draußen. Sie bestiegen einen Jeep und fuhren los. Mehrere Agenten inspizierten gerade die rauchenden Überreste des Cheyenne.

Kannst du mir erklären, was das soll? Und nimm mir diese Scheißdinger ab, bevor ich dir eine verpasse. Würdest du wirklich eine Frau schlagen? Der Zurdo war fuchsteufelswild. Sie hielten an. Mit einem Laserstrahl befreite ihn Harrison von den Handschellen. Willst du mich umbringen? Wir kennen uns doch kaum. Sie versuchen, uns zu verunsichern, und zwar nicht die Attentäter vom Dienstag, die sind nämlich alle tot; wir müssen rausfinden, wer dahintersteckt. Diese Explosion war gegen dich gerichtet. Schon möglich, aber als guter Polizist weißt du ja, dass wir das nur rauskriegen, wenn wir ermitteln. Wer wird hier ermitteln? Wir. Er atmete tief durch, die Landstraße beruhigte ihn etwas. Woher hattest du den Pickup? Wurde in Tijuana für mich angemietet, ich habe den Vorfall bereits weitergeleitet, wir warten noch auf Rückmeldung; man hat mir den Schlüssel übergeben, aber keiner kann sich erinnern, wer ihn hinterlegt hat. Hast du die Papiere überprüft? Ist nicht üblich. Schweigen. Und dieser Jeep? Hat mir jemand geliehen. Der Zurdo öffnete das Handschuhfach. Er hatte damit gerechnet, einen Fahrzeugschein auf den Namen Fabián Olmedo zu finden, aber dem war nicht so, der Wagen stammte von einem

Autoverleih. Wenn der hier kein aussichtsloser Fall war, wirkte er doch so, jedenfalls musste jemand hierfür bezahlen. Im Vorbeifahren warf er einen Blick auf die Saatguthalle, aber dort schien alles normal zu sein.

Wir sehen uns in zwei Stunden im Miró, meinem Dossier zufolge ist das dein Lieblingscafé. Du hast mich gebeten, dir bei ein, zwei Sachen behilflich zu sein: bleibt noch eine, und es sind noch rund zwanzig Stunden, sagte er, als er, zu Hause angekommen, aus dem Jeep stieg.

Um Gottes willen, Zurdo, was ist passiert?, hat Sie jemand von hinten überfallen? Sein Gesicht war angeschwollen, die Lippen aufgeplatzt. Das ist der harte Kampf gegen das Verbrechen, Ger. Ich kriege Sie schon wieder hin, eigentlich wollte ich heute früher los, gut, dass ich es nicht getan habe, sind Sie gegen Tetanus geimpft? Sieht nämlich so aus, als hätte ein Maultier Sie getreten. Sie säuberte die Wunden mit Alkohol. Angeblich soll Neutralseife besser sein, aber ich vertraue mehr auf Alkohol; ziehen Sie nicht solche Grimassen, Zurdo, Sie sind doch kein Kind mehr. Autsch. Müssen Sie schon wieder los? Sie sollten die Schwellung einige Minuten lang mit Eis kühlen, besonders am Mund, und Ihr Zahnfleisch ist auch aufgeplatzt; Sie müssen gleich mal den Mund mit Jodlösung richtig ausspülen oder von mir aus auch mit gesalzenem Zitronensaft, wenn Ihnen das lieber ist, das ist noch besser. Da kann ich ja gleich mit Reißzwecken gurgeln. Die benutzt man für was anderes, dann wollen wir mal sehen. Autsch. Seien Sie nicht so empfindlich, Sie sind doch Polizist, oder nicht? Da hat man Sie ja übel zugerichtet, ich lege Ihnen frische Wäsche raus, damit Sie wieder proper aussehen;

wissen Sie, wer gerade angerufen hat? Du solltest ihm doch sagen, ich sei verreist. Ach, Zurdo, hoffentlich werden Sie nicht von Gott bestraft, der arme Junge, was kann er denn dafür? Sie schwiegen. Aber er war's gar nicht, es war Gris, Sie sollen sich so schnell wie möglich mit ihr in Verbindung setzen oder Ihr Handy anmachen. Bei dem Tohuwabohu auf der Ranch war es ausgegangen, ohne dass er es bemerkt hatte. Er zog sich an, schaltete das Handy ein und rief Gris an.

Sie wünschen, Beamtin Toledo? Herr Gemeindepräsident, Señor Fermín de Lima hat ausgesagt, er sei auf einer Party gewesen, auf der Mayra Cabral de Melo getanzt hat, auf Ihre Einladung hin. Sie dürfen ihm nicht alles glauben, de Lima ist nicht nur reich, er ist auch ein Lügner, deshalb ist er ja so angesehen. Breites Grinsen. Wer außer Fermín de Lima war sonst noch auf der Party? Sie sind ja ganz schön hartnäckig, Señorita, das hätte ich bei Ihrem hübschen Gesicht gar nicht vermutet. Herr Gemeindepräsident, ich bitte Sie, meine Fragen zu beantworten. Dass ich Immunität genieße, schreckt Sie wohl nicht? Doch, aber befragen werde ich Sie trotzdem. Das Lächeln des Politikers änderte sich von amüsiert zu angespannt. Ich habe keine Lust, Ihnen zu antworten, Sie können mich mal; zu spät versuchte Noriega Gris daran zu hindern, ihm ihr Wasser ins Gesicht und auf sein Hemd zu spritzen. Sie werden nie einen Beitrag zu mehr Gerechtigkeit leisten, Señorita, zischte der Präsident rot vor Zorn und stand auf. Und Sie werden nie wirklich was zu sagen haben, solange die Mächtigen Sie im Schwitzkasten haben, Sie sehen mir nämlich nicht so aus, als hätten Sie

Eier in der Hose; Sie haben de Lima einen Lügner genannt, das mag schon sein, aber bei einem lag er richtig, er hat uns vorausgesagt, dass Sie Zicken machen würden. Sie haben doch sicher einen Vorgesetzten. Sie auch, also sagen Sie mir endlich, wer auf dieser Scheißparty war und warum alle dort so viel Spaß hatten; Mayra ist tot, und sie hat es verdient, dass Sie Ihren Mund aufmachen. Noriega war wie gelähmt. Das werden Sie bereuen, Beamtin Toledo, kein Polizist macht mich ungestraft lächerlich, und schon gar nicht in meinem Büro. Wer hat die Frau aus Culiacán hergebracht? José Rivera. Das wissen wir, und wir wissen auch, dass Sie der Verbindungsmann von Licenciado Meraz waren und das alles hier eingefädelt haben. Es war ein kleines Dankeschön für all die betuchten Menschen, die uns immer so uneigennützig unterstützen, ich weiß nicht, ob Sie über Meraz' Pläne unterrichtet sind. Nicht im Detail, ich weiß nur, was er anstrebt; Meraz hat uns erzählt, Sie hätten den Ort und die Gäste ausgesucht, Sie hätten sich um alles gekümmert: Getränke, Kanapees, ein schönes Plätzchen, an dem die Mächtigen der Gegend eine ungestörte Nacht verbringen konnten. Aber das war vor drei Monaten, die Tabletänzerin wurde doch gerade erst ermordet; kurz nachdem ich mein Amt angetreten habe. Ich würde gern überprüfen, ob Ihre Gästeliste mit der von de Lima übereinstimmt, er kramte in einer Schublade, holte eine Mappe hervor, aus der er ein Blatt zog und es ihr überreichte, ganz unten stand mit Füller geschrieben der Name de Lima, Toledo steckte es ein.

Eins noch, Herr Gemeindepräsident, Mayra Cabral de Melo kam danach immer wieder nach Mazatlán, mit wem? Wissen Sie das nicht, Señorita? Dann sind Sie doch nicht so ausgebufft, wie ich dachte. Und ich dachte, Sie würden es nicht merken. Sie sind mir vielleicht ein durchtriebenes Frauenzimmer. Und Sie ein blasiertes Mannsbild. Sie grinsten. Wenn Licenciado Meraz nicht Gouverneur wird, werden Sie und Ihre Kollegen dafür bezahlen.

Was meinen Sie? Wieder mal Meraz, bei ihm laufen alle Fäden zusammen, und jetzt leg dich in die Sonne, das hast du dir verdient. Unternehmen Sie nichts, bevor ich nicht wieder da bin. Was soll das, Kollegin Toledo, willst du mir etwa den Gehorsam verweigern? Du sollst dich vergnügen und dir keinen weiteren Kopf machen. Er legte auf.

Chef, ich habe Patricia Olmedo in der Leitung, sagte Angelita, sie will mit Ihnen sprechen. Worüber? Das will sie nur Ihnen persönlich sagen. Gib sie mir. Lassen Sie mich vorher noch erwähnen, dass der Comandante schon zweimal nach Ihnen gefragt hat; und dass Quiroz angerufen hat, er will wissen, was Sie so treiben, er habe gehört, Sie seien an was Großem dran. Ich rufe ihn später an, und jetzt gib mir die Olmedo. Hallo, Oberst. Ich bin kein Oberst, was gibt's? Ich will mit Ihnen über meinen Vater sprechen, gestern war er so süß zu mir, dass ich jetzt ganz verunsichert bin. Was hat das mit uns zu tun? Ich fürchte, er führt was im Schilde, aus Rache. Du hast versucht, ihn umzubringen, wie soll er denn deiner Meinung nach reagieren? Eigentlich ist er nicht so, nur ein harter Hund, der mit Gott und der Welt Geschäfte macht. Auch mit Gringos? Hauptsächlich sogar, ah, ich habe mit Marcos gesprochen, sein Vater ist bei ihm, er meint, er hätte bei sich zu Hause noch nie eine Waffe gesehen. Mendieta dachte kurz nach, wer allein lebt, dem tut es gut, ab und zu einen perfekten Körper zu sehen, selbst einen bekleideten. Wir treffen uns um neun im Marimba, wenn ich um Viertel nach noch nicht da bin, dann morgen um acht im Miró. Muss es so früh sein? Er legte auf.

Er dachte nach. Ger sang in der Küche vor sich hin: *Say You, Say Me* von Lionel Richie, schöne Stimme.

Mendieta wartete fünf Minuten am Tisch neben der Kaffeemaschine, seinem Lieblingsplatz. Von Rudy keine Spur, also ließ er sich einen Guajavensaft und einen doppelten Espresso bringen. Obwohl es früh am Abend war, waren es immer noch um die zweiundvierzig Grad. Harrison, die sich eine andere Bluse angezogen hatte, setzte sich grußlos zu ihm. Sie bestellte eine Coca-Cola und ein Schinkenbaguette. Wir Gringos essen früh zu Abend, sagte sie. Mendieta trank seinen Espresso. Ich habe Simaks Sachen durchgesehen und nichts gefunden, hast du sie dir auch mal angeschaut? Nein, was war er genau? Ein Spezialagent, der praktisch alle Aufgaben übernehmen konnte. Er wurde am Morgen getötet, war aber schon angezogen; das kann ich mir auch nicht erklären, er war extrem misstrauisch. Hatte er ein Handy? Das allerneueste Modell. Wir haben keins gefunden, und in seinem Portemonnaie war kein Bargeld. Das kann nicht sein, er wusste ganz genau, dass man nicht immer mit Kreditkarte zahlen sollte, er wurde bestimmt bestohlen. Wenn er ein Spezialagent war, hat man ihn deswegen getötet, und nicht, um ihn auszurauben, die Frage ist nur, warum. Das würde ich auch gern wissen; vor drei Monaten wurde er beauftragt, zusammen mit der mexikanischen Regierung eine Strategie im Kampf gegen den Drogenhandel zu entwickeln, laut den Berichten, die mir vorliegen, war er in diesem Zusammenhang in Mexiko. Sag bloß, der Präsident hat den Narcos gerade den Krieg erklärt. Ich weiß nicht, ob das zum Masterplan gehört, ich weiß nur, dass er klare Anweisungen hatte, und eine davon war die Lieferung von Waffen an die mexikanische Armee. Schmuggelware? Nur, was schnell gehen musste. Der Zurdo deutete ein Lächeln an. Das Essen wurde gebracht. Er dachte nach: wer würde einen Gringo töten, der Spezialagent ist, der eine Kampagne gegen die Narcos in Mexiko entwirft, der mit Waffen handelt? Die Narcos selbst, aber hatten sie davon gewusst?, warum nicht?, wenn sie überall ihre Spione haben, wieso dann nicht auch in diesem Projekt?, andere Waffenhändler? Gut möglich. Und dann möchte ich noch, dass du mir ein Treffen mit Marcelo Valdés arrangierst. Du spinnst wohl. Harrison sah ihn amüsiert an. Ich habe mit diesem Menschen nichts, aber auch gar nichts zu tun, ich kenne ihn nicht mal. Wir wissen aber, dass du der einzige Polizist bist, vor dem er Respekt hat, die anderen hat er nämlich alle gekauft. Der Zurdo fühlte sich geschmeichelt, nichts Schöneres, als von seinem Feind respektiert zu werden. Willst du mich schon wieder irgendwo reinreiten?, reicht dir die Sache mit dem Cheyenne nicht? Hättest du ein echtes Problem gehabt, wärst du jetzt tot, Detective. Ihre Augen waren wieder hart. Wer hat den Sprengstoff am Auto angebracht? Such dir jemanden aus: die Narcos, die Waffenhändler, die Armee, die militanten Mauergegner, sonst wer. Warum überlässt du das nicht der DEA? Geht nicht, das ist unsere Sache. Was heißt hier »unsere«? Das erkläre ich dir später, ich muss mit Valdés sprechen, bevor es zu spät ist. Soll ich hinfahren und ihn fragen, warum er Simak hat umbringen lassen? Sie starrten sich gegenseitig in die Augen.

Diesmal geh ich selber hin, du musst nur dafür sorgen, dass er mich empfängt. Man kann nicht leben in einer Stadt, in der man immer das Opfer ist: wenn nicht ihrer Einwohner, dann ihrer Besucher, sinnierte der Zurdo. Ich habe keine Ahnung, warum du diesen Mann sehen willst, aber was immer der Grund ist, Gott sei dir gnädig. Ist gut, dieses Sandwich, kräftiger Geschmack. Bei der mexikanischen Küche ist es egal, ob Heilige oder Hexen am Herd stehen, das Ergebnis ist immer gleich. Sie fuhren zu Mariana Kelly. Sie war nicht da, und aus dem Bodyguard war nichts rauszukriegen. Weißt du, wann sie zurückkommen? Nein. Schon länger her, dass der Diablo Urquídez nicht mehr hier arbeitet? Ja. Der Typ war ein Schrank, eiskalter Blick, der Zurdo beschloss, es woanders zu versuchen.

35

McGiver und ein Vertreter der Streitkräfte frühstückten in aller Ruhe im Mezzosole im Hotel Lucerna. Das Restaurant war gut gefüllt, aber niemand kannte sie. Der Schmuggler hatte einen neuen Kunden an Land gezogen. Der dünne, blasse, fiebrig blickende Mann aß einen Obstteller mit Toastbrot. Wie gut, dass Sie die Anzahlung noch nicht getätigt hatten, Señor Andrade. Das hätte mich geärgert; zum Glück wusste der Abgeordnete Vinicio de la Vega, was mit dem anderen Lieferanten passiert war, kannte Sie und konnte Sie mir empfehlen; außerdem hat er mich noch rechtzeitig angerufen. Uns können Sie vertrauen. Was für ein merkwürdiger Kerl, da gehen wir essen, und der wirft noch nicht mal einen Blick in die Karte. Es gibt nichts, was es nicht gibt, er kostete ein Stück Guanabana. Señor McGiver, wenn alles gutgeht, werden Sie alle Fronten beliefern. Darin besteht mein Geschäft, Señor Andrade, und vergessen Sie nicht, wie leicht Sie mein exklusiver Partner werden könnten. Danke, was ich an Sinaloa am meisten schätze, sind die Früchte, immer frisch, immer schmackhaft. Der Schmuggler, der Machaca mit Zwiebeln und grünem Chili und Maistortillas aß, nickte lächelnd und dachte, dass er in seinem Leben kaum Obst gegessen hatte. Wie sagte schon sein Großvater: nicht mal, wenn er krank wäre.

Eine halbe Stunde später rief er von seinem Zimmer aus Danilo Twain an und gab ihm die Stückzahlen durch, die er gerade ausgehandelt hatte. Die Sache mit der Publicity macht mir ein bisschen Sorgen, grüner Pfeil, weißer Pfeil findet sie nicht gelungen. Das Mädchen ist bildhübsch, wenn keine Publicity für sie gemacht wird, springt nichts für sie raus. Hoffentlich irrst du dich da nicht, und sonst? Es ist Sommer, die Meteorologen sagen Wirbelstürme voraus, wir müssen abwarten. Wir sind bereit und harren der Dinge. Klick.

Er rief Dulce Arredondo an. Gibt's was Neues? Sie wollen nicht, angeblich geht es nicht so einfach, und solange sie kein Geld sehen, machen sie keinen Finger krumm. Was wollen diese Blödmänner?, warum lassen die sich so bitten? Es sind eben die Besten, warum ist es überhaupt so dringend? Es soll ein Geschenk sein für eine Frau, die gerade Frida Kahlo entdeckt hat. Muss es unbedingt dieses Bild sein? Ja, das hat sie mir deutlich zu verstehen gegeben. Ich schaue, was ich machen kann, und wenn nicht? Das ist keine Option, ich zahle jeden Preis; apropos, morgen kriegst du deinen Anteil dafür, dass du Andrade an die Angel genommen hast. Ziemlich unheimlich, der Typ, oder? Der verkauft nur deshalb seine Mutter nicht, weil er keine hat. Hat er schon gefrühstückt? Ich ruf dich später noch mal an. Er stand am Fenster seines Zimmers mit Blick auf den Fluss und sah eine Szene, die seinen schon vergessen geglaubten jugendlichen Hang zu Faustkämpfen heraufbeschwor.

Yoreme joggte am Ufer des Tamazula und boxte in die Luft. Er hörte Sony Alarcón, wie er seinen Kampf kommentierte. Linker Haken von Yoreme, rechter Haken, er bewegt sich elegant, Finte, Gerade zum Gesicht, Schlag auf die Leber, Cavernario Galindo steckt die Treffer ein, versucht es mit zwei Kung-Fu-Tritten, die das Idol aus Culiacán – kurz: Kid – aber nicht einmal streifen, eine Serie von Aufwärtshaken prasselt auf den Cavernario ein, der nicht die Härte, aber die Anzahl der Treffer spürt, er atmet durch den Mund, Yoreme setzt nach, bereitet seine tödliche Waffe vor: den Uppercut, seine Fans am Ring feuern ihn an, wir sehen den großen Efrén »der Skorpion« Torres, den Huitlacoche José Medel, den Púas Olivares, den Mantequilla Nápoles, Julio César Chávez, Finito López, Chiquita González, Salvador Sánchez, den Terrible Morales, Julio Cortázar. Yoreme hält inne, macht zum Dank eine Verbeugung; wer ist das? Meine Damen und Herren, darf ich vorstellen, Roxana, die schöne Tänzerin, die Kid Yoreme gleich die Siegerkrone aufsetzen wird.

Vor dem Hotel Lucerna erstarrte Yoreme plötzlich. Er bemerkte die vielen Fußgänger und Jogger entlang des Fahrradwegs durch den Riberas-Park. Dann sah er Dayana und Luis Ángel Meraz kommen, beide lächelten. Wie ein Erdbeben erschütterte ihn die Erinnerung an den Abend, als er Meraz und Roxana gefolgt war, zu dem großen Haus, sie waren gemeinsam reingegangen, und er war allein wieder rausgekommen, um sein Handy zu holen, wie oft hatte dieser Kerl sie mitgenommen, während er immer nur hatte zuschauen dürfen.

Du hast sie umgebracht, du Schwein, ich hab dich gesehen! Erschrocken bremste Meraz ab; er war stets auf das Schlimmste gefasst, aber die drohende Haltung Yoremes jagte ihm regelrecht Panik ein. Junger Mann, wovon reden Sie? Du hast Roxana umgebracht, du Schwein. Er stürzte sich auf ihn. Du hast sie umgebracht im Haus mit der gelben Tür. Doppelter Haken in den Magen, Uppercut ans Kinn. Meraz fiel um wie ein Sack, während um ihn herum alle wie gelähmt waren, Dayana schrie, der Boxer drosch weiter auf den Bewusstlosen ein, ohne dass jemand eingriff, dann zog er ihn in den Fluss und tauchte ihn so lange unter, bis er sich nicht mehr regte.

Zwei Polizisten, die sich in der Nähe aufhielten, rannten herbei und zogen die beiden heraus.

36

Chapo Abitia: Mein Zurdo, ich bin ziemlich raus aus dem Geschäft, und du weißt ja, wie das läuft, lässt man es ein bisschen schleifen, sind die Kontakte schnell weg. Von den Leuten, mit denen ich gesprochen habe, hat keiner eine Ahnung, wo Kid Yoreme steckt; hör mal, du weißt doch immer alles, stimmt es, dass Licenciado Luis Ángel Meraz umgebracht wurde? Wer hat dir das gesagt? Begoña, sie meint, sie hätte es im Radio gehört, und wer auch den Löffel abgegeben hat, ist Marcelo Valdés, oder? Ah, deshalb hatte er schon länger nichts mehr vom Diablo gehört. Mendieta wollte nicht zugeben, dass er nicht im Bilde war. Der Mann war ja auch schon ziemlich alt. Stimmt, aber er hat enorm viel bewegt, findest du nicht? Zum Beispiel Menschen getötet wie die Fliegen. Schon, aber er hat auch ganzen Dörfern geholfen, du weißt ja, was die Leute sagen, wenn er nicht Geld in diese Stadt gesteckt hätte, wären wir immer noch ein Kuhdorf. Was du nicht alles weißt, Chapo. Ich bin eben immer gut informiert, Zurdo. Wir sehen uns. Und vergiss die Hochzeit meiner Tochter nicht. Bestimmt nicht, und wenn es das Letzte ist, was ich auf dieser Welt mache. Er legte auf, stellte das Radio an, und schon hörte er Quiroz sagen: Heute Morgen, beim Joggen im Park Las Riberas, wurde laut Augenzeugenberichten der wohlhabende Politiker und ehemalige Abgeordnete Luis Ángel Meraz von einem Wahnsinnigen angegriffen, zum Tamazula geschleppt und grausam ertränkt, ohne dass jemand ihm zu Hilfe eilen konnte. Zwei Streifenpolizisten konnten den Täter festnehmen, der nun seit mehreren Stunden von der Bundespolizei verhört wird; Gerüchten zufolge strebte Meraz bei den kommenden Wahlen einen wichtigen Posten an, daher wurde sein Tod in Politikerkreisen mit Argwohn zur Kenntnis genommen. Am Mikrophon, Daniel Quiroz.

Er rief Ortega an. Der ging nicht ran. Wer solche Freunde hat, braucht keine Feinde. He, Montaño, wie geht's, frönst du deinem Hobby? Und wie, nach der Hektik heute Morgen habe ich mir das auch verdient, apropos, wo warst du denn?, Briseño hat mehrmals nach dir gefragt. Was kannst du mir zu Meraz berichten? Er wurde ertränkt, die Meldung hat eingeschlagen wie eine Bombe. Gut, dann surf mal schön weiter auf Wolke sieben. Er legte auf.

Kurz vorm Präsidium parkte er und zündete sich eine Zigarette an. Leere machte sich in ihm breit, er konnte nichts dagegen tun. Parra würde erst am Dienstag zurückkommen, und ihm waren die Verdächtigen ausgegangen, war es ihm so wichtig, einen Verdächtigen zu haben, dass er sich so verloren fühlte? Luis Ángel Meraz, murmelte er, mir wäre es lieber gewesen, du hättest den Lackmustest bestanden, wie du das genannt hast, diese Prüfung, der wir Menschen uns aussetzen müssen, um zu beweisen, dass wir die sind, die wir zu sein behaupten, ja, du hattest das perfekte Alibi; wenn du es nicht warst, wer hat Mayra Cabral de Melo dann ermordet? Er rauchte seine Zigarette zu Ende. Und Yolanda?

Angelita war regelrecht hysterisch. Chef, wo waren Sie denn?, hier ist die Hölle los. Wegen Meraz? Auch weil angeblich Marcelo Valdés gestorben ist. Wer sagt das? Die Kollegen. Pineda heult sich bestimmt schon die Augen aus. Meinen Sie? Nicht wegen Valdés, sondern weil ihn jede Menge Ärger erwartet; bei einer Machtübergabe solchen Ausmaßes kommt immer so einiges ans Tageslicht; vielleicht wird aber auch alles besser, und er kriegt ab jetzt noch höhere Provisionen, damit er schön den Mund hält.

Der Chapo Abitia hat angerufen. Ich hab schon mit ihm gesprochen. Chef Briseño will, dass Sie sich nicht von der Stelle rühren, bevor er nicht zurück ist. Wo ist er denn? Er verhört den Mörder von Licenciado Meraz. Ist der Gori auch da? Ich glaube ja, soweit ich gehört habe, auch Leute von der Staatsanwaltschaft. Dann wollen wir mal schauen, wie's läuft.

Ich hatte ein kleines Palmenhäuschen und ließ die Füchsin herein, und als sie drinnen war, sagte sie zu mir: dieses Haus ist zu klein, da ist kein Platz für uns zwei, und dann warf sie mich raus. Ein Hahn, der Mitleid mit mir hatte, sagte: keine Angst, kleines Kaninchen, diese böse Füchsin werde ich im Nu vertreiben. Sie gingen zu seinem Häuschen, und der Hahn machte mehrmals Kikeriki, so laut er konnte, aber die Füchsin tat so, als hörte sie es nicht; da wurde dem Hahn klar, dass er nichts würde ausrichten können: tut mir leid, kleines Kaninchen, mehr kann ich nicht tun, diese Füchsin ist eine Bestie, und er ging fort, weinend zog auch das Kaninchen von dannen.

Yoremes Stimme klang leicht verzerrt, aber der Zurdo erkannte sie trotzdem, er lauschte. Verdammter Yoreme, du bist total durchgeknallt. Der Terminator, der alles durch die Glaswand beobachtete, wandte sich an Mendieta. Der Kerl ist völlig gaga, seit Stunden brabbelt der schon dieses Zeug. Er sah Briseño, zwei Beamte der Staatsanwaltschaft und den Gori Hortigosa, der entnervt wirkte. Mit verlorenem Blick saß Yoreme auf einem Stuhl und murmelte immer wieder seine Geschichte vor sich hin.

Die Beamten standen auf und verließen den Verhörraum. Briseño sah ihn tadelnd an. Wo hast du gesteckt, Detective Mendieta? Das wissen Sie doch. Wir haben den Mörder von Meraz festgenommen, er ist nicht bei uns im Computer und wollte uns nicht mal seinen Namen nennen, stattdessen hat er die ganze Zeit nur Unsinn vor sich hin gebrabbelt, irgendwas von einem Kaninchen und einer Füchsin; die Herren sind von der Staatsanwaltschaft, sie wollen wissen, ob die Tat politisch motiviert ist, sie begrüßten sich, aber der Idiot weiß nicht mal mehr, wie er heißt, selbst der Gori hat nichts aus ihm rausgekriegt; wir gehen was essen, kommst du mit? Wenn Sie einverstanden sind, würde ich gern hierbleiben. Als die hohen Tiere außer Hörweite waren, bekamen auch die anderen Hunger. Mein Zurdo, ich könnte auch einen Taco vertragen, unseren Freund hier bringen wir in seine Suite. Überlass ihn mir, mein Termi, vielleicht spuckt er doch was aus. Wie denn, wenn nicht mal Schläge ihn weich kriegen? Das lass mal meine Sorge sein. Soll ich nicht lieber bleiben? Gönn dir eine Pause, Gori, und iss was.

Verdammter Yoreme, da hast du ja ganz schön Bockmist gebaut. Mein Cáver, wie geht's, Bruder. Er stand auf, setzte sich aber gleich wieder und ließ den Kopf hängen. Bist du doch noch sauer auf mich? Ich hab einen Bauern getroffen, der hat mich zu Pater Cuco gebracht, ich hatte ein kleines Palmenhäuschen, dann habe ich einen Busfahrer gesehen, ich ließ die Füchsin herein, dein Auto haben sich die Bundespolizisten unter den Nagel gerissen, was hältst du davon, wenn wir im Revo gegeneinander antreten?, ich trainiere schon. Yoreme, halt die Klappe, warum hast du Meraz getötet? Welchen Meraz? Den Politiker. Ich hatte ein kleines Palmenhäuschen. Er packte ihn an den Haaren. Halt den Mund, bei mir zieht dieser Scheiß nicht. Ich werde dich nicht noch mal umhauen, mein Cáver, versprochen. Ist gut, und jetzt erzähl mir, warum du Meraz ertränkt hast. Cáver, was machen wir hier?, wolltest du mich nicht zu Roxana bringen? Mach ich schon noch, Yoreme, aber vorher musst du mir sagen, warum du dem Typen, der die Königin abgeholt hat, die Lichter ausgepustet hast. Er brach in Tränen aus. Er hat sie umgebracht, mein Cáver, deswegen. Hast du das mit eigenen Augen gesehen? Yoreme heulte noch lauter. Wo hat er sie getötet? Weiß ich nicht, ich weiß nur, dass er sie umgebracht hat, er wollte sie für sich allein haben, hat sich immer über alle lustig gemacht, wenn er sie abgeholt hat. Mendieta begriff, er klopfte dem Boxer mehrmals auf die Schulter, der nun etwas weniger weinte und drängte: Was ist denn nun mit unserem Fight? Maske gegen Perücke, das hat es in Culiacán noch nie gegeben. Wortlos verließ der Zurdo den Raum. Draußen sprach ihn der Gori Hortigosa an. Respekt, mein Zurdo. Mein Gori, wenn der Comandante zurückkommt, sag ihm bitte, dass ich ihm die Akte über diesen Kerl auf den Schreibtisch gelegt habe.

Er fühlte sich elend. Er rief Angelita an und bat sie, Briseño die Akte zu geben, dann verließ er das Präsidium. Wenn es auf dieser Welt einen Ort gibt, an den ich gehöre, werde ich nicht genug Zeit haben, um ihn zu finden.

Kavallerie. Chef, wo sind Sie? Da, wo ich hingehöre. Ich hab gerade das mit Meraz gehört und bin ins Grübeln geraten. Komm bloß nicht auf die Idee zurückzukommen, wenn ich dich vor Montag in Culiacán sehe, stecke ich dich ins Gefängnis. Tun Sie sich keinen Zwang an, ich bin nämlich gleich im Präsidium. Und Rodo? Alles bestens, gestern hat er mir einen wunderschönen Ring geschenkt, ich glaube, ich werde sehr glücklich sein mit ihm. Freut mich, allerdings solltest du dein Temperament etwas zügeln, Kollegin Toledo, was sollte das Ganze überhaupt? Chef, ist mir noch nie passiert, ich hatte meine Tage, ach, ich weiß auch nicht, ohne Ring habe ich mich irgendwie minderwertig gefühlt. Schon gut, komm ins Quijote, ja?

Also, Chef, Meraz ist tot, aber wir sind uns nicht sicher, ob er wirklich der Mörder von Mayra war, die Leute aus Mazatlán passen nicht ins Profil; Kid Yoreme, Aguirrebere und Canela auch nicht. Der Geschäftsführer scheint mir genauso wenig unser Mann zu sein, Ramírez ist abgetaucht. Camila Naranjo hat sich nach dem Verhör krank gemeldet, Elisa Calderón ist mit allen Wassern gewaschen, aber keine Mörderin, Yolanda Estrada ist wie ein Schatten, als wäre sie nie gestorben, was halten Sie von Miroslava? Die ist total normal, weißt du, was ich glaube? Dass wir eine bestimmte Klientel außer Acht gelassen haben; du hast den Eindruck, dass du Calderón noch nicht die richtigen Fragen gestellt hast, und der Apache sagt, sie war mit mächtigen Männern liiert, die weder Narcos noch Stammgäste des Alexa waren; sie hat auch im Club Sinaloa getanzt, da müssen wir ansetzen. Erinnern Sie sich an die Fußabdrücke? Welche Fußabdrücke? Die Fußabdrücke am Tatort, die stammten von groben Schuhen, von Militärstiefeln oder Trekkingboots. Olmedo wäre ein Kandidat, oder? Da kommen viele in Frage, was ist mit der Frau ohne Brüste? Der Fall ist abgeschlossen, es war der Exmann, ein guter Freund vom Comandante, und bevor du mich fragst: er hat die Tat gestanden, aber mit dem Tod von Mayra hat er nichts zu tun; heute Morgen habe ich mit Paty Olmedo gefrühstückt, sie hat mir gesagt, ihr Vater sei zu ihr gekommen, sie hätten geweint und sich versöhnt, sie soll sich darauf einstellen, dass er sie als Alleinerbin einsetzen wird, da ist sie ein bisschen erschrocken, hat ihm vorgeschlagen, noch mal alles zu überdenken, für ein Rentnerleben ist es doch noch zu früh, Papa, warum suchst du dir nicht eine Frau in deinem Alter, von mir aus auch eine jüngere? Du bist ein Mann in den besten Jahren, nicht dass du was Falsches denkst, aber meine Freundinnen sagen, dass du es noch ziemlich bringst. Vergiss es, junge Frauen sind eine Katastrophe; ich hatte eine Freundin, bildhübsches Ding, gestern habe ich erfahren, dass man sie umgebracht hat. Ach, Papa, was für ein Pech. Ja. Darf man wissen, wer es war? Die Tanzlehrerin von Anita Roy, wir haben ein paar Mal miteinander gegessen. War sie wirklich so schön? Sie hat ein grünes und ein honigfarbenes Auge, war braungebrannt, Brasilianerin. Schade, Papa, wirklich schade.

Sie schwiegen.

Ich werde Elisa Calderón und Ramírez vorladen, was meinen Sie?

Mendieta erzählte ihr von Win und dass er einen Anruf vom Diablo Urquídez erwarte, der ihm gerade einen neuen Termin mit Samantha Valdés besorge, der vorige sei aufgrund eines Notfalls geplatzt.

Ich fahre zu Olmedo. Wenn du die beiden hier hast, ruf mich an.

Er empfing ihn im Gitarrenzimmer, in groben, verdreckten Schuhen. Französische Musik: *La mer* von Charles Trenet.

Señor Olmedo, ich habe einige Fragen, und ich hoffe, Sie beantworten sie mir, ohne dass ich Sie an Ihre Straftaten erinnern muss wie zum Beispiel Geldwäsche. Olmedo hörte zu, ohne ihm größere Beachtung zu schenken, müde winkte er ab, als würde es ihn nicht sonderlich interessieren. Ich weiß, dass Sie ein Freund von Mayra Cabral de Melo alias Roxana waren, die vergangenen Sonntag ermordet wurde, wann haben Sie sie zum letzten Mal gesehen? An ebenjenem Sonntag, ich habe sie gegen zwölf Uhr abends nach Hause gebracht. Schweigen. Bis vor die Tür? Nein, sie ist vorher ausgestiegen, ich durfte sie nie bis zur Haustür begleiten; ich hab's erst gestern erfahren, wollte sie abholen, da hat Fantasma es mir erzählt. War das ihr Mittelsmann? Er nickte. Wie lief das ab?, Sie haben sie am Eingang abgesetzt und weiter?, er warf einen Blick auf die Schuhe. Ja, an der Kreuzung mit der Carrasco, sie ging zu dem Gebäude, wo sie wohnte, und ich fuhr weiter in Richtung Malecón. Ist Ihnen irgendwas aufgefallen?, Leute?, Autos? Ein großer, dunkler Wagen; ich hab sogar gesehen, wie jemand ausstieg und sie begrüßte. Der Zurdo holte die Fotos mit den Reifen hervor. Señor Olmedo, wir haben Reifenspuren gefunden, die zu einem Auto passen, wie Sie es gerade beschrieben haben, fällt Ihnen noch etwas ein, das unseren Ermittlungen weiterhelfen könnte? Sie hatte viele Kunden, es war nicht das erste Mal, dass schon jemand auf sie wartete. Wir glauben, dass die Reifen vom Wagen des Mörders stammen, die Abdrücke sind ziemlich tief, offenbar handelt es sich um ein gepanzertes Fahrzeug. Olmedo betrachtete die Fotos. Das sind Goodyear-Reifen, das allerneueste Modell, die werden in Mexiko noch gar nicht verkauft, und es stimmt, die sind für stadttaugliche Geländewagen. Hat jemand bei Ihnen ein solches Fahrzeug gekauft? Ich werde es überprüfen, aber ich würde mir keine allzu großen Hoffnungen machen; rufen Sie mich in zwei Stunden an. Er gab ihm die Fotos zurück. Wo und wann haben Sie sie abgeholt? In der Nähe ihrer Wohnung, gegen vier Uhr, wir wollten in Altata essen gehen, aber sie hat es sich anders überlegt, wollte lieber ihre Strom- und Telefonrechnung bezahlen, also habe ich sie begleitet, anschließend haben wir zwei Sandwiches, Obst und Wasser gekauft und uns ans Flussufer gesetzt; er sah Mendieta an, der ihm ruhig zuhörte. Übrigens wurde sie von Ameisen in die Arme gebissen; um zehn hat sie mich gebeten, sie zum Alexa zu fahren, sie sagte, sie hätte sich zwei Tage frei genommen; als ich sie abgesetzt habe, haben wir ein bisschen rumdiskutiert, unsere Beziehung macht mir Angst, habe ich zu ihr gesagt, da ist sie wieder eingestiegen, und wir haben uns unterhalten, bis ich sie schließlich nach Hause gebracht habe. Sie waren in einem weißen Pick-up unterwegs, neuestes Modell, mit Nummernschild aus Sonora. Olmedo lächelte: Geht ja doch, sagte er. Wie meinen Sie das? Ich dachte immer, ihr Polizisten seid komplette Idioten. Verstehe; noch was, ich habe da jemanden getroffen, der behauptet, ein Freund von Ihnen zu sein; großgewachsen, korpulent, weiß. Leo McGiver. Wo wohnt er? Weiß ich nicht, jedenfalls nicht in Culiacán. Mir sagte er, er wäre Anwalt, aber das glaube ich ihm nicht. Gandhi ließ seinen Blick zur Gitarre von Jeff Beck schweifen. Die hat er mir besorgt. Der Zurdo sah zur Wand, dann wieder zu Olmedo. Aber sein eigentliches Metier, das sind Waffen, fügte er hinzu, während im Hintergrund *Borsalino* von Claude Bolling lief. Er hat angegeben, dass er für Dioni de la Vega arbeitet. Davon weiß ich nichts, neulich meinte er, er kennt einen Bruder von Ihnen, an den Namen kann ich mich nicht mehr erinnern. Erstaunlich. Was? Nichts, ich habe nur laut gedacht. Waren Sie mit Luis Ángel Meraz befreundet? Wir haben uns gut verstanden, furchtbar, sein Tod. Er war auch ein Freund von Mayra. Weiß ich, er hat sie mir im Club Sinaloa selbst vorgestellt. Wer vom Club war sonst noch ihr Kunde? Die Frage müsste eher lauten: wer nicht? Aber ich war am verrücktesten nach ihr, habe sie zwei- oder dreimal die Woche gebucht. Vermutlich fahren die meisten von Mayras Kunden einen großen Wagen. Und haben ihn bei mir gekauft, die Liste kriegen Sie ja bald. Wir haben am Tatort Fußspuren gefunden, die von Ihren Schuhen stammen könnten. Sind ganz normale Schuhe, aber wenn Sie sie analysieren wollen, können Sie sie gern mitnehmen. Nicht nötig, dank Ihrer Tochter habe ich jetzt ein ganz anderes Bild von Ihnen. Kavallerie. Mendieta, er dachte, es wäre Gris, aber es war der Diablo Urquídez. Mein Zurdo, in drei Stunden im Apostolis.

Die beiden Männer musterten sich. Haben Sie sie gekannt? Flüchtig. Hatten Sie eine intime Beziehung zu Yolanda Estrada? Nein, aber Roxana mochte sie offenbar sehr. Hat Sie sonst was erwähnt, dass ein Kunde aufdringlich geworden ist oder sie bedroht hat? Nein, von ihren Kunden hat sie nie gesprochen. Schweigen. Kennen Sie ein Haus mit gelber Tür in der Nähe des Alexa, das Meraz gehört? Nein, meine Beziehung zu ihm war auf den Club beschränkt; finden Sie den Täter, Detective, wenn Sie ihn schnappen, kriegen Sie von mir ein neues Auto Ihrer Wahl. Der Zurdo lächelte. Also abgemacht, sagte Olmedo, sie gaben sich die Hand.

37

Der schwarze, funkelnagelneue Pick-up von Richie Bernal hatte den Zaun des Technologischen Instituts von Culiacán durchbrochen, überall lief Flüssigkeit aus, Rauch stieg auf. Im Innern Bernal, durchlöchert von über fünfzig Projektilen, ebenso seine vier Bodyguards, deren Karriere hier ein Ende gefunden hatte. Es lief *El hijo desobediente* von Los Tigres del Norte, bis zum Anschlag aufgedreht. Zum ersten Mal traute sich niemand, näher heranzugehen, weil die Szene von einer unfassbaren Zerstörungswut zeugte. Zwei Streifenwagen trafen ein, die Beamten hatten wenig Lust, den Fall aufzunehmen.

Sie hatten in der Nähe der Valdés-Villa gewartet und ihn auf der Avenida Obregón eingeholt, gegenüber dem Shoppingcenter Galerías San Miguel. Sie hatten gewusst, dass Richie nicht würde stillhalten können, dass er ein Draufgänger war. Ideal, um Samantha eine Nachricht zu übermitteln. An der Kreuzung gegenüber dem Technologischen Institut hatten sie ihn unter Beschuss genommen. Zwei Pick-ups, in denen jeweils fünf Killer saßen und mit ihren AK-47 draufhielten. Bernals Leute schossen zurück, aber sie hatten keine Chance. Wegen der Beerdigung war keine Zeit gewesen, das neue Fahrzeug zu panzern.

Richie war traurig durchs Haus getigert. Er war ein Großcousin der Chefin, aber das würde ihn nicht vor einer Abreibung bewahren. Er hatte den Bogen überspannt, und er wusste es, sie würde ihm nie verzeihen, dass Rafa und der Chalán gestorben waren. Also hatte er seinen Männern vorgeschlagen, Hamburger essen zu fahren, bevor sie ihr Fett abkriegen und womöglich zurück in ihre

Hütte in Badiraguato geschickt würden. Nach der Versammlung der Chefs, die er mit abgesichert hatte, war er in der Villa geblieben, falls er noch gebraucht wurde; wurde er aber nicht, die Anführer waren zu beschäftigt. Chef, wie wär's mit Tacos? Ich kenne da einen Superladen in der Patria. Ich will einen Hamburger, und ihr esst gefälligst auch einen, haben wir uns verstanden? In der Nähe der Lomitakirche soll es welche geben, die ganz okay sind. Da fahren wir jetzt hin, er drehte die Stereoanlage auf und drückte aufs Gas.

38

Der Zurdo folgte der Empfehlung von Gris und fuhr zu Puye, um ein Dutzend Venusmuscheln mit Zitrone und Chili und ein halbes Dutzend Austern zu essen.

Was machst du denn hier, Zurdo? Mendieta blickte auf und sah in das breit grinsende Gesicht von Teo, der sich zu ihm an den Tisch setzte. Die Rechnung geht auf dich. Nur deine? Ich sag's ja, genauso frech wie dein Bruder. Das Essen wurde gebracht, und er schlürfte die erste Venusmuschel. Na, wieder zurück? Was stopfst du denn so viel Aphrodisiakum in dich rein? Man weiß ja nie. Ich schon, die Schwester meiner Frau zum Beispiel ist jünger als sie und sieht auch noch besser aus. Nein, danke. Sie tranken Bier. Was macht dein Freund, hast du ihn geschnappt? Sitzt hinter Gittern. Bestimmt hast du ihm wegen Beamtenbeleidigung zwanzig Jahre aufgebrummt. Fünfundzwanzig. Das glaube ich gern, niemand ist so rachsüchtig wie ein Polizist. Was ist mit Susy, hat sie den Sohn mitgebracht, den ihr zusammen fabriziert habt? Noch nicht. Wer hätte gedacht, dass ausgerechnet du kleiner Rotzlöffel ihr ein Ei ins Nest legst. Tja, wenn ich schieße, treffe ich auch. Dann solltest du dich auch um die Folgen kümmern, dein Bruder meint, der Junge geht bald zur Uni, und Susy kann das allein nicht stemmen. Sie soll einfach sagen, wie viel, bei mir muss sie nicht betteln. Wirst du dein Erspartes für das Häuschen in Altata angreifen? Für meinen Sohn mache ich alles. So spricht ein Mann und keine Memme. Sag mal, Teo, erinnerst du dich an einen, der Leo McGiver heißt oder sich so nennt, aus Col Pop, weißhäutig, großgewachsen, ein bisschen aus dem Leim gegangen? Teo musterte ihn. Was ist mit ihm? Er steht unter Mordverdacht, und ich sehe dir an der Nasenspitze an, dass du ihn kennst. Das soll der Kerl sein, der dein Mädchen umgelegt hat? Der Zurdo dachte kurz nach. Könnte sein, sicher weiß ich allerdings nur, dass er einen jungen Typen im San Luis umgenietet hat. Sie zündeten sich Zigaretten an. Ich kenne ihn oder, besser gesagt, kannte ihn, war schon damals ein durchtriebener Kerl; ich erinnere mich noch, dass er Levi's und Seife aus den USA geschmuggelt hat. Er blies den Rauch aus. Dann lebt Leo also noch, wirst du ihn dir schnappen? Sobald er mir über den Weg läuft. Der Kellner brachte einen Aschenbecher, zwei Bier und räumte den Tisch ab. Enrique hat ihn auch gekannt, sehr gut sogar. Der Zurdo rief seinen Bruder an. Wie geht's, mein Alter? Es geschehen noch Zeichen und Wunder, dass du mal von selbst anrufst, du liegst doch nicht etwa im Sterben? Ich hab eine andere Überraschung für dich. Nicht dass du mir heiratest, Brüderchen, dir geht's doch gut so. Dazu fehlt mir der Mumm. Dafür hast du umso mehr Grips, und was ist jetzt die Überraschung?, der Zurdo reichte das Telefon an Teo weiter. Wie geht's, Comandante? Teos Gesicht hatte plötzlich etwas Kindliches. Das soll er dir selber erzählen, ich hab ihm schon gesagt, dass er genauso aufbrausend ist wie du. Er hörte kurz zu. Alles bestens, wärmt immer noch mein Bettchen, hör mal, Leo McGiver ist in der Gegend, hat einen Jungen getötet, und dein Bruder will ihm dafür an den Kragen. Er hörte zu. Okay. Er gab dem Zurdo das Handy zurück. Was gibt's? Du willst dir also Leo vorknöpfen? Er hat einen jungen Kerl auf dem Gewissen. War dieser Kerl okay? Eher nicht, hat für einen der mächtigsten Narcos gearbeitet. Dann ist der Welt also kein

Wissenschaftler verloren gegangen? Nein, eher nicht. Ich bin Leo noch einen Gefallen schuldig, Teo wird's dir erklären; hör mal, Susana und Jason kommen bald nach Culiacán, hoffentlich hast du Zeit, dich ein bisschen um den Jungen zu kümmern. Dir kann ich nichts vormachen, ich kann's kaum noch erwarten, ihn zu sehen. Das hört man gern, und wehe, du verarschst mich gerade. Wie könnte ich? Na gut, sei gedrückt, Bruderherz.

Teo nahm einen Schluck Bier und zündete sich noch eine Zigarette an. Der Zurdo wartete. Schon als Jugendlicher war Leo ein spezieller Typ, verwegen, ein bisschen durchgeknallt, zu allem bereit; ich glaube nicht, dass du ihn noch kennengelernt hast, er ist nämlich aus Col Pop weggezogen, als du noch klein warst, aber wir drei waren damals dicke Kumpel; als wir Revolutionäre gespielt haben, hat er uns Waffen besorgt. Ich weiß, dass er heute Waffenhandel in großem Stil betreibt. Dein Bruder hat mich gebeten, dir von dem Gefallen zu erzählen, den er ihm schuldet; aber vorher musst du wissen, dass ich das nur tun soll, wenn du Leo nicht einbuchtest. Wenn du dich darauf nicht einlassen willst, belassen wir es dabei. Nach all den Jahren im Ausland war Enrique McGiver einen Gefallen schuldig? Die Neugier war zu groß, als dass der Zurdo ihr widerstehen konnte. Der Kerl ist frei, keiner meiner Leute wird ihn anrühren. So ist's recht, ein Mann, ein Wort, er rauchte: Enrique hat jemanden getötet; ich war dabei, er hat mir damals gesagt, er hätte noch eine Rechnung offen, und nun sei der Zeitpunkt gekommen, sie zu begleichen; wir sind zu einem Haus gefahren, und weil er nicht wollte, dass ich mitkomme, dachte ich, es geht irgendwie um Geld. Von wegen. Er hat geklingelt, ein Mann, den ich kannte, machte auf, und Enrique hat ihm eine Kugel in die Stirn gejagt. Der Typ war auf der Stelle tot, und dein Bruder rannte zurück zum Auto. Was war denn das, Quique?, habe ich zu ihm gesagt, spinnst du oder was? Das hatte er verdient. Das war ein Pfarrer, Mann, ein Priester! Und ein verdammter Kinderficker mit Vorliebe für Jungs. Dem Zurdo fiel die Zigarette aus dem Mund. Teo stand so sehr im Bann seiner Erinnerungen, dass er nicht bemerkte, wie blass sein Gegenüber war, wie schwer er atmete. Dann lief die Sache aus dem Ruder; vor lauter Nervosität wäre ich beinahe in einen Streifenwagen reingedonnert, der uns natürlich gestoppt hat; wir mussten aussteigen, wurden gefilzt und verprügelt. Wir waren völlig runter mit den Nerven, schließlich hatte dein Bruder nicht irgendeinen Christen umgepustet, sondern einen Priester, dermaßen aufgekratzt waren wir, dass wir die Schläge praktisch gar nicht gespürt haben.

In dem Moment tauchte McGiver auf. Er hatte einen guten Draht zu den Bullen, hat sie geschmiert, damit sie uns laufen ließen; die Knarren hat er ihnen geschenkt, und das Auto auch, aber das war ja sowieso gestohlen.

Wir waren bei ihm zu Hause, da kommt ein hoher Beamter der Staatsanwaltschaft. Entweder er liefere Enrique freiwillig aus, oder es sei vorbei mit jeglicher Zusammenarbeit. Leo ließ sich nicht beeindrucken. An diesem Abend hat sich dein Bruder zum ersten Mal als Frau verkleidet, ich übrigens auch. Wir sind im Minirock nach Los Mochis gefahren, dort haben wir uns drei Tage bei einem Typen namens Poncho versteckt, bis McGiver uns nach San Luis, Río Colorado, gebracht hat, in einem Kleinflugzeug, das er hinterher mit Pistolen und Gewehren vollgeladen hat; dann hat er deinen Bruder mit einem falschen Pass über die Grenze geschleust und an einem sicheren Ort abgesetzt. Schweigen. Hat Enrique dir erzählt, warum er mit diesem Priester noch eine Rechnung offen hatte? Nein, und ich habe ihn auch nicht gefragt. Er drückte seine Zigarette aus. Geht auf dich, Zurdo. Teo stand auf. Wir sehen uns.

Im Jetta weinte er.

Er hielt sich nicht mit dem Gedanken auf, dass er schon verdammt lange nicht mehr geweint hatte. Er weinte einfach wie ein Kind. Als er sich wieder beruhigt hatte, rief er seinen Bruder an. Na? Danke, Bruder. Schweigen. Zurück an die Arbeit, wir haben ja sonst keinen Spaß. Ja, und ohne Versuchungen geht sie auch besser von der Hand Seine Stimme brach. Ist ja gut, Alter, ist ja gut; wir reden später weiter. Klick.

Gibt es etwas Besseres als einen Bruder?

Eine Schwester vielleicht.

Er traf sich mit Win Harrison, die exakt genauso aussah wie am Tag zuvor. Sie fragte, um wie viel Uhr sie mit Marcelo Valdés verabredet seien. Ich fürchte, daraus wird nichts, erinnerst du dich an die vielen Autos, die wir gestern beim Verlassen des Hotels gesehen haben? Die waren unterwegs zu seiner Beerdigung. Dann eben mit seiner Tochter. Mit Samantha?, findest du nicht, dass du ein bisschen zu viel verlangst? Nein, ich weiß nur, dass der Weg zu Simaks Mörder über sie führt. Das kannst du dir abschminken, wir hegen eine heftige Hassliebe füreinander. Ein bisschen mehr Liebe würde euch beiden guttun. Das wirst du nicht erleben, die Frau ist hochkompliziert. Wie steht's denn sonst mit den Frauen? Der Zurdo lächelte. Wir arbeiten schon fünfundzwanzig Stunden zusammen, deine Zeit ist abgelaufen. Ich sprach von effektiver

Arbeitszeit. Was ganz anderes, ich habe eine vertrauenswürdige Kollegin gebeten, mal in unseren Archiven zu prüfen, ob wir was über Miguel de Cervantes haben, und siehe da, außer dem Romanautor gibt es noch jemanden. Name: Ander Aramendi, Alter: vierunddreißig. Eines der gefährlichsten Mitglieder der ETA. Sein Geburtsort ist nicht bekannt, nur, dass er in Biarritz und Valencia aufgewachsen ist. Er gehört der Organisation schon seit mindestens fünfzehn Jahren an, und es wird vermutet, dass er seit drei Jahren auf eigene Rechnung arbeitet. Gesehen wurde er in Spanien, Frankreich, Mexiko, Venezuela und in den USA, wo er wahrscheinlich mit Terrorvereinigungen in Kontakt steht und Mordaufträge ausgeführt hat. Für seine Decknamen bedient er sich bei Schriftstellern und Künstlern des 16. und 17. Jahrhunderts: Miguel de Cervantes, Francisco de Quevedo, Pedro Calderón, Diego Velázquez.

Na, was sagst du?, du hattest einen international gesuchten Verbrecher direkt vor deiner Nase. So jemand soll in Mexiko leben? Du hast ihn ja selbst gesehen, mit ihm gesprochen, ein Foto von ihm gemacht. Mendieta schwieg, dann sagte er: Sicher, er könnte das Mädchen durchaus ermordet haben. Das Mädchen, dich und alle anderen, die in diesem Club waren. Und Simak? Könnte sein, ist aber nicht sehr wahrscheinlich, weißt du was über einen Waffenschmuggler namens Leo McGiver? Erzähl. Simak hat ebenfalls Waffenhandel betrieben und wollte sich mit McGiver treffen, der hier eine Art Monopol dafür hat; bevor er tot aufgefunden wurde, hatte er noch ein Abkommen mit der mexikanischen Armee getroffen, das jetzt nichtig geworden ist, wovon wiederum McGiver und seine Gruppe profitieren; ich weiß, dass er mit den Valdés zusammenarbeitet, deshalb will ich dringend mit Samantha sprechen, die, soweit ich informiert bin, der neue Kopf des Kartells ist. Wir sind in einer halben Stunde mit ihr verabredet. Ah, das Foto in deinem Büro, das kannst du wegschmeißen, die Frau wurde identifiziert. Um wen handelt es sich? Ich bin nicht befugt, dir das zu sagen. Diese Wichser.

Er drehte die Stereoanlage leiser, gerade lief *Reach Out, I ll Be There* von den Four Tops. Kannst du mir einen Gefallen tun. Einen großen? Ein Freund meines Chefs hat seine Frau ermordet und hält sich gerade in Kanada auf, er holte eine Serviette aus dem Handschuhfach, hier ist die Adresse seines Sohnes in Toronto, ich will wissen, welche Waffe er benutzt hat und ob er auch Mayra Cabral de Melo auf dem Gewissen hat. Sie würden sich heute das Haus in Los Álamos vorknöpfen, aber es konnte nicht schaden, vorher schon was rauszukriegen. Win sah ihn an. Du willst das FBI für dich einspannen? Er stellte den Song lauter. Hit aus dem Jahr 1966. Win sah zum Tamazula, den sie gerade überquerten, holte ihr Handy hervor und wählte eine Nummer.

39

Als sie das Restaurant betraten, saßen an einigen Tischen Bodyguards vor ihren Softdrinks. Der Diablo Urquídez begrüßte sie. Wie geht's, mein Zurdo, alles okay? Bestens, mein Diablo, und selbst? Immer weiter so; haben Sie schon gehört, dass es Richie erwischt hat? Was war nur los mit ihm? In letzter Zeit bekam er rein gar nichts mit. Soll ich jetzt mein Beileid bekunden? Das wäre geheuchelt, aber vielleicht freut es Sie ja, nach diesem Treffen kümmern wir uns darum, dass die Leiche seiner Familie übergeben wird; die Chefin kommt gleich, hier können Sie ungestört auf sie warten, er öffnete die Tür zu einem Zimmer mit einem Tisch und drei Stühlen mit hohen Rückenlehnen, wo kalorienarme Brötchen bereitstanden.

Ich werde bei dem Gespräch nicht dabei sein, meinen Teil der Abmachung habe ich erfüllt, du entschuldigst also; wegen des Gefallens, um den ich dich gebeten habe, darüber reden wir später, ja?; wie ist eigentlich die Sache auf El Continente ausgegangen? Adán Carrasco, der Besitzer, ist einer von uns, er liebt den American way of life: zum Frühstück isst er Eier mit Schinken zu seinen Pancakes mit Speck, er mag Steaks mit Pommes frites, fährt ein Riesenauto und ist ein Fan der Dallas Cowboys; ich war heute Morgen bei ihm, war alles wieder normal. Ist Mister B. noch jagen? Ich bin nicht befugt, dir Auskunft über die Präsidentenfamilie zu geben. Der Zurdo lächelte kalt. Da trat Samantha ein: ganz in Schwarz, rote Lippen, entschlossen. Setz dich, Zurdo Mendieta, ich fresse niemanden auf. Ich geh dann mal, der Zurdo gab Win die Hand. Nichts da, du bleibst, wenn ich schon meine Zeit opfere, dann nicht ihretwegen, sondern deinetwegen, ich muss mit dir reden. Ich schick dir Pineda. Interessiert mich nicht, du bist mein Mann. Tut mir leid, das mit Richie; das besprechen wir später. Sei nicht dumm, Mendieta, wieso willst du vor dich hin vegetieren wie ein Idiot, wenn du auf großem Fuß leben könntest? Ich werd mir schon noch anhören, was du mir zu sagen hast, aber nicht jetzt. Er ging raus, um den Diablo Urquídez zu suchen, die beiden Frauen setzten sich. Mein Diablo, ich suche einen Mann, der geschäftlich mit der Chefin zu tun hat, Leo McGiver. Sie haben vielleicht ein Glück, mein Zurdo, er wartet im Hummer auf sie. Sag einem deiner Kollegen, er soll mir die Tür öffnen, ich müsste ein, zwei Worte mit ihm wechseln. Da muss ich erst den Chef fragen, warten Sie, er ging zu Max Garcés, der das Gespräch aufmerksam verfolgt hatte. Garcés nickte. Der Diablo begleitete den Zurdo zu dem Auto mit den getönten Scheiben und schloss die beiden ein.

McGiver lächelte. Schön, Sie wiederzusehen, Detective, wie laufen Ihre Ermittlungen? Wie meinten Sie das neulich, die nächsten Tage könnten turbulent werden? McGivers Blick war wie ein Messerstich. Dein Tod ist beschlossene Sache, Mendieta. Wer hat das beschlossen? McGiver musterte ihn, wie er die Menschen immer musterte. Draußen standen der Diablo und der Guacho Wache. Bist du nicht aus Col Pop? Ich möchte wissen, wer mich umbringen will. Der Schmuggler verzog sein Gesicht. Ich war dabei, als Richie Bernal Dioni de la Vega gebeten hat, dich aus dem Weg zu räumen, ich hab's dir gesteckt, weil ich spüre, dass du aus Col Pop bist, und dieses Viertel liegt mir nun mal sehr am Herzen; jetzt ist Richie tot und Dioni mächtiger denn je und skrupelloser, was willst du tun? Mendieta zündete sich keine Zigarette an. Da drin fordert eine FBI-Agentin gerade deinen Kopf von Samantha Valdés. McGiver wurde ernst. Weißt du, warum? Du hast im Hotel San Luis Sergio Carrillo umgelegt, deine Fingerabdrücke sind auf dem Telefon, aber darum geht's nicht; es geht um Peter Conolly, einen FBI-Agenten, den du danach abgeknallt hast, wegen eines Waffendeals. McGivers Miene verhärtete sich. Das habt ihr also rausgekriegt? Das habe ich rausgekriegt, und es muss ja kein anderer wissen. Übrigens, schöne Grüße von Enrique Mendieta. McGiver musterte ihn, dann lächelte er. Wer hätte das gedacht? Er sah den Zurdo dankbar an, geht's ihm gut? Sieht ganz so aus, Teo übrigens auch. Er dachte kurz nach. Was für zwei Spinner. Sag mal, ich weiß, dass du schmuggelst, was dir zwischen die Finger kommt, hast du auch einen gepanzerten Wagen mit diesen Reifen ins Land geschleust? McGiver warf einen Blick auf die Fotos. Ich verkaufe schon seit Jahren keine Autos mehr, und auch früher habe ich, wenn, mit Oldtimern gehandelt; frag Fabián Olmedo, der kennt in der Branche Gott und die Welt, na dann, vielen Dank, grüß mir deinen Bruder. Mach ich.

Wir wissen, dass Mayra Cabral de Melo noch andere Kunden hatte, nicht die üblichen, nicht die, die du genannt hast; mächtige Männer, die sie im Alexa abholten oder direkt von zu Hause. Wie gesagt, sie war ein falsches Luder, ich weiß nicht, mit wem sie sonst noch zugange war, ich dulde jedenfalls nicht, dass die Mädchen einfach machen, was ihnen passt, sie wollen nicht begreifen, dass ihr Beruf ein hohes Risiko birgt; Namen habe ich keine, aber ich weiß, dass darunter Großgrundbesitzer waren, Politiker, viele davon hat sie im Club Sinaloa kennengelernt, aber da weiß Licenciado Ramírez besser Bescheid. Auch Militärs? Keine Ahnung, aber wieso nicht? Sie unterhielten sich eine halbe Stunde lang, bis Gris das Gefühl hatte, dass sie tatsächlich nicht mehr wusste. Du kannst gehen. Danke und Glückwunsch zu dem Ring, jetzt kann ja nichts mehr schiefgehen. Gris deutete ein Lächeln an, sie war sich da nicht so sicher, nur eines wusste sie: diesen Teil ihrer Persönlichkeit würde sie nie wieder so nach außen kehren.

Als sie sich gerade Ramírez vorknöpfen wollte, tauchte der Zurdo auf. Detective, welche Freude, Sie zu sehen, können Sie der Señorita hier erklären, dass der Fall Roxana und Yhajaira abgeschlossen ist? Ich habe versucht, mit dem Comandante zu sprechen, aber es ist mir nicht gelungen. Durch Meraz' Tod haben sich die Ermittlungen quasi von selbst wieder aufgenommen. Er wurde ernst. In diesem Fall geht mich die Sache nichts an, ich habe Wichtigeres zu tun. Er stand auf. Setzen Sie sich, Ramírez, die Augen des Zurdo funkelten. Der Anwalt gehorchte. Was ich gesagt habe, stimmt, mit den toten Mädchen habe ich nichts zu tun. Wer hat Sie gebeten, darauf einzuwirken, dass die Ermittlungen eingestellt werden? Luis Ángel Meraz, und der ist ja bekanntlich tot; wir wollten den Laden verkaufen, da kam es uns ungelegen, dass der Fall so hochgekocht wurde. Wer war der Interessent? Imelda Terán, eine Strohfrau von Dioni de la Vega. Warum sollte sich ein Narco für einen zweitklassigen Tabledanceschuppen interessieren? Finden Sie? Der Club ernährt mehrere Familien und wirft für die Gesellschafter einen satten Gewinn ab. Kannte Dioni das Alexa? Nein, aber er kannte Roxana, aus dem Club Sinaloa. Bei ihrem letzten Job, wo hast du sie da hingebracht? Er senkte den

Kopf, um sich die Antwort gut zu überlegen. Dioni hat eine Villa in der Nähe des Alexa, dort habe ich sie am Freitag abgesetzt, und das Nächste, was ich von ihr gehört habe, war, dass sie ermordet wurde. Wusste Meraz von dieser Beziehung? Er nickte. Hattest du was mit Roxana? Geschlafen habe ich nie mit ihr; nur nackt gesehen, weil ich Fotos von ihr gemacht habe, für einen Kundenkatalog, die hat sie vergrößern lassen und bei sich aufgehängt. Wer hat diesen Katalog alles gekriegt? Er kam gar nicht zustande, das Tattoo, das ihr fast die Schamlippen küsste, hat die Leute abgeschreckt, wer will schon einen fremden Schwanz sehen, wenn es zur Sache geht? Sie hat immer betont, dass sie dadurch doppelt genießt, aber das hat nichts genützt. Die Information, die du uns gerade gegeben hast, ist äußerst wertvoll, wieso bist du untergetaucht? Bin ich gar nicht, ich musste weg, eine Gruppe von Mädchen aus Guadalajara begutachten; die treffen übrigens morgen ein.

Ramírez führte sie zu dem Haus. Gelbe Tür.

Der Wächter machte ihnen auf; Señor de la Vega ist am vergangenen Sonntag weggefahren, seither habe ich nichts mehr von ihm gehört, sagte er. Er war um die siebzig und sah nicht aus wie ein Gangster. Seit wann arbeiten Sie für Señor de la Vega? Von klein auf, erst für seinen Vater und seit fünfzehn Jahren für ihn. Kannten Sie Roxana? Sicher, die schönste Frau, die ich je gesehen habe. War sie mit de la Vega hier? Ja, sie kamen am Freitag gegen zehn Uhr abends an und fuhren am Sonntag Vormittag wieder ab; sie schienen glücklich zu sein, es steht mir zwar nicht zu, aber ich glaube, die beiden haben sich wirklich geliebt, wie ich gehört habe, wollte er ihr den Club kaufen, in dem sie gearbeitet hat. Die Frau wurde ermordet. Das hat mir einer der Bodyguards gesagt, eine Tragödie. Hat dein Chef nur normale Autos? Wie kommen Sie darauf? Er hat eine Schwäche für Pick-ups, schon in seiner Jugend war das so, seine Frau hat einen BMW, aber den habe ich ihn nie fahren sehen. War er schon immer so leichtsinnig und impulsiv? Ja, aber inzwischen hat er immer seine Bodyguards um sich. Welche Farbe hat das Auto der Señora? Marineblau.

Rodo holte Gris ab. Vorher überprüften sie die Liste mit den Unternehmern, Politikern, Drogenhändlern und Mitgliedern der Diözese, die bei Olmedo Luxusautos gekauft hatten, aber keiner bot Anlass, weiter nachzuhaken. Ein Auto mit US-Reifen, sagte der Detective. Wenn sie so hoch im Kurs stand, muss dieser Typ, der auf sie gewartet hat, Geld haben. Wer würde an einem Sonntag auf sie warten? Schweigen. Jemand, der keine Familie hat, jemand, der nicht von hier ist, oder jemand, der total verrückt nach ihr war. Der Zurdo dachte nach: Yolanda hat die Tür geöffnet. Yhajaira, wie geht's? Gut, Roxana ist heute früh aus dem Haus gegangen. Schwindelst du mich auch nicht an? Er schob sie beiseite und sah erst in Mayras Zimmer und dann in ihrem Zimmer nach. Yolanda stand einfach da. Der Typ kam zurück ins Wohnzimmer. Ich werde auf sie warten. Von mir aus, aber nicht hier, ich habe Geburtstag und erwarte jemanden. Da ist er ausgerastet, hat das Poster der Nationalmannschaft von der Wand gerissen und ... Nein, Rivera hat es noch gesehen, als er zum Feiern vorbeikam. Ein Priester, spekulierte Gris, der Zurdo verschluckte sich, Priester haben keine Familie, zumindest nicht offiziell. Wenn es jemand von auswärts war, stecken wir fest, wechselte Mendieta das Thema. Sie überlegten einige Minuten weiter. Ist es nicht unglaublich, wie viele große, dunkle Autos hier rumfahren. Da kam Rodo.

Mendieta fuhr zu dem Haus mit der gelben Tür zurück. Ich muss Ihren Chef sprechen. Ich habe ihm gesagt, dass Sie kommen würden, aber er war nicht gerade erfreut darüber, ich soll Ihnen ausrichten, Sie könnten sich zum ... Warten Sie, reden Sie mit ihm, sagen Sie ihm, der Zurdo Mendieta will ihn sprechen. Der Alte musterte ihn und schloss die Tür. Zwei Minuten später öffnete er sie wieder und reichte ihm ein Handy. Hier ist Señorita Imelda. Der Zurdo stellte sich vor. Ich möchte mit Dioni de la Vega sprechen. Worüber? Das geht Sie nichts an, sagen Sie ihm, er soll sich nicht so zieren und verdammt noch mal ans Telefon gehen. Der Wächter riss die Augen auf. Ihr Stil gefällt mir nicht. Das ist mir scheißegal, sagen Sie diesem Wichser, er soll rangehen, wenn er Mumm hat. Kurze Pause. Halt die Klappe, Scheißbulle, ich bin doch nicht Richie Bernal. Richie geht mir am Arsch vorbei, mich interessiert einzig und allein Mayra Cabral de Melo, warum hast du ihr die Brustwarze abgeschnitten? Schweigen. Da fällt dir nichts ein, was? Scheißnarco, schade, dass du nicht vor mir stehst, sonst würde ich dir die Fresse polieren. Pass auf, was du sagst, Bulle, sonst lasse ich dich liquidieren; dass du ein Schützling der Valdés bist, geht mir am Arsch vorbei und wird sich irgendwann rächen, und jetzt hör mir gut zu: ich hätte Roxana niemals töten können, verstehst du? Niemals; vorher hätte ich mir eher selber ein Ei abgeschnitten. Schneid dir am besten gleich beide ab. Ich habe meine eigenen Nachforschungen angestellt und bin dem Täter dicht auf den Fersen; das Schwein wird mir nicht davonkommen, Bulle, er wird dafür bezahlen. Der Zurdo wollte schon zugeben, dass er sich ebenfalls nichts sehnlicher wünschte, aber er schwieg. Ich möchte nicht, dass du dich da einmischst, du nicht und auch sonst keiner, und damit du siehst, wie ernst es mir ist, sage ich dir jetzt was: Richie Bernal hat mich gebeten, dich umzulegen; aber keine Angst, jetzt, wo er selber tot ist, ist die Sache für mich gegessen; aber das Schwein, das mein Mädchen gefickt und verstümmelt hat, wird dafür büßen, also halt dich da raus, wenn du nicht selber ins Gras beißen willst, kapiert? Oder willst du für mich arbeiten?, falls ja, musst du eines wissen: wer zu Dioni de la Vega gehört, gehört zu Dioni de la Vega und zu niemandem sonst. Wo kann ich dich treffen? Imelda wird sich bei dir melden, aber nicht jetzt, sondern morgen oder übermorgen, heute ist ein besonderer Tag, weil es etwas Besonderes zu feiern gibt, ans Telefon gegangen bin ich nur, damit du nicht weiter nervst. Wusstest du, dass der Kerl, der sie umgelegt hat, einen gepanzerten Amischlitten fährt? Ja, und ich weiß auch, dass er sich die achtzehntausend Dollar gekrallt hat, die mein Mädchen dabeihatte, also noch mal, Finger weg, diesen Typen schnappe ich mir höchstpersönlich, du wirst schon sehen, was ich mit dem anstelle.

Auf dem Weg ins Quijote dachte er an die Brustwarze und dass de la Vega es ruhig auf seine Art regeln sollte, schließlich waren die beiden aus dem gleichen Holz geschnitzt. Mayra, meine Königin, du bist auf einem schmalen Grat gewandelt, durch Schlamm gewatet bist du. Und wir Bullen, wie passen wir ins Bild? *Ich glaube nicht, dass du ein Polizist bist, du hast diesen Zauber, der guten Menschen etwas Lächerliches verleiht.* Vielleicht sollte er lieber den Mond anbellen.

40

Castelo war nervös. Er sah auf die Uhr: achtzehn Uhr dreiundvierzig. Was zum Teufel machte er hier, wenn er genauso gut in aller Ruhe zu Hause Kaffee trinken, fernsehen und mit seiner Frau plaudern konnte? Einen Gefallen erweisen. Na, mein guter Foreman, das Schwuchteldasein überwunden? Ist doch keine Grippe, Señor, wie geht's Ihnen? So hatte ihn der Chefunterhändler des Tijuana-Kartells am gestrigen Nachmittag begrüßt. Einige Stunden später hatte ihn dann ein Cousin des Chefs von Ciudad Juárez angerufen, dann einer vom Sonora-Kartell und heute Morgen der oberste Bodyguard des Capos von Reinosa. Die Chefs wollten sich treffen und brauchten sein Haus in Altata. Die Versammlung würde heute stattfinden, gegen Abend. Vorher würden sich jeweils zwei Vertreter der Kartelle einfinden, um die Umgebung abzusuchen. Das Haus stand am Ufer eines Mangrovensumpfs, den Castelo voller Umweltbewusstsein pflegte: immer wenn er betrunken war, pinkelte er hinein, um die Ameisen fernzuhalten. In der anderen Richtung war die Bucht, die stets friedlich dalag, außer in der Wirbelsturmsaison, und weitere zweihundert Meter entfernt das weiße Landhaus der Nachbarn und die Restaurants.

Foreman hatte schon für alle drei Chefs Aufträge erledigt und konnte nicht ablehnen. Sollte er jemals seine Freunde hängenlassen, wäre das der Anfang vom Ende für ihn, das hatte man ihm mehr als deutlich gemacht. Wozu taugt einer, auf den kein Verlass ist?

Die Männer, die um die Mittagszeit eintrafen, verloren

nicht viele Worte. Sie überprüften die Zimmer, das Dach, die Wassertanks der Bäder, die Spülkästen. Ihm fiel auf, dass der Vertreter aus Sonora das Kommando innehatte. Danach luden sie die Verpflegung aus: eine Kiste mit fünfundzwanzig Jahre gelagertem Chivas, mehrere Lagen Garnelen, Fleisch, Chorizos, Wurstpakete, Gewürze, gallonenweise Mineralwasser und zwanzig Kisten Bier. Ich lasse euch jetzt allein, sagte er mit einem Lächeln, fühlt euch wie zu Hause, hier ist der Haustürschlüssel. Sie gehen nirgendwo hin, Foreman, wir haben unsere Anweisungen, warnte der Stellvertreter des Capos von Juárez. Sie können schlafen, Fernsehen gucken, was immer Sie wollen, aber Sie bleiben hier. Sie trauen mir nicht, die Wichser, dachte er. Kann ich irgendwas tun? Sie könnten das Abendessen kochen. Wenn unsere Leute ankommen, werden sie einen Bärenhunger haben; mein Chef will garantiert Ceviche mit Garnelen. Ist gut, Kumpel, sagte der Vertreter aus Tijuana, hör auf, den Blödmann zu spielen, lass unseren Freund nur machen, koch erst was für uns und dann was für die Chefs. Meiner mag am liebsten Garnelen à la ranchera, mit viel Chili, meldete sich der aus Reinosa zu Wort. Der aus Sonora sagte, sein Chef stehe mehr auf Fleisch. Foreman lächelte, trank von seinem Liter Kaffee und ging in die Küche. Er wusste nur zu gut, dass es sich um einen Befehl handelte: Scheißwichser, er legte den weißen Panamahut auf den Tisch und band sich eine Schürze um. Seine Glatze glänzte.

Um neunzehn Uhr fünfunddreißig ertönten Motorengeräusche. Ein halbes Dutzend Pick-ups kam angefahren. Sechs AK-47 nahmen sie ins Visier. Auf den Ladeflächen saßen zwölf Gangster, die ihre Automatikgewehre und einen Granatwerfer in Stellung brachten. Schauen Sie nach, wer es ist, befahl der aus Sonora. Castelo durchquerte den kleinen Garten bis zum Gattertor, das von einer blühenden Bougainvillea umrankt war. Dort hatten die Autos angehalten. Foreman, mach das verdammte Tor auf, rief der Chef des Tijuana-Kartells, der an der Spitze des Trosses gefahren war. Danke, dass du uns dein Häuschen zur Verfügung stellst, wir werden dir auch keine größeren Umstände machen. Wenn Sie nicht essen, was ich gekocht habe, brauchen Sie mich nicht wieder einzuladen. Wir haben einen Mordshunger, schaltete sich der aus Juárez ein, du hast nicht zufällig ein paar Garnelen in der Pfanne? Lassen Sie ihn probieren, er teilt nicht gern. Castelo lief neben dem Pick-up her. Bei den Garnelen bin ich mit dabei, sagte der aus Reinosa, der in der Doppelkabine hinten saß, wer nicht will, der hat schon, und Sie, Quintana? Ich glaube, dass wir hier was Anständiges zu essen kriegen werden, meinte Eloy und gab Foreman die Hand, und du, Dioni, dir reicht Standardküche, oder? Ich esse, was auf den Tisch kommt. Dann mal ran an den Speck, der aus Reinosa hatte seit dem Frühstück nichts mehr gegessen. Quintana befahl seinem Stellvertreter: Sieh zu, dass du die Männer gut verteilst, und bring ihnen was zu trinken. Zu Befehl, er gab zwei seiner Leute ein Zeichen, ihm zu folgen.

Die Capos setzten sich an einen Tisch, der sich in Windeseile mit Delikatessen füllte: Ceviche mit Garnelen, Aguachile, Grillwürste, gebratene Chorizos, Rindersteaks, gegrillte Meerbrassen. Kaum hatte der aus Reinosa Platz genommen, wurden ihm auch schon die Garnelen à la ranchera serviert. Neben ihm machte ein Killer die Biere auf und stand mit dem Whisky bereit. Zwei Salzstreuer mit dem Logo von Coca-Cola verliehen dem Tisch eine gewisse Ordnung. Alle hatten ihre Waffen griffbereit.

Über eine Stunde lang aßen sie und tauschten lustige Anekdoten aus: Wisst ihr noch, als ich diesen Tick hatte, auf alle Jugendlichen zu ballern, die ein weißes Hemd anhatten? Damals hast du uns ganz schön in die Scheiße geritten, wir mussten deswegen sogar einen Comandante der Bundespolizei aus dem Weg räumen.

Schließlich wandten sie sich dem Grund für ihr Treffen zu. Der für die Getränke zuständige Killer schenkte Whisky aus. Quintana trank seinen pur. Die Salzstreuer standen in der Mitte.

Der aus Tijuana ergriff das Wort. Dieser Krieg ist anders, sie verweigern jede Verhandlung, offenbar wollen sie Tote sehen. Können sie gern haben, das Problem ist nur, dass sich dadurch die Lieferungen erschweren und die Leute nicht mehr arbeiten wollen. Wieso soll das ein Problem sein?, hier wimmelt's doch nur so von Arbeitslosen. Rund zwanzig Millionen. Nicht alle taugen was. Unter diesen zwanzig Millionen wird doch wohl der eine oder andere sein, der was taugt. Genügend, würde ich sagen. Die Männer aus den Bergen, wie sieht's mit denen aus? Stehen bereit, die Waffen sind letzte Woche angekommen, auf unser Kommando schlagen sie los. Meine sind auch fast so weit. Aber wir müssen warten; die anderen sollen den ersten Schlag ausführen. Haben sie doch schon, in Michoacán. War nur Strategie. Woher hat Samantha die Waffen? Von einem gewissen McGiver, ist aber ein kleiner Fisch, wir haben die Schwergewichte auf unserer Seite. Noch hat er nicht geliefert, ich gehöre nämlich auch zu seinen Kunden. Vergesst nicht, dass der Gringo, der unser Kontaktmann war, erschossen wurde. Wer? Weiß man nicht. Solange sie keinen anderen schicken, kann ja McGiver einspringen. Da wäre ich mir nicht so sicher, mir scheint, Samantha hat ihn um den Finger gewickelt. Und unsere Freunde von der Regierung, was sagen die? Nichts, die werden uns schon noch mitteilen, wie die Sache steht, aber darauf verlassen sollten wir uns nicht. Jedenfalls ist Samanthas Idee, Verhandlungen aufzunehmen, Schwachsinn, wir brauchen einen Führer, der Eier in der Hose hat, und das kann kein anderer sein als Eloy Quintana. Ich stehe auf Ihrer Seite, Don Eloy. Ich auch. Alle schlossen sich ihm an. Sie würden sich von dem Kartell abspalten und eine eigene Gruppe bilden, würden die notwendigen Gringos mit ins Boot holen und den Kampf aufnehmen, in einigen Jahren würden sie das mächtigste Kartell sein. Quintana erklärte ausführlich seinen ehrgeizigen Plan: ganz Sonora würde ihnen gehören, dazu die Gebiete, die sie sowieso schon kontrollierten. Alle standen auf und umarmten sich. Dioni, jetzt, wo du in Culiacán der Chef sein wirst, wer ist dieser McGiver? Ein Schmuggler, einer von hier. Jedenfalls müssen wir ihn aus dem Weg räumen, er tanzt mir auf zu vielen Hochzeiten. Ich kümmere mich drum. Castelo, Panamahut in die Stirn gezogen, schwenkte im Nebenzimmer seinen Whisky, ohne ihn anzurühren. Er rauchte.

Sie verabschiedeten sich. Danke, Foreman, und vergiss nicht, wann immer du was brauchst, wir sind deine Freunde, keine bloßen Quatschköpfe. Zehn Minuten später hörte man die Autos wegfahren. Auf dem Tisch lag ein Bündel Dollarscheine, das Castelo nicht anrührte. Er machte die Lichter aus und setzte sich, um einen Kaffee zu trinken. So war es ihm lieber. Er musste an seine Kinder denken, die Nachwuchs erwarteten. Niemals würde er seinen Nachkommen erlauben, sich auf dunkle Geschäfte einzulassen.

41

Mendieta unterhielt sich mit dem Nachtwächter. Sie saßen auf Zementsäcken und rauchten. Ja, stimmt, er ist noch mal zurückgekommen. Dunkelbrauner, großer Wagen. Im Morgengrauen. Fuhr ganz langsam, hat in Richtung Tatort geschaut; ich dachte, er würde aussteigen, tat er aber nicht. Er fuhr weiter. Gab Gas und verschwand in Richtung Mazatlán, auf der mautfreien Landstraße. Sind Sie sicher? Sie haben doch selbst gesagt, dass man immer mehr sieht, als man denkt. Weißer Qualm. Der Fahrer war nicht zu erkennen, der Wagen schon. Sah nicht aus wie ein mexikanisches Modell, sagen Sie. Für mich war das ein Amischlitten, höher gelegt, breite Reifen. In der Stadt wimmelt es von solchen Autos, dachte der Detective, was war einfacher aufzuspüren, ein Auto oder ein Mensch? Ein Mensch natürlich, ein Auto macht keine Fehler. Sie zündeten sich eine weitere Zigarette an. Dann saßen sie einige Minuten schweigend da und sahen in die Nacht. Warum hat es immer noch nicht geregnet? Das liegt am Klimawandel, heißt es. Am Johannistag hat es nur ein bisschen getröpfelt. Wahrscheinlich kommt nächsten Monat alles auf einmal runter. Sie kommen nun schon zum zweiten Mal, hätte nie gedacht, dass ein Bulle wirklich nach dem Täter sucht. Da sehen Sie mal. Hatten Sie näher mit der Frau zu tun? Letzter Zug. War eine Freundin, der Zurdo stand auf. So, ich fahr nach Hause, gute Nacht. Wissen Sie was? Der Alte stand ebenfalls auf, vielleicht wohnt der Mann, den Sie suchen, gar nicht hier, er ist nämlich erst da langgefahren, hat gewendet und ist dann im Schritttempo hier rumgekurvt. War der Motor laut? Im Gegenteil, hat leise geschnurrt.

Zu Hause ging er noch mal Olmedos Liste durch: niemand von auswärts. Wenn er ein Gringo ist, steht er vielleicht gar nicht drauf.

Er dachte stundenlang nach, ohne zu einem Ergebnis zu gelangen. Und Rivera, wo ist der? Aussichtslos, noch ein ungelöster Fall.

42

Der Konvoi der Chefs nahm die Landstraße nach Culiacán. Geschützt in der Mitte fuhr der Hummer von Eloy Quintana, dem neuen Capo der Region. Der Tross kam schnell voran. An der Kreuzung zur Siedlung Nuevo Altata erschien ihnen der Teufel. Von vorne wurde aus zwei Fahrzeugen mit Bazookas geschossen, auf der Straße nach Nuevo Altata standen weitere Autos, zwei attackierten von hinten. Quintanas Männer erwiderten das Feuer, aber es war zu spät. Von der Tankstelle auf der einen Seite der Autobahn und aus einem kleinen Kiosk auf der anderen stürmten vierundfünfzig mit AK-47ern und Barretts bewaffnete Killer und schossen, was das Zeug hielt, bis sich nichts mehr rührte. Grabesstille. Irrlichter. Max Garcés und seine Männer sprangen aus ihren Verstecken, um den Überlebenden den Gnadenschuss zu versetzen. Keine Opfer in den eigenen Reihen. Samantha Valdés, ganz in Schwarz gekleidet, das Haar hochgesteckt, holte sie ein. Der Guacho öffnete die Tür eines Pick-ups, hinter dem der verletzte Quintana zum Vorschein kam. Überlass ihn mir, sagte Samantha mit fester Stimme. Quintana sah sie an. Garcés reichte ihr eine Smith & Wesson. Du bist wie dein Vater. Glaub ich nicht, er war ein guter Mensch: mir wird das nicht gestattet sein. Sie schoss dreimal. Quintana zuckte. Samantha gab die Waffe zurück und ging, gefolgt von Garcés und ihrem Fahrer, zurück zur ihrem Doppelkabiner. Diese Konfrontation war unvermeidlich, sagte sie. Garcés, kümmere dich um alles; allen muss klar sein, wer in diesem Staat das Sagen hat; morgen treffe ich mich in Los Angeles mit den Leuten aus

Mexiko-Stadt, die sollen wissen, was ich anstrebe. Machen Sie sich keine Sorgen, Chefin, Sie können beruhigt hinfliegen.

Foreman Castelo wartete nervös. Er wusste, dass er seine Seele dem Teufel verkauft hatte und dass sein Stammbaum es als Erstes zu spüren bekommen würde. Er bedauerte sich, schließlich war er ein Profi und hatte einen guten Ruf, und diese Versammlung hatte alles zunichte gemacht. Der Doppelkabiner hielt vor seiner Haustür, wo Samantha Castelo hinbestellt hatte. Es war kurz nach Mitternacht. Er ging nach draußen, der Guacho postierte seine Männer, die in einem der hinteren Hummer gesessen hatten. Samantha ließ die Scheibe aus Panzerglas herunter. Foreman, du hast bei mir was gut, ich weiß, dass du auf Rock 'n' Roll stehst, aber du kannst dich jetzt zurückziehen, um Geld brauchst du dir keine Sorgen zu machen, geht alles auf meine Rechnung. Ich werd's mir überlegen, und Sie sollen wissen, dass Don Marcelos Tod mir in der Seele wehtut. Ich weiß, er hat mir mal gesagt, wenn eine Säuberungsaktion anstünde, wärst du der Einzige, auf den Verlass ist, und das hast du wahrlich bewiesen. Wann immer ich in der Patsche saß, Ihr Vater hat mich rausgeholt. Manches hat er mir erzählt, und damit du's weißt, Foreman, du kannst dich auf mich verlassen, so wie du dich auf meinen Vater verlassen konntest; du wirst mir deine Entscheidung dann ja mitteilen. Wissen Sie, wer Leo McGiver ist? Wer will das wissen? Der Zurdo Mendieta. Bist du immer noch mit diesem Schmarotzer befreundet? Niemand ist perfekt. McGiver gehört zu uns, hat so getan, als würde er zu Dioni de la Vega überlaufen, und hat dadurch ein, zwei Dinge für uns rausgekriegt; außerdem hat er uns die Waffen besorgt, die wir heute Abend benutzt haben, hast du's schon gehört? Ein echtes Wunder; gut, geh jetzt schlafen, deine Frau macht sich bestimmt schon Sorgen. Danke. Samantha verschwand hinter der Scheibe, der Pick-up fuhr los. Ich hätte nie gedacht, dass ich mich so früh zur Ruhe setzen würde, murmelte Foreman, der gerade sechsundfünfzig geworden war. Er betrat das Haus, nahm das Dollarbündel, goss Benzin in alle Ecken, zündete Streichhölzer an und ging wieder nach draußen. Er schluchzte.

Auf keinen Fall wollte er mit ansehen, wie das Haus, das er Stück für Stück gebaut hatte, in Flammen aufging.

Was ist, Carrasco?, muss ich das Geld persönlich bei dir abholen oder was?

Gandhi, ganz ehrlich, ich hab's nicht, das Geschäft fängt gerade erst an zu florieren, und jetzt noch der Vorfall mit Mr. B., wenn sich das rumspricht, habe ich in nächster Zeit garantiert nicht so viel flüssig; ich weiß, dass ich dir das Geld schulde, aber schließlich hast du es mir geliehen, damit ich es investiere, und genau das habe ich getan.

Und ich weiß, dass du nicht alles in dein Geschäft investiert hast, aber das geht mich nichts an.

Ich kann mir nicht vorstellen, dass du mich nicht verstehst, immerhin bist du selber Geschäftsmann.

Jedenfalls bin ich nicht bereit, mich deinetwegen in Schwierigkeiten zu bringen, Carrasco, und auch für sonst keinen.

Ich brauche eine Fristverlängerung. Bitte.

Das war nicht vereinbart, und die Situation ist kompliziert, wie viel ist deine Ranch wert?

Du willst mir doch nicht für das bisschen Geld die Ranch abnehmen, die ist viel mehr wert.

Wie gesagt, das Problem bin nicht ich. Am Dienstag komme ich mit einem Notar vorbei, nur damit wir auf alle Eventualitäten vorbereitet sind.

Was bist du denn für ein Kreditgeber, wenn du nicht mal eine Fristverlängerung mit den entsprechenden Zinsen bewirken kannst?

Ich bin einer, der an Freunde Geld verleiht, das ihm nicht gehört; also, wir sehen uns.

Um wie viel Uhr kommst du?

Am Nachmittag, sag mal, gehst du zu Meraz' Beerdigung?

Gandhi Olmedo hörte es klicken. Er lächelte.

Unterdessen saß McGiver zu Hause und wartete. Dulce Arredondo hatte endlich *Die zwei Fridas* besorgt, und er hatte das Bild Samantha geschenkt, die er noch immer nicht hatte überzeugen können, obwohl er ihr die Verschwörung gesteckt hatte. Er hatte ihr die Sache mit Peter Conolly gestanden und sich für ihren Schutz bedankt; trotzdem wusste er, dass er damit ein Leck geschlagen hatte, das noch nicht gestopft war. Twain hatte es ihm klipp und klar gesagt und ihn aufgefordert, bis auf weiteres unterzutauchen, er ließ ihn wissen, dass sie es bereits dementierten. Auf einmal war das Kartell seine einzige Option.

43

Es war Sonntag, der Zurdo war erschöpft und ruhte sich aus. Zum Schlafmangel kam noch das tiefsitzende Gefühl, nutzlos zu sein, aus der Zeit gefallen, bei allen Ermittlungssträngen in eine Sackgasse geraten zu sein. Dioni de la Vega der Mörder? Nichts deutete darauf hin, und außerdem hatte er keine Lust, sich mit ihm anzulegen. Er trank gerade einen Nescafé, als sein Telefon klingelte; wie am Vorabend ließ er es mehrmals läuten, dann hob er ab. Es war Win Harrison. Komm ins Hotel Lucerna, ich lade dich zum Frühstück ein. Hast du es vor ein paar Minuten schon mal probiert? Nein, ist das erste Mal.

Das Restaurant war voll. Sie setzten sich an den Tresen. Gestern habe ich dich nicht mehr gesehen. Die Ermittlung hat mich in Atem gehalten. Gibt es Fortschritte? Wir stecken in einer Sackgasse. Übrigens hat mich ein Mann angesprochen, als ich aus dem Hotel kam: Sind Sie Jean Pynchon? Und Sie? Man nennt mich Culichi, haben Sie einen Cheyenne gemietet? Warum? Er lächelte. Ich nämlich auch, leider wurden die beiden Autos verwechselt. Sicher? Todsicher, wenn es Ihnen also nichts ausmacht. Als ich ihm erzählt habe, dass der Wagen in die Luft geflogen ist, wurde er ganz blass, hat mir die Schlüssel für mein Auto gegeben und ist abgehauen. Das Frühstück kam, Obstsalat, Quesadillas und Eier mit Speck für Win, und Kaffee. Und ich dachte, es hätte was mit uns zu tun, der Kitzel der Gefahr. Ich auch, dieser Herr war offenbar kein Geschäftsmann. Seit Valdés tot ist, treiben sich hier viele zwielichtige Gestalten herum, und Samantha? Starrköpfig, sie wollte mir partout nichts zu Leo Mc-

Giver sagen, am Ende habe ich ihr tatsächlich abgekauft, dass sie nichts weiß, ziemlich clever, die Frau. Ich hatte dich gewarnt, was wirst du jetzt tun? Willst du noch mal vierundzwanzig Stunden mit mir zusammenarbeiten? Wenn du mir hilfst. Tu ich doch bereits, gestern hat sich ein Spezialkommando deinen Verdächtigen in Toronto geschnappt, und er hat gestanden: er hat seine Frau getötet, mit einer Ruger, neun Millimeter, Mayra Cabral de Melo hat er nicht auf dem Gewissen, dafür aber Yolanda Estrada; er dachte, sie wüsste, dass er der Mörder ist, da ist er irgendwann durchgedreht und hat sie aus dem Weg geräumt; man hat mir berichtet, dass der Kerl kurz vor einem Nervenzusammenbruch steht und sich bereiterklärt hat, seine Strafe hier abzusitzen. Wie anständig von ihm, was kann ich für dich tun? Wenn McGiver irgendwo auftaucht, lass es mich wissen. Ich wollte dich eigentlich bitten, ein Treffen mit Dioni de la Vega zu arrangieren, aber er wurde gestern Abend ermordet. Wo? Weißt du das gar nicht? In Altata. Heute Nacht hat die ganze Zeit das Telefon geklingelt, wahrscheinlich deswegen.

Kaum hatte er das Handy eingeschaltet, rief der Chef an.

Was machst du nur die ganze Zeit, Zurdo? Ich arbeite, Chef, wieso? Gestern gab es eine Schießerei in Altata, und ich will, dass du Pineda unter die Arme greifst. Wie viele Tote? Zweiundzwanzig, alles Mitglieder des Valdés-Kartells, was nichts anderes bedeutet, als dass es bald heiß hergehen wird. Wurden die Leichen identifiziert? Ja, alle. Bei wem soll ich mich melden? Bei Pineda; noch was: Lagarde hat angerufen, er war völlig außer sich, er will zurückkommen und seine Strafe hier absitzen, sagt, das FBI habe ihn verhört. Im Ernst? Du hast richtig gehört, er hat den Mord an seiner Frau gestanden. Den an Mayra Cabral de Melo auch? Weiß ich nicht, der Mann steht kurz vorm Herzinfarkt und will nur noch weg aus Kanada; Zurdo, du und ich, wir hatten eine Abmachung, ich habe dir versichert, dass er nichts mit deiner Tabletänzerin zu tun hatte. Ich erinnere mich. Jedenfalls habe ich Lagarde befohlen, in Kanada zu bleiben, und du kümmerst dich gefälligst um dieses Massaker; morgen übergibst du die beiden Leichen Ramírez, und damit ist die Sache abgeschlossen. Was soll ich überhaupt damit zu tun haben? Du hast dich eigenmächtig an Madrid gewandt, das hat mir Angelita erzählt, wer sagt mir, dass du nicht auch die Gringos kontaktiert hast? Chef, Sie sehen Gespenster, Sie wissen doch ganz genau, was ich vom FBI halte. Wo bist du? Ich habe bei dir zu Hause angerufen, aber du bist nicht rangegangen. Ich bin joggen, Sie wissen ja, als Polizist braucht man eine gute Kondition. Wenn du meinst, also, lass Lagarde in Ruhe, kapiert; gestern Abend hat Gris die Mutter von Mayra angerufen, sie kommt morgen her, wir übergeben ihr die Leiche, so wie es Licenciado Meraz bestimmt hat, den wir ja ebenfalls begraben müssen; ah, geh mal ins Magazin, und lass dir deine kugelsichere Weste geben, sie wird dir gefallen, es wird bald hoch hergehen, da sorgt man besser vor, und falls du noch nicht weißt, wo du heute essen sollst, ich koche eine grüne Erbsensuppe, also, wenn du darauf Lust hast. Gibt's auch Schildkröte? Briseño legte auf.

Win und er verabschiedeten sich am Eingang des Lucerna. Was McGiver angeht, du sagst mir Bescheid, wenn irgendwas ist, ja?, aufspüren werde ich ihn sowieso, weißt du, dass er hier gewohnt hat? Und? Ist gestern abgereist; danke Mendieta. Viel Glück. Soll ich deine Akte ändern?

Nur, wenn mein Ruf dadurch noch schlechter wird. Lächeln.

Im Forum schaute er, was im Kino lief. Er konnte sich nicht zwischen *16 Blocks* und *300* entscheiden. Also fuhr er ins Quijote, wo er sich auch nicht wohlfühlte, weil sein Freund einen freien Tag hatte.

Als er zu Hause ankam, begrüßte er den Hund und seine Besitzer, die gerade zur Sechsuhrmesse aufbrachen. Er musste mit jemandem reden, also nahm er ab, ohne nachzusehen, wer anrief. Gorda's place. Edgar? Helle, unbekannte Stimme. Wer spricht da? Susana Luján, erinnerst du dich an mich? Hey, Susana, natürlich erinnere ich mich, wie geht's dir? Gut, Edgar, Gott sei Dank, Enrique hat uns gesagt, dass du ein berühmter Polizist bist, dass du schon mehrere Drogenhändler hinter Gitter gebracht hast und dass man schon einen Corrido über dich komponiert. *Uns* gesagt und nicht *mir* gesagt? Mendieta rief sich zur Vernunft. Dass ich erfolgreich bin, habe ich nur den Ratschlägen meines Bruders zu verdanken. Schön, von dir zu hören, wirklich; also, ich weiß, dass er dir von Jason erzählt hat. Drückende Stille. Bist du noch dran? Ja, ich hör dir zu. Tja, ich würde gern mal mit dir drüber reden. Schieß los. Nicht am Telefon, in elf Tagen kommen wir nach Culiacán, er ist schon ganz aufgeregt, Enrique hat ihm gesagt, dass du ihn kennenlernen willst. Na klar, ich bin auch schon ganz aufgeregt. Danke, Edgar, dann bis bald.

Mist.

Nach einer schlimmen Nacht nahm er kurz vor acht einen Anruf von Robles entgegen. Chef, wir haben eine durchlöcherte Leiche am Ufer des Rosaleskanals, in Bacurimí. Ruf Pineda an, durchlöcherte Leichen sind seine

Spezialität. Er kann nicht, hat noch mit dem Gemetzel in Altata zu tun, auch der Comandante ist damit beschäftigt, angeblich sind es dreißig Tote. Wie du siehst, ist das mit dem Krieg bitterer Ernst, kann wirklich niemand anderer nach Bacurimí fahren? Man hat bei der Leiche einen Wahlberechtigungsausweis auf den Namen José Rivera Güémez gefunden und einen Mitarbeiterausweis des Alexa; vielleicht hat es was mit dem Fall zu tun, in dem Sie gerade ermitteln. Bin schon unterwegs.

Deine Mutter tut mir leid, murmelte der Detective, dabei hast du ihr versprochen, brav zu bleiben. Die Augen verändern sich nicht, er schloss sie ihm, wo hatte er das gelesen? Mist, alles, was du sagst, hast du mal irgendwo gelesen. Scheiß Parra, dem muss es ja einen Heidenspaß machen, seine Zeit mit den Gringos zu verplempern.

Die Autotüren standen offen, er begutachtete die Fußmatten, das Armaturenbrett, den blutverschmierten Sitz, eine Wasserflasche in der Mitte; hinter dem Fahrersitz ein schwarzer Regenschirm. Der Rest sauber. Fertig? Ein Mitarbeiter der Spurensicherung kam zu ihm, Handy? Ein richtig gutes sogar. Ich hätte gern alle Anrufer und Nachrichten der vergangenen Tage. In zwei Stunden haben Sie sie, wurde er mit einer Kalaschnikow erschossen? Wir haben zweiunddreißig Patronen gezählt. Und nur eine war tödlich? Zwei, die im Kopf. Die Rückscheibe war zersplittert. Geschossen wurde von hinten links.

Er rief Gris an. Kollegin Toledo, halt die Augen offen, man hat Rivera in Bacurimí erschossen. Sagen Sie mal, wenn Samantha Valdés die neue Chefin des Kartells wird, steigt auch unser Einfluss, oder? Wie kommst du darauf? Weil Sie beide sich kennen. Die können auf uns verzichten, Gris, die haben die ganze mexikanische Polizei und einen Teil der DEA auf ihrer Seite. Ich meinte ja nur, falls wir mal was brauchen, schließlich haben wir ihr damals zwei Mörder überlassen. Daran erinnert sich kein Mensch mehr, bist du zu Hause? Nein, ich bin am Flughafen und warte auf die Mutter von Mayra Cabral de Melo; ich hab Sie angerufen, um Ihnen zu sagen, dass mich der Comandante dazu verdonnert hat, aber Ihr Handy war ausgeschaltet. Hat er mir gestern noch gesagt, weißt du, wer Yolanda Estrada ermordet hat? Nein. Lagarde. Er hat gestanden. Arme Frau, ein sinnloser Tod, oder? Vermutlich war er es auch, der das Poster der brasilianischen Nationalmannschaft zerrissen hat. Gut möglich, wenn man so richtig in Rage ist, macht man die merkwürdigsten Dinge; hören Sie, ich bringe die Dame jetzt aufs Präsidium, wir sehen uns dann dort. Gris, ich will mit dem Fall nichts mehr zu tun haben, nimm ihre Aussage auf und übergib ihr die Leiche, ich kaufe mir eine Flasche Macallan, das habe ich mir verdient. Ist es nicht ein bisschen früh dafür?

Kurz bevor er in Col Pop ankam, klingelte das Handy. Na, gut geschlafen, du Nervensäge? Klar, ich konnte mich ja auf dem guten Ruf der mexikanischen Polizei ausruhen. Faule Säcke seid ihr. Selber fauler Sack, hör mal, die halbe Zunft ist in Altata niedergemetzelt worden, und ich komme gerade vom Rosaleskanal, wo weitere vierzehn Leichen aufgefunden wurden. Altata, hast du gesagt? Ich glaub's ja nicht, da habe ich ein Häuschen, bin gerade dorthin unterwegs. Gut, dass du dich stellen willst, Augenzeugen beschreiben den Täter als Dickerchen mit Bösebubengesicht. Fick dich selber. Hör mal, das mit den Toten stimmt, wenn du meinen Rat hören willst, fahr lieber nicht hin, was willst du überhaupt? McGiver ist ein Waffenschmuggler und arbeitet für die Valdés. Ein Vorbild für die Jugend also. So, und jetzt will ich mein Geschenk, schließlich hatte ich gerade Geburtstag, und du hast so getan, als wüsstest du von nichts. Er legte auf.

Zu Hause traf er Ger an, was ist denn mit Ihnen los, Zurdo, Sie schauen ja drein, als wäre Ihnen der Teufel leibhaftig erschienen; entweder Sie waren gestern Abend auf Zechtour, oder die Polizei nimmt den Kampf gegen das organisierte Verbrechen plötzlich ernst. Wir werden nicht ruhen, bis diese schreckliche Menschheitsplage ausgerottet ist. Bravo. Zurdo for president, möchten Sie frühstücken? Da ich Sie nicht gesehen habe, habe ich auch nichts gekocht; aber ich brate Ihnen gern ein paar Streifen Meerbrasse, damit Sie was im Bauch haben. Nur Kaffee, Ger. Der Nescafé ist alle, da müssten Sie schnell bei Oxxo vorbei und ein Glas besorgen. Geh du zu Hilda, das ist näher. Ich brauche auch Käse, Machaca und Schinken. Das kannst du alles später bei Ley einkaufen, hol erst mal Kaffee. Bevor er ins Bad ging, nahm er einen großen Schluck Whisky: Edgar, reiß dich zusammen, du Idiot, und verlier jetzt nicht den Kopf, ganz ruhig, wenn du bis zum Ende durchhalten willst, um dir in deinem Häuschen am Meer den Bauch zu kraulen, dann verhalte dich wie ein richtiger Polizist. Leidenschaft verblödet einen, und Traurigkeit lässt einen verkümmern; streng dein Hirn an. Ist doch nur eine Brustwarze, verständlich, dass das dein Interesse erregt, aber fixier dich nicht so darauf, dabei kannst du nur verlieren. Wie ein Wirbel erfasste ihn die Erinnerung an Bardominos, den Priester, der ihn missbraucht hatte, als er acht war, und den sein Bruder ins Jenseits befördert hatte. Er spülte die Erinnerung mit einem doppelten Whisky weg. Ich muss zu Parra.

Er trank einen heißen Nescafé. Sind Sie sicher, dass Sie

keinen Fisch wollen? Iss du ihn, wenn noch was übrig ist, stell's mir in die Mikrowelle. Was, wenn der Gringo anruft? Soll er's auf meinem Handy versuchen. Das klingt schon besser, der arme Junge, so wie Sie ihn behandeln, so geht's meinen Kindern wahrscheinlich auch, wenn sie ihre Väter anrufen, allein der Gedanke ist furchtbar. Er ist nicht mein Sohn. Sagt er aber. Ach ja? Er hat mir einiges über seine Mutter erzählt, ich hab sie gekannt, war ein heißer Feger, ich würde fast sagen, ich wäre gern so hübsch gewesen wie sie, das schönste Mädchen im ganzen Viertel. Das kannst du mir später noch erzählen. Er ergriff die Flucht. Als er in den Jetta stieg, der draußen auf der Straße stand, bemerkte er nicht, dass der Hund mit dem Schwanz wedelte.

Während er ziellos umherfuhr, spürte er wieder diese Leere: endlich begriff er, was es hieß, eine Null vor dem Komma zu sein, ein sinnloses Leben zu führen, einen Beruf auszuüben, der nicht einmal dazu taugte, den Fall aufzuklären, der ihm am schlimmsten auf der Seele brannte. Verdammt, und Jagger macht einfach weiter wie gehabt, sammelt die Slips seiner Fans ein. Er erholte sich schnell und richtete seine Aufmerksamkeit auf *Woman* von John Lennon. Kavallerie. Wieder Gris. Chef, entschuldigen Sie, dass ich noch mal anrufe.

Elena Palencia war dezent gekleidet. Nicht geschminkt. Sie bestätigte die Geschichte des Fußballers. Meine Tochter soll die Beerdigung haben, die sie verdient, sie war ein guter Mensch, immer hilfsbereit, wollte sich bald aus dem Geschäft zurückziehen; das Geld, das ich für sie aufbewahrt habe, hätte gereicht, um ein gutes Leben zu führen. Sie seufzte. Ich weiß, dass sie bei mehreren mexikanischen Banken ein Konto hatte. Wir haben entsprechende Dokumente gefunden, die wird man Ihnen aushändigen. Es ist ein großer Verlust, wenn Sie sie gekannt hätten, würden Sie mir zustimmen. Und ihr Vater? Ein armer Kerl, den wir aus dem Elend geholt haben; wir haben einen Laden in São Paulo, den führt er, aber wir können ihn nicht lang allein lassen, sonst nehmen seine Verwandten ihn aus. Meine arme Kleine, Schauspielerin wollte sie werden; schön genug war sie ja, und genug Talent hatte sie auch, schade, dass Sie sie nicht gekannt haben. Ich habe sie gekannt, und wie Sie schon sagten, sie war ein großartiger Mensch. Elena sah den Zurdo an. Sie sind der Polizist aus Mazatlán. Woher wissen Sie das? Sie hat mir von Ihnen erzählt, sie hat mir immer alles erzählt, lassen Sie mich nachschauen. Sie öffnete ein Necessaire mit Briefen. Das war vor drei Monaten. Gris sah verblüfft zu. Also, Sie heißen Zurdo, weil Sie Linkshänder sind, stimmt's? Sie fand's lustig, dass man Sie so nannte, sie sah die Briefe durch, zog einen heraus. Also, sie las, hier steht's, wenn Sie erlauben: Edgar, eigentlich heißen Sie Edgar. Er lächelte schwach. Sie schrieb für ihr Leben gern Briefe, sie waren wie ihr Tagebuch, ihr hauptsächlicher Zeitvertreib, das hier sind alle aus dem vergangenen Jahr. Sie gab den Brief, den sie in der Hand hielt, dem Zurdo, der seinen Namen las. Elena, was für eine schöne Handschrift Ihre Tochter hatte, dürfen wir einige Briefe lesen? Gern. Und die Formalitäten, wann erledigen wir die? Sofort.

Der Zurdo bat den Terminator, Elena zur Rechtsmedizin zu fahren, mit der Anordnung, dass man ihr die Leiche von Mayra Cabral de Melo übergeben solle. Dann wandte er sich wieder an Gris. Kollegin Toledo, wenn Sie die Güte hätten, einen Blick in diese Briefe zu werfen, ich will damit nichts, aber auch gar nichts zu tun haben, was ich will, habe ich Ihnen vorhin gesagt. Angelita kam herein. Chef, Paty Olmedo will unbedingt mit Ihnen sprechen. Sagen Sie ihr, ich bin nicht da. Sie tut mir leid, am Telefon klang sie furchtbar traurig, hat sogar geweint.

Gandhi Olmedo hatte sich am Sonntag mit seiner Tochter treffen wollen, aber da hatte sie schon fest was mit ihren Freunden ausgemacht, wie sie es nannte; also hatten sie sich für Montag verabredet. Paty war immer und überall zu spät dran, so auch an diesem Montag; am späten Vormittag rief sie bei ihrem Vater an, um sich zu entschuldigen, aber er nahm nicht ab. Also fuhr sie zu ihm, fand die Haustür unverschlossen vor und ihren Vater in seinem Lieblingssessel: mit einem Schuss in der Stirn. Daneben eine Whiskyflasche, zwei Gläser, eines davon unberührt.

Paty sah ihn und brach in Tränen aus. So schlimm war er gar nicht, dachte sie, jedenfalls nicht so schlimm wie Don José Antonio, der seine Exfrau umgebracht hatte und jetzt von seinem Sohn auf immer und ewig gehasst werden würde. Das hatte ihr Marcos gesteckt. Und hässlich war er auch nicht; grob, ironisch und machtbewusst; aber nicht hässlich; und seinen Interessen treu, seiner Suche nach Gitarrenteilen. Kein Heuchler, vielen hatte er die Wahrheit ins Gesicht gesagt. Einen Moment lang stand sie reglos da. Außerdem war die Frau, die er gemocht hatte, ermordet worden; armer Papa.

Das Telefon klingelte: Ja? Familie Olmedo? Wer spricht da? Ein Freund von Fabián Olmedo, könntest du ihn mal herholen? Geht nicht. Sag ihm, McGiver ist am Apparat, bist du seine Sekretärin? Ich bin seine Tochter. Ah, wie geht's? Dein Vater hat immer von dir geschwärmt, du bist sein Ein und Alles. Paty wimmerte. Was ist los? Er wurde ermordet, Señor, ich habe ihn gerade gefunden, mit einer Kugel im Kopf. Was?, ich habe ihm vor kurzem noch die Überreste einer Gitarre vorbeigebracht und sollte eine weitere besorgen, wir sind seit der Kindheit befreundet. Paty weinte noch lauter. Ich bin sehr traurig, Señor. McGiver, Leo McGiver. Ich habe erst vor einigen Tagen begriffen, wie lieb ich ihn hatte und was für ein besonderer Mensch er war. Ich sag dir jetzt was, sein Imperium hat er nur für dich aufgebaut, ich rate dir also, nicht lange zu fackeln und die Zügel in die Hand zu nehmen. Ich weiß nicht, ob das was für mich ist. Natürlich ist es das, das hat er mir neulich noch gesagt, euer angespanntes Verhältnis hat ihm sehr zu schaffen gemacht. Das hat er Ihnen gesagt? Er hat an dich geglaubt, er meinte, du wärst ein bisschen durchgeknallt, aber dass seine Geschäfte in deinen Händen gut aufgehoben wären, jedenfalls werde ich dein erster Kunde sein: ich brauche bis morgen zwölf Hummer, am liebsten gepanzert, ich werde sie nur vorsichtshalber kurz durchchecken lassen, morgen kurz vor drei lasse ich sie abholen; die Rechnungen bitte für jede Firma der Gruppe LEQ, sind alle bei dir im Computer; du wirst mit der Beerdigung genug zu tun haben, also ruf einfach die Sekretärin an und gib ihr die Bestellung durch, die regelt das dann schon mit den Geschäftsführern. Sie weinte nicht mehr, nahm erstaunt zur Kenntnis, wie das, was McGiver sagte, etwas in ihrem Gehirn neu justierte. Ich bin noch klein, dachte sie, aber die Geschäftswelt ist noch kleiner. Wir hören voneinander. Kommen Sie zur Beerdigung? Ich muss kurz verreisen, aber wenn ich zurück bin, melde ich mich, was wirst du mit der Sammlung deines Vaters machen? Fortführen. Er hat nämlich eine Gitarre bei mir bestellt. Dann liefern Sie. Außerdem habe ich was von Kiss in Aussicht. Von diesen Schwuchteln? Vergessen Sie's. Sie verabschiedeten sich. Nicht nur die Show muss weitergehen, sondern auch das Geschäft. Paty war wieder allein mit der Leiche, sie wimmerte erneut, setzte sich und rief Mendieta an.

Der Zurdo und das Team inspizierten den Tatort. Die Nachbarn hatten nichts gesehen, auch keinen Schuss gehört. Die Leute von der Spurensicherung überprüften die Handys, der letzte Anruf war vom Vortag. Adán Carrasco ging ran, sie seien Freunde und hätten auch geschäftlich miteinander zu tun. Die Nachricht überraschte ihn.

Kavallerie. Es war Gris. Chef, Sie müssen kommen.

44

In einem der Briefe an ihre Mutter hatte Mayra geschrieben, dass sie sich von einem Klienten bedroht fühlte.

Sie verließen das Präsidium, fuhren los und drehten *Jumping Jack Flash* voll auf, da rief Samantha Valdés an. Ich muss mit dir sprechen, Comandante. Ich bin nicht einer von deinen Leuten, Samantha, dafür bin ich zu blöd und auch ein bisschen zu integer. Gerade deshalb interessierst du mich ja, Zurdo Mendieta, meinst du, wir brauchen in unseren Reihen keine integren Leute? Du magst es vielleicht nicht glauben, vielleicht hast auch noch nie darüber nachgedacht, aber dieses Geschäft würde ohne ein großes Maß an Treue und Integrität nicht funktionieren; wenn in einer Gruppe Risse auftauchen und man sie nicht sofort kittet, hat man verloren. Die Aktion in Altata war ganz schön brutal. Aber notwendig. Warum glaubst du, dass du mir vertrauen kannst? Ich glaube es nicht, ich weiß es, Zurdo Mendieta, jedenfalls sagt mir das meine Intuition, und falls es dich interessiert, mein Vater war der gleichen Meinung, er hat dich immer respektiert, auch wenn er es dir nicht gezeigt hat, und was McGiver mir von dir erzählt hat, hat es nur bestätigt; in einer Stunde im Miró, okay? Schaffe ich nicht, wir haben gerade rausgefunden, wer das Mädchen aus dem Alexa ermordet hat, und sind unterwegs zu dem Kerl. Brauchst du Unterstützung? Er dachte nach. Wäre vielleicht nicht verkehrt, schick mir sechs von deinen besten Ballermännern. Wohin? Er gab ihr die Adresse durch. Bist du sicher? Wie hast du das formuliert: du magst es vielleicht nicht glauben. Er war ein Freund meines Vaters. Du hast die Wahl. Du bist ganz schön hart, Zurdo Mendieta: meine Leute sind schon unterwegs. Siehst du, Mick Jagger, du bist nicht der Einzige, der ein aufregendes Leben führt.

Die Fahrt dauerte lang genug, um wieder richtig in Rage zu geraten und mit dem entsprechenden Nachdruck zu handeln.

Sie kamen in El Continente an, das ohne die Yankees trostlos wirkte. Einige Arbeiter verrichteten ihr Tagewerk. Zwanzig Meter vor dem Haus hielten sie an. Auf dem feuchten Boden entdeckte der Zurdo Reifenspuren, die ihm bekannt vorkamen. Gris nickte zustimmend, als er sie ihr zeigte. In ihrem Gefolge waren der Terminator, Camello und zwei weitere Einsatzkräfte, alle ausgestattet mit AR-15-Gewehren und den neuen kugelsicheren Westen; Ersterer gab den Arbeitern zu verstehen, dass sie sich verziehen sollten, was sie auch blitzschnell taten. Adán Carrasco kam aus dem Haus, mit lächelndem Gesicht, das blitzartig hart wurde. Hinter ihm tauchte sein Verwalter auf, sichtbar bewaffnet. Womit kann ich Ihnen dienen, Detective? Wie ich sehe, haben Sie Begleitung mitgebracht. Jetzt bist du dran, Adán Carrasco, du Schwein. Was soll das, Detective? Ich bin ein friedliebender Mensch. Ein Mörder bist du, und dafür wirst du bezahlen. Ich besitze die doppelte Staatsbürgerschaft, Detective, ich habe in zwei Kriegen gekämpft und bin mit dem Vater des Präsidenten des mächtigsten Landes der Welt befreundet. Sie machten einen Schritt nach vorne. Sag dem Wichser neben dir, er soll seine Waffen wegwerfen, und ergib dich, bei deinen Beziehungen liefern sie dich vielleicht morgen schon aus. Feuchte Hitze. Carrasco zog seine Pistole und zielte auf Mendieta, der es ihm gleichtat; der Verwalter nahm die anderen ins Visier, die in gleicher Manier reagierten. Bevor ich dich umlege, Detective, wie bist du so schnell darauf gekommen? Ich bin wirklich überrascht. Du hast unverwischbare Spuren hinterlassen. Der Typ hat Ärger gemacht, ich habe ihm Geld geschuldet, er wollte nicht länger warten, also musste ich ihn kaltmachen, aber ich glaube nicht, dass ich Spuren hinterlassen habe. Er schoss, der Verwalter ebenso, aber sie waren nervös, und die Kugeln gingen knapp daneben. Wenn die Iraker mich nicht kleingekriegt haben, wird eine Komikertruppe wie ihr es zweimal nicht schaffen. Der Zurdo und seine Leute warfen sich auf den Boden und schossen, während Carrasco und sein Begleiter sich im Haus verschanzten. Die Polizisten kauerten sich hinter die beiden Jeeps, die für die Jagd benutzt wurden.

Der Einschlag eines Bazookageschosses trieb sie zurück. Die Kugeln der AR-15 zertrümmerten die Fenster und prallten von der Wand ab, ohne größeren Schaden anzurichten. Auch Gris und der Zurdo feuerten, mit dem gleichen Ergebnis. Eine zweite Bazookagranate schoss einen Jeep in Brand, die Polizisten waren wie gelähmt. Bittere Sekunden. Ein drittes Geschoss, abgefeuert diesmal von der Einfahrt der Ranch, traf die Hauswand, dann ein viertes. Die von Samantha Valdés geschickte Verstärkung war eingetroffen. Es waren junge Kerle. Der Zurdo und Gris schlichen zum hinteren Teil des Gebäudes. Quiroz stieg aus einem Auto, das hinter dem Streifenwagen 161 angehalten hatte.

Als sie um die Ecke bogen, sahen sie Carrasco und seinen Verwalter auf ein dunkelbraunes Auto zugehen. Der ehemalige Scharfschütze zielte auf den Zurdo, der schwitzte und zum ersten Mal seit vielen Jahren spürte, dass er nicht sterben wollte, dass er so viele Dinge überlebt hatte und der Ruhestand eine interessante Option war; er sah die Waffe, die aus neun Meter Entfernung auf ihn gerichtet war, das Gesicht des Mörders, und ihm wurde schwindlig; trotzdem visierte er mit seiner Walther den Kopf seines Gegenübers an. Kurze Haare, wilder Blick. Gris tat es ihm nach. Dann hast du also auch Fabián Olmedo umgelegt. Das war das Mindeste, was dieses Arschloch verdient hatte. Und wie bist du drauf gekommen, dass das deine Aufgabe war? Braucht man neuerdings eine offizielle Erlaubnis, um Schwachköpfe zu liquidieren? Der Verwalter mit einer AK-47, hochkonzentriert. Carrasco mit einer Neun-Millimeter-Beretta. Daneben das Zimmer, aus dem Win den Zurdo befreit hatte. Es wird uns beide erwischen, Detective, altes Militärgesetz. In diesem Moment kamen vier Polizisten hinzu, die alle ihre AR-15 im Anschlag hatten, und Samanthas Leute mit ihren Kalaschnikows; die Jüngsten benutzten ein Kaliber, das sich gewaschen hatte. Wenn du meinst, *Plüschbärchen*, erst bist du grob geworden zu Roxana, dann hast du sie kaltgemacht. Der Verwalter hatte ein Einsehen, legte seine Five-Seven und sein Gewehr auf den Boden und hob die Hände. Eine Barrett-M50-Salve durchlöcherte den Wassertank mit dem Schriftzug der Ranch, eine weitere schoss die Windschutzscheibe des Autos mit den breiten Reifen in Splitter. Wo hast du denn das her, Detective? Haben mir meine Eier gesagt. Die Belagerer zogen den Kreis enger, die Polizisten waren froh, dass die Narcos an ihrer Seite waren. Carrasco verlor endgültig die Nerven. Über dreihunderttausend Dollar habe ich ihr in den Rachen gestopft und konnte sie trotzdem nicht erobern. Gris Toledo hielt angespannt ihre Waffe auf ihn gerichtet. So wenig? Sie war eine Schlampe, konnte den

Hals nicht vollkriegen. Vor zwei Monaten hast du sie noch vergöttert, zumindest hat sie das ihrer Mutter geschrieben. Sie hat mich verhext, mit ihrem Körper, mit ihrem Tanz, mit ihrer Treulosigkeit, sogar Mister B. war mit ihr im Bett. Du hast sie verstümmelt, warum? Du hattest auch was mit ihr, stimmt's? Ich fand es von Anfang an merkwürdig, dass ein mexikanischer Bulle sich so sehr für sie interessiert, wollte sie einen Verlobungsring von dir? Ach, was soll's. Er steckte sich den Lauf in den Mund. Peng. Er kippte nach hinten, grobe Schuhe, die Abdrücke passten. Der Zurdo erinnerte sich an die Explosion des Cheyenne, als er auf ihn gefallen war und er dieselben Schuhe getragen hatte. Verärgert ließen die Detectives die Waffen sinken.

So wie die Narcos gekommen waren, verschwanden sie auch wieder.

Wie ein Windstoß, der Juárez traf.

»Liebe Mama,

ich hoffe, es geht dir gut. In meinem vorigen Brief habe ich dir geschrieben, dass ich nicht weiß, was ich tun soll; jetzt weiß ich es; auch wenn ich hier die besten Kunden der Welt habe, ich werde fortgehen. In den vergangenen Tagen war das Bärchen Adán unerträglich und hat mich bedroht, davon hatte ich dir ja schon erzählt, wenn ich nicht zu ihm zurückkehre, würde er mich umbringen, was mir überhaupt einfalle, richtig beleidigend war er in letzter Zeit. Ich könnte meinen Liebhaber bitten, ihn in die Schranken zu weisen, aber ich habe Angst davor, du erinnerst dich bestimmt, dass er mir vor einem Monat verboten hat, mich noch mal mit ihm zu treffen, und wenn ich jetzt zugebe, dass ich ihm nicht gehorcht habe, könnte alles nur noch schlimmer werden; ich sehe ihn heute, dann will er mir Geld geben, das schicke ich dir dann. Ich werde also fortgehen, das ist am besten. Vielleicht schreibe ich dir den nächsten Brief schon aus einer anderen Stadt. Was meinen Vater angeht ...«

In Carrascos Büro hatten sie ihre Tasche gefunden, und darin diesen zweiten Brief, in dem sie ihn beschuldigte. Kein Geld. Die Spurensicherung traf ein. Quiroz machte mehrere Fotos, bevor er zum Detective ging, der das Gebäude gerade verließ. Mein Zurdo, wann trinken wir mal ein Bier zusammen? Bier? Ich brauche einen Tequila. Gris Toledo brachte ihm eine Flasche, die sie aus dem 161 geholt hatte. Er nahm einen kräftigen Schluck. Als er schon auf dem Weg zum Jetta war, hatte er so ein Gefühl, eine Eingebung, einen Verdacht, und er kehrte zu Carrascos Leiche zurück. Blutlache. Er suchte in seinen Taschen. Wandte sich wieder Gris zu, hörte ihre Frage; antwortete nicht. Er hatte seine Hand um eine Plastiktüte geballt, die er mit seinem Taschentuch umwickelt hatte. Warum hatte er ihr die Brustwarze abgeschnitten? Er stieg in den Jetta: erst würde er die Unversehrtheit von Roxanas Körper wiederherstellen und dann seinen wohlverdienten Whisky trinken.

Latebra Joyce, September 2010

Ken Bruen
London Boulevard
Kriminalroman
Aus dem Englischen von
Conny Lösch
st 4208. 261 Seiten

Kaum zehn Minuten aus dem Knast, bricht Mitchell auch schon einem Punk den Arm. Als Geldeintreiber ist man nicht gerade zimperlich. Doch Mitchell will sein Leben ändern: legale Geldquelle, nette Frau, Kinder vielleicht. Als ihm die Diva Lillian Palmer einen Job auf ihrem Anwesen in Notting Hill anbietet, sieht er seine Chance gekommen – und Lillian könnte glatt die richtige Frau sein. Alles prima, wären da nicht Lillians zwielichtiger Butler Jordan und Tommy Logan, ein Geldhai, der seine eigenen Pläne für Mitchell hat …
Gnadenlos, schnell und, wenn es sein muss außerordentlich brutal – ein Typ wie Mitchell scheint wie geboren für ein Dasein zwischen Drogendealern und Geldeintreibern. Als sich ihm die Chance bietet, ein neues Leben anzufangen, holt seine Vergangenheit ihn ein. Und Mitchell muss zurückschlagen.

»Es gibt wohl kaum einen zeitgenössischen Krimi-Autor, der so punktgenau schreibt wie Bruen. Schlanke Dialoge, die wie Pistolenschüsse durch die unwirtlichen Seelenlandschaften seiner Romane peitschen.« *Matthias Matussek, Der Spiegel*

NF 1001/1/11.10

Maurizio de Giovanni
Der Sommer des
Commissario Ricciardi
Kriminalroman
Aus dem Italienischen von
Doris Nobilia
Deutsche Erstausgabe
st 4249. 364 Seiten

Sommer 1931, Neapel ächzt unter Hitze und Faschismus gleichermaßen. Commissario Ricciardi vermögen beide nicht aufzuhalten. Eine unheimliche Gabe lässt dem brillanten Ermittler keine Ruhe, er hört die letzten Worte der Toten. Sein neuester Fall allerdings stellt seine Hartnäckigkeit auf eine schwere Probe: Herzogin di Camparino, geheimnisvolle und skandalumwitterte Herrin der Salons und Theaterlogen, wurde ermordet. Die Liste der Verdächtigen ist lang, doch länger noch die Liste derer, die allzu gründliche Nachforschungen um jeden Preis verhindern wollen …
Seine Vorgesetzten misstrauen ihm, seine Kollegen glauben, er spreche mit dem Teufel. Doch Commissario Ricciardi kennt nur ein Ziel: den Mörder zur Strecke bringen. Seine Jagd führt ihn tief in die Abgründe der High-Society im Italien der dreißiger Jahre.

»Eine schwermütige Serie. Schön, dass es sie gibt.«
Kurier, Wien

NF 1010/1/7.11

Kathryn Miller Haines
Ein Schlachtplan für
Miss Winter
Rosie Winters zweiter Fall
Kriminalroman
Aus dem Amerikanischen von
Kirsten Riesselmann
Deutsche Erstausgabe
st 4166. 487 Seiten

Keine Feldpost vom Exfreund, dafür Fleischrationierung und zwei linke Füße beim Vortanzen: Die Laune von Rosie Winter, Broadway-Schauspielerin ohne Engagement, ist in diesem Frühjahr 1943 nicht die beste. Und dann wird auch noch Al verhaftet, Rosies treuer Kumpel aus der New Yorker Unterwelt.
Broadway-Starlet Paulette Monroe wurde erschlagen. Al, ein Muskelprotz im Dienst der Mafia, gesteht die Tat. Klar, dass ihm jeder glaubt. Doch Rosie Winter kennt Al und weiß, dass er kein Mörder ist. Als für die Show, in der Paulette die Hauptrolle hätte spielen sollen, noch Tänzer gesucht werden, sieht Rosie ihre Chance. Zusammen mit ihrer Freundin Jayne macht sie sich daran, Als Unschuld zu beweisen. Mit Witz, Verstand und dem Herz auf der Zunge ermittelt Rosie Winter wieder in der kriegsgeplagten New Yorker Theaterwelt der 40er Jahre.

NF 1006/1/11.10

Rosa Ribas
Kalter Main
Kriminalroman
Aus dem Spanischen von
Kirsten Brandt
Deutsche Erstausgabe
st 4088. 368 Seiten

Hochwasser in Frankfurt, und in den Fluten des Mains treibt ein Toter – ermordet, wie sich schnell herausstellt. Hauptkommissarin Cornelia Weber übernimmt den Fall, und die Ermittlungen bringen nicht nur so manche dunkle Seiten des Mordopfers, eines seit Jahrzehnten in Frankfurt lebenden Spaniers, ans Licht, sondern lassen auch Webers eigene Vergangenheit wiederaufleben … Zwischen Bankentürmen und Bahnhofsviertel – der erste Fall der eigenwilligen Frankfurter Kommissarin Cornelia Weber.

»Spannend bis zum Schluss.« *Ecos*

NF 979/1/8.10

Don Winslow
Pacific Private
Kriminalroman
Aus dem Amerikanischen von
Conny Lösch
Deutsche Erstausgabe
st 4096. 395 Seiten

Boone Daniels lebt, um zu surfen. Nebenbei übernimmt er als Privatdetektiv ein paar Jobs, doch nie so viel, um nicht rechtzeitig bei Tagesanbruch am Strand zu sein. Doch gerade als Riesenbrecher auf Pacific Beach, Kalifornien zurollen, wie sie nur alle paar Jahre vorkommen, wird er von einer attraktiven Anwältin in einen Fall verwickelt, der auch ein dunkles Kapitel seiner Vergangenheit betrifft.
Während die einen auf die perfekte Welle warten, floriert im südkalifornischen Surferparadies der Kinderhandel – der Beginn einer Serie um den surfenden Privatdetektiv Boone Daniels.

»Der vielleicht beste Sommerkrimi aller Zeiten.«
San Francisco Chronicle

»*Pacific Private* ist wie eine Monsterwelle, die kommt und alles mit sich reißt. Nichts wird mehr so sein wie vorher.«
3sat Kulturzeit

»Tragisch, komisch und auch noch brillant geschrieben: ein Kracher!« *TV Movie*

NF 908/1/7.10